JN220230

心不全治療薬の考え方，使い方

改訂2版

編集

齋藤秀輝
聖隷浜松病院 循環器科

鍋田 健
北里大学医学部 循環器内科学

柴田龍宏
久留米大学医学部 内科学講座心臓・血管内科部門

執筆 U40心不全ネットワーク

中外医学社

執筆者 （執筆順）

柴 田 龍 宏　久留米大学医学部内科学講座心臓・血管内科部門助教

大 石 醒 悟　医療法人社団まほし会真星病院循環器内科部長

鍋 田　　健　北里大学医学部循環器内科学助教

門 田 宗 之　徳島大学病院循環器内科特任助教

伊 勢 孝 之　徳島大学病院循環器内科助教

松 本 新 吾　University of Glasgow, British Heart Foundation Cardiovascular Reseach Center, 東邦大学医療センター大森病院循環器内科助教

末 永 祐 哉　順天堂大学大学院医学研究科循環器内科学講座准教授

本 川 哲 史　長崎大学病院循環器内科助教

相 澤 直 輝　大浜第一病院内科科長

堀 内　　優　三井記念病院循環器内科医長

三 浦 弘 之　国立循環器病研究センター心臓血管内科・冠疾患科

菊 池 篤 志　大阪急性期・総合医療センター心臓内科副部長

白 石 泰 之　慶應義塾大学医学部循環器内科助教

生 駒 剛 典　浜松医科大学内科学第三講座循環器内科

石 原 里 美　奈良県立医科大学循環器内科診療助教

小 保 方　優　群馬大学大学院医学系研究科循環器内科学病院講師

加 来 秀 隆　JCHO 九州病院内科・循環器内科

近 藤　　徹　名古屋大学大学院医学系研究科循環器内科学病院助教

竹 内 一 喬　福井県済生会病院内科医長

中 本　　敬　大阪大学大学院医学系研究科循環器内科学特任助教

池 田 祐 毅　北里大学医学部循環器内科学助教

永 田 春 乃　琉球大学大学院医学研究科循環器・腎臓・神経内科学

千 村 美 里　大阪大学大学院医学系研究科循環器内科学

大 石 英 生　日本赤十字社愛知医療センター名古屋第二病院循環器内科

澤 村 昭 典　一宮市立市民病院循環器内科医長

鈴 木 利 章　聖隷浜松病院循環器科

長 友 祐 司	防衛医科大学校循環器内科准教授
鍵 山 暢 之	順天堂大学医学部循環器内科/データサイエンスコース准教授
那 須 崇 人	いわて東北メディカルメガバンク機構臨床研究・疫学研究部門
黒 田 俊 介	順天堂大学医学部附属順天堂医院循環器内科助教
高 麗 謙 吾	小倉記念病院循環器内科医長
夜 久 英 憲	Northwestern 大学
庄 司 聡	Duke Clinical Reserch Institute
佐 藤 宏 行	東北大学大学院医学系研究科先制循環器医療学寄附講座助手
秋 田 敬太郎	Columbia 大学
山 田 敏 寛	熊本大学病院救急部特任助教
松 本 紘 毅	順天堂大学医学部附属順天堂医院循環器内科助教
石井奈津子	高知大学医学部老年病・循環器外科学講座
岡 田 厚	国立循環器病研究センター心臓血管内科
野村征太郎	東京大学医学部附属病院循環器内科特任准教授
中 川 頌 子	天理よろづ相談所病院循環器内科
杁 山 陽 一	久留米大学内科学講座心臓・血管内科部門助教
横 田 翔 平	国立循環器病研究センター循環動態制御部
坂 本 隆 史	九州大学大学院医学研究院循環器内科助教
西 崎 公 貴	弘前大学大学院医学研究科循環器・腎臓内科学助教
北 井 豪	国立循環器病センター心不全部部長
増田真由香	兵庫県立淡路医療センター循環器内科
藤 本 恒	兵庫県立淡路医療センター循環器内科医長
小 林 雄 太	仙台厚生病院循環器内科
齋 藤 秀 輝	聖隷浜松病院循環器科医長
濱 谷 康 弘	国立病院機構京都医療センター循環器内科
吉 田 常 恭	京都大学医学部附属病院免疫・膠原病内科

初版の執筆者 （執筆順，所属肩書きは初版刊行時のもの）

大石醒悟　兵庫県立姫路循環器病センター循環器内科医長

鍋田　健　北里大学医学部循環器内科

伊勢孝之　徳島大学病院循環器内科病棟医長

末永祐哉　順天堂大学大学院医学研究科心血管睡眠呼吸医学講座准教授

相澤直輝　大浜第一病院内科科長

白石泰之　慶應義塾大学医学部循環器内科

村田　誠　群馬県立心臓血管センター循環器内科部長

鬼塚　健　地域医療機能推進機構九州病院循環器内科

加来秀隆　九州大学大学院医学研究院循環器内科

藤野剛雄　The University of Chicago Medicine, Section of Cardiology

近藤　徹　名古屋大学大学院医学系研究科循環器内科学

中本　敬　大阪大学大学院医学系研究科循環器内科学

千村美里　大阪大学大学院医学系研究科循環器内科学

澤村昭典　一宮市立市民病院循環器内科医長

谷口達典　大阪大学大学院医学系研究科循環器内科学

長友祐司　防衛医科大学校循環器内科講師

松本新吾　東邦大学医療センター大森病院循環器内科

鍵山暢之　West Virginia University Heart and Vascular Institute Innovation Center

小保方　優　群馬大学医学部附属病院循環器内科

黒田俊介　亀田総合病院循環器内科医長

北井　豪　神戸市立医療センター中央市民病院循環器内科医長

佐藤宏行　手稲渓仁会病院循環器内科医長

松本紘毅　順天堂大学医学部附属順天堂医院循環器内科

堀内　優　三井記念病院循環器内科

野村征太郎　東京大学大学院医学系研究科重症心不全治療開発講座

坂本隆史　九州大学大学院医学研究院循環器内科

藤本　恒　兵庫県立淡路医療センター循環器内科医長

桑原政成　虎の門病院集中治療科・循環器センター内科医長

柴田龍宏　久留米大学医学部内科学講座心臓・血管内科部門

齋藤秀輝　聖隷浜松病院循環器科医長

推薦のことば

　心不全治療薬の考え方，使い方の第2版が完成した．初版と同様，U-40心不全ネットワークのメンバーの手になる力作である．U-40には鉄の掟があるようで，40歳になると後進に道を譲ることが絶対ということで，初版から編集委員も執筆者も大きく変貌を遂げている．また，初版にはなかった新規項目も追加されており，up-to-dateな内容となっている．最近の若手の思考の特徴として，エビデンスを私たち世代より一層重視しているように感じられるが，各項目においてしっかりと過去のエビデンスを紹介してある．ただこの本の特徴として，エビデンス紹介本にとどまらず，実際の臨床で使用した上での問題点留意点が必ず述べられており，また未だ確立されていない今後の課題を多くの項目で最後に記載してあることは，何がわかっていて何がわかっていないのかの，知識の整理に大変役立つことと思われる．循環器内科の治療には薬物治療と非薬物治療があり，昨今ストラクチャー分野でえてしてデバイスのノウハウに目が行きがちであるが，本来循環器とは薬物治療が豊富にある分野であり，そこに精通してこそ，非薬物治療が生きることを改めて認識するには格好の教科書になっている．自信を持ってお勧めできる座右の1冊である．

　　2023年9月

　　　　　　　　日本心不全学会理事長　　絹川弘一郎

初版の推薦文

　循環器疾患の治療は，エビデンスに基づき薬物療法と非薬物療法を組み合わせて患者ごとに選択するのが基本である．近年，非薬物療法の進歩は目覚ましく，心不全治療では ICD/CRT に加えて，MitraClip や Impella が登場した．このような非薬物療法の基本にあるのが標準的薬物治療であり，それを正しく実践するためには薬剤そのもの，そして何よりも心不全の病態を深く理解しておくことが重要である．

　大石醒悟先生，北井豪先生，末永祐哉先生の企画により『心不全治療薬の考え方，使い方』が刊行された．本書は数多く存在する心不全治療薬の処方マニュアルではなく，治療薬のエビデンスを整理するとともに，病態に合わせた考え方・使い方を臨床の場で使いやすいガイドとしてまとめている．さらに併存症，ポリファーマシーなどの章や海外留学に関するコラムなど読者のニーズに応える多彩な項目が盛り込まれている．

　執筆したのは U-40 心不全ネットワークに所属している循環器内科医であるが，心不全診療の現場で多忙な日々を送っている先生たちばかりである．このような先生方の英知を結集した渾身の一冊である．今まで取り組んでこられたフェローコースや学会での教育活動をさらに大きく前進させ，書籍として自らの手で刊行まで完遂されたことに心より敬意を表したい．本書が同世代の医師はもちろん，彼らに続く若手医師，多くの医療職にとって必携の書籍であると自信をもって推薦したい．

　　　　2019 年 10 月
　　　　　日本心不全学会理事長（九州大学循環器内科学教授）　筒 井 裕 之

2版の序

　初版を出版してから4年が経過し，この間に心不全治療を取り巻く背景は大きく変わった．IMPELLA や Mitra-Clip など重症心不全に対する侵襲的治療が成熟し，薬物療法ではベルイシグアトが登場し，ARNI や SGLT2 阻害薬のエビデンスが蓄積され，保険適応の拡大に伴い治療選択肢が広がってきている．それに伴い，個々の心不全患者に対してどのように治療を組み立てていくことの重要性が日に日に増してきている．

　改訂版は，心不全治療薬をエビデンスに基づき整理するという点は前版を踏襲しつつ，前述の新規薬剤の追加，また既存の薬物に関してもアップデートを加え，より現状に即したものとしている．またアミロイドーシスや FaϽry 病，閉塞性肥大型心筋症から漢方，医療経済に至るまで臨床トピックとしてのコラムをさらに充実させた．さらに成人先天性心疾患合併の心不全や，心不全における免疫抑制療法の使い方など，これまで成書で扱う機会の少なかった臨床疑問にも対応することでより実践的な書籍を目指した．最後に，本書で扱った薬物の具体的な投与量と薬物動態をまとめた．

　今回も前版に引き続き，2013年に40歳以下の心不全診療に興味を持つ有志で立ち上げた U40 心不全ネットワーク（http://u40hf.com/）に所属し，臨床の最前線で活躍している医師に分担執筆頂いた．前版の執筆者の中で40歳を超えられた先生の原稿は，現役メンバーに執筆を踏襲させる形での依頼とさせていただいた．多忙な臨床業務の中，より実践的な内容の執筆にご尽力いただいた執筆者の先生方へ感謝の念に堪えない．心不全診療の現場に立つすべての医療者にお勧めしたい一冊として完成したものと自負している．

　最後に，本書の発行に際し，貴重な機会を頂き，企画，編集いただいた中外医学社　企画部　桂彰吾氏ならびに U40 心不全ネットワーク現役世代の執筆にご共鳴いただいた初版執筆者の皆さまに心から感謝申し上げる．

　　2023年9月

齋藤秀輝

鍋田　健

柴田龍宏

初版の序

近年，急性心筋梗塞に対する早期再灌流療法に代表される急性期治療の進歩は循環器疾患の予後改善をもたらしたが，心不全患者は人口の高齢化とも相まって増加の一途をたどり，心不全診療が循環器診療において占める割合は年々増加している．

個々の患者の心不全治療において多くの場合，薬物療法が主体を占め，収縮不全心に対する β 遮断薬，ACE 阻害薬に始まり，MRA，ARNI，ivabradine，SGLT2 阻害薬などのエビデンスが次々と蓄積され，その他にも強心薬，血管拡張薬，利尿薬など病態に合わせた治療薬剤が多数存在する．

本書は，この年々複雑になる心不全治療薬をエビデンスに基づき整理することを主眼に置き，同系薬剤の使い分けや未知について追記することで辞書ではなく，臨床の場で使用可能な実用書を目指した．さらに，PV-loop や貧血，電解質異常，ポリファーマシーへの対応など薬剤の周辺事項を章立てし，心臓リハビリテーションや遠隔モニタリングなど薬物療法と関係が薄いと思われる内容もコラムとして取り上げることで，より実用書としての質を高める構成を心掛けた．

最後に，心不全治療の発展に大きな影響を及ぼした臨床研究を10のエビデンスとして抽出し，解説を追加した．

以上の内容を，2013 年に 40 歳以下の心不全診療に興味を持つ有志で立ち上げた U-40 心不全ネットワーク（https://u40hf.com/）に所属し，臨床の最前線で活躍している医師に分担執筆頂いた．多忙な業務の中その心意気により，単なる心不全治療薬のエビデンスに言及する内容を遥かに凌駕した書籍を完成することに努めて頂いた執筆者の先生方への感謝の念に堪えない．心不全診療に携わるすべての医療者の座右の書としていただきたい一冊が完成したものであると自負している．

最後に，本書の発行に際し，貴重な機会を頂き，辛抱強く企画，編集いただいた中外医学社企画部桂彰吾氏ならびに編集部の皆さまに心から感謝申し上げる．

2019 年 10 月

大 石 醒 悟
北 井　　豪
末 永 祐 哉

目　次

5 章　血管拡張薬　　　　　　　　　　　　　　138

9章	PV loop から考える薬の考え方，使い方

略語表

略語	フルスペル	日本語訳
ABC	anticoagulation/avoid stroke better symptom management cardiovascular and comorbidity optimization	
ABCG2	adenosine triphosphate–binding cassette transporter G2	
ACC	American college of cardiology	米国心臓病学会
ACE	angiotensin converting enzyme	アンジオテンシン変換酵素
ACHD	adult congenital heart disease	成人先天性心疾患
ACP	advance care planning	アドバンス・ケア・プランニング（人生会議）
ACS	acute coronary syndrome	急性冠症候群
ADEs	adverse drug events	薬物有害事象
ADH	antidiuretic hormone	抗利尿ホルモン
ADP	adenosine diphosphate	アデノシン二リン酸
AF	atrial fibrillation	心房細動
AHA	American heart association	米国心臓協会
AL amyloidosis	amyloid light chain cardiac amyloidosis（AL-CA）	軽鎖アミロイドーシス（原発性アミロイドーシス）
AMP	adenosine monophosphate	アデノシン一リン酸
ANP	atrial natriuretic peptide	心房性ナトリウム利尿ペプチド
APTT	activated partial thromboplastin time	活性化部分トロンボプラスチン時間
ARB	angiotensin Ⅱ receptor blocker	アンジオテンシンⅡ受容体遮断薬
ARNI	angiotensin receptor neprilysin inhibitor	アンジオテンシン受容体ネプリライシン阻害薬
AT1R	angiotensin Ⅱ type-1 receptor	アンジオテンシンⅡ受容体
ATP	adenosine triphosphate	アデノシン三リン酸
ATTR-CM	transthyretin amyloidosis cardiomyopathy	トランスサイレチン型心アミロイドーシス
AVP	arginine vasopressin	アルギニンバソプレシン
BNP	brain natriuretic peptide	B型ナトリウムペプチド
BTR	bridge to recovery	心機能回復までのブリッジ
BTT	bridge to transplantation	心臓移植へのブリッジ
CAG	coronary angiography	冠動脈造影
cAMP	cyclic adenosine monophosphate	環状アデノシン一リン酸
CCr	creatinine clearance	クレアチニンクリアランス

CCU	cardiac care unit	循環器疾患集中治療室
cGMP	cyclic guanosine monophosphate	環状グアノシン一リン酸
CIED	cardiac implantable electronic device	植込み型心臓電気デバイス
CKD	chronic kidney disease	慢性腎臓病
CNP	C-type natriuretic peptid	C型ナトリウム利尿ペプチド
COPD	chronic obstructive pulmonary disease	慢性閉塞性肺疾患
CpcPH	combined pre- and post-capillary pulmonary hypertension	混合性肺高血圧症
CRTD	cardiac resynchronization therapy defibrillator	両心室ペーシング機能付き植込み型除細動器
CS	crinical scenario	クリニカルシナリオ
CUN/Cr	urea nitrogen clearance/creatinine	尿素窒素クリアランス/クレアチニン
CV	cardiovascular	心血管
CVP	central venous pressure	中心静脈圧
DOAC	direct oral anticoagulant	直接経口抗凝固薬
DPC	diagnosis procedure combination	診断群分類包括評価
DT	destination therapy	長期在宅補助人工心臓治療
Ea	effective arterial elastance	実効動脈エラスタンス
EBM	evidence-based medicine	科学の根拠に基づく医療
ECMO	extracorporeal membrane oxygenation	膜型人工肺による体外循環
EDP（Ped）	end-diastolic pressure	拡張末期圧
EDPVR	end-diastolic pressure volume relationship	拡張末期圧容積関係
EDV（Ved）	end-diastolic volume	拡張末期容積
Ees	end-systolic elastance	収縮末期エラスタンス
EF	ejection fraction	駆出率
eGFR	estimated glomerular filtration rate	推定糸球体濾過量
EHRA	European heart rhythm association	欧州不整脈学会
EPO	erythropoietin	エリスロポエチン
ESA	erythropoiesis stimulating agent	赤血球造血刺激因子製剤
ESC	European society of cardiology	欧州心臓病学会
ESP（Pes）	end-systolic pressure	収縮末期圧
ESPVR	end-systolic pressure volume relationship	収縮末期圧容積関係
ESV（Ves）	end-systolic volume	収縮末期容積
EW	external work	外的仕事
FDA	food and drug administration	アメリカ食品医薬品局
FDG-PET	fluorodeoxyglucose-positron emission tomography	フルオロデオキシグルコース-陽電子放射断層撮影
FFP	fresh frozen plasma	新鮮凍結血漿
FPN	ferroportin	フェロポルチン
FRAX	fracture risk assessment tool	骨折リスク評価ツール
Gb3	globotriaosylceramide	グロボトリアオシルセラミド

GC	glucocorticoid	グルココルチコイド
GDMT	guideline-directed medical therapy	ガイドラインに基づく治療
GLS	global longitudinal strain	左室長軸方向ストレイン
GMP	guanosine monophosphate	グアノシン一リン酸
HBR	high bleeding risk	高出血リスク
HCM	hypertrophic cardiomyopathy	肥大型心筋症
HFimpEF	heart failure with improved ejection fraction	左室駆出率が改善した心不全
HFmrEF	heart failure with mildly reduced ejection fraction	左室駆出率が軽度低下した心不全
HFNC	high flow nasal cannula oxygen	高流量鼻カニュラ酸素療法
HFpEF	heart failure with preserved ejection fraction	左室駆出率の保たれた心不全
HFrEF	heart failure with reduced ejection fraction	左室駆出率の低下した心不全
HFSA	heart failure society of America	米国心不全学会
HIF-PH	hypoxia-inducible factor-prolyl hydroxylase	低酸素誘導因子プロリン水酸化酵素
HLA	human leukocyte antigen	ヒト白血球抗原
HR	hezard ratio	ハザード比
HR	heart rate	心拍数
HRS	heart rhythm society	米国不整脈学会
IABP	intra-aortic balloon pumping	大動脈内バルーンパンピング
ICD	implantable cardioverter defibrillator	植込み型除細動器
ICER	incremental cost-effectiveness ratio	増分費用対効果比（増分費用効果比）
IGRA	interferon gamma release assay	インターフェロンγ遊離試験
INTERMACS	interagency registry for mechanically assisted circulatory support	米国における機械的循環補助装置の登録事業
IpcPH	isolated postcapillary pulmonary hypertension	後毛細血管性肺高血圧症
ISDN	isosorbide dinitrate	硝酸イソソルビド
IVIG	intravenous immunoglobulin	静注免疫グロブリン
IVS	interventricular septum	心室中隔
JCS	Japanese circulation society	日本循環器学会
JHFS	Japanese heart failure society	日本心不全学会
JHRS	Japanese heart rhythm society	日本不整脈心電学会
K$_{ATP}$	ATP-sensitive potassium channel	ATP 感受性カリウムチャネル
LDL-chol	low density lipoprotein cholesterol	低濃度リポタンパク質コレステロール
LGE	late gadolinium enhancement	遅延造影像
LOS	low output syndrome	低心拍出量症候群
LVAD	left ventricular assist device	左室補助人工心臓
LVEDP	left ventricular end-diastolic pressure	左室拡張末期圧
LVEDV	left ventricular end-diastolic volume	左室拡張末期容積
LVEF	left ventricular ejection fraction	左室駆出率
LVOT-VTI	left ventricular outflow tract velocity time integral	左室流出路速度時間積分値
MACE	major adverse cardiovascular events	主要心血管イベント
MCS	mechanical circulatory support	機械的補助循環
MMAS-4	Morisky medication adherence scales-4	

MRA	mineralocorticoid receptor antagonist	ミネラルコルチコイド受容体拮抗薬
M 蛋白	monoclonal protein	モノクローナル蛋白
NEP	neprilysin	ネプリライシン
NNT	number needed to treat	治療必要数
NO	nitric oxide	一酸化窒素
NP	natriuretic peptide	ナトリウム利尿ペプチド
NPPV	non-invasive positive pressure ventilation	非侵襲的陽圧換気療法
NPR-A	natriuretic peptide receptor A	A 型ナトリウム利尿ペプチド受容体
NSAIDs	non-steroidal anti-inflammatory drugs	非ステロイド性抗炎症薬
NSVT	non-sustained ventricular tachycardia	非持続性心室頻拍
NT-proBNP	N-terminal pro-brain natriuretic peptide	N 末端前駆体脳性ナトリウム利尿ペプチド
NYHA	New York heart association	ニューヨーク心臓協会
OD（錠）	orally disintegrating	口腔内崩壊（錠）
PaO_2	partial pressure of arterial oxygen	動脈血酸素分圧
PCC	prothrombin complex concentrate	静注用人プロトロンビン複合体製剤
PCI	percutaneous coronary intervention	経皮的冠動脈形成術
PDE-Ⅲ	phosphodiesterase	ホスホジエステラーゼ-Ⅲ
PE	potential energy	ポテンシャルエナジー
PH	pulmonary hypertension	肺高血圧症
PICC	peripherally inserted central venous catheter	末梢挿入型中心静脈カテーテル
PIMs	potentially inappropriate medications	潜在的に不適切な処方
PKA	protein kinase A	プロテインキナーゼ A
PKG	protein kinase G	プロテインキナーゼ G
PPI	proton pump inhibitor	プロトンポンプ阻害薬
PSL	prednisolone	プレドニゾロン
PT	prothrombin time	プロトロンビン時間
PT-INR	prothrombin time-international normalized ratio	プロトロンビン時間-国際標準化比
PV	pressure volume	圧容積
PVA	pressure volume area	圧容積面積
QALY	quality-adjusted life-years	質調整生存年
QOL	quality of life	生活の質
RAAS	renin-angiotensin-aldosterone system	レニン-アンジオテンシン-アルドステロン系
RAS	renin-angiotensin system	レニン-アンジオテンシン系
RASS	Richmond agitation-sedation scale	リッチモンド興奮・鎮静スケール
RCT	randomized controlled trial	ランダム化比較試験
rt-PA	recombinant tissue plasminogen activator	遺伝子組換え型プラスミノーゲン活性化因子
RyR	ryanodine receptor	リアノジン受容体
SBP	systolic blood pressure	収縮期血圧

SCAI（分類）	society for cardiovascular angiography and interventions	米国心血管インターベンション学会（分類）
ScvO₂	central venous oxygen saturation	中心静脈酸素飽和度
SERCA2	sacro/endoplasmic reticulum Ca^{2+}-ATPase type 2 isoform	筋小胞体カルシウム ATPase
SF-36	MOS 36-item short-form health survey	
sGC	soluble guanylate cyclase	可溶性グアニル酸シクラーゼ
SGLT2	sodium-glucose cotransporter 2	ナトリウム-グルコース共輸送体2
SHFM	Seattle heart failure model	シアトル心不全モデル
SpO₂	saturation of percutaneous oxygen	経皮的動脈血酸素飽和度
SRT	septal reduction therapy	中隔縮小治療
START（criteria）	screening tool to alert doctors to the right treatment	
STEMI	ST-elevation myocardial infarction	ST 上昇型心筋梗塞
STOPP	screening tool of older person's prescriptions	
SU（薬）	sulfonyl urea	スルホニル尿素（薬）
SV	stroke volume	1 回拍出量
SvO₂	mixed venous oxygen saturation	混合静脈血酸素飽和度
SVR	systemic vascular resistance	全身血管抵抗
SZC	sodium zirconium cyclosilicate hydrate	ジルコニウムシクロケイ酸ナトリウム水和物
TAVI	transcatheter aortic valve implantation	経カテーテル大動脈弁留置術
TG	triglyceride	中性脂肪（トリグリセリド）
TNF-α	tumor necrosis factor-α	腫瘍壊死因子
TOF	tetralogy of Fallot	ファロー四徴症
TRALI	transfusion-related acute lung injury	輸血関連急性肺障害
TTR	transthyretin	トランスサイレチン
TTR	time in therapeutic range	
UCSD	University of California, San Diego	カリフォルニア大学サンディエゴ校
UF	ultrafiltration	限外濾過
V0	volume at zero pressure	無負荷容積
VAD	ventricular assist device	補助人工心臓
VEGF	vascular endothelial growth factor	血管内皮細胞増殖因子
VKA	vitamin K antagonist	ビタミン K 拮抗薬
VKORC1	vitamin K epoxide reductase complex subunit 1	
VT	ventricular tachycardia	心室頻拍
WHO	world health organization	世界保健機関
WRF	worsening renal function	腎機能悪化
XO	xanthine oxidase	キサンチンオキシダーゼ
α-Gal	α-galactosidase	α ガラクトシダーゼ

本書に記載された臨床試験

臨床試験名	論文
ADHERE	J Am Coll Cardiol. 2005; 46: 57-64.
ADVOR	N Engl J Med. 2022; 387: 1185-95.
AF-CHF	N Engl J Med. 2008; 358: 2667-77.
AFFIRM	N Engl J Med. 2002; 347: 1825-33.
AFFIRM-AHF	Lancet. 2020; 396: 1895-904.
AFIRE	N Engl J Med. 2019; 381: 1103-13.
AKINESIS	J Am Coll Cardiol. 2016; 68: 1420-31.
ALARM-HF	Intensive Care Med. 2011; 37: 619-26.
ALL-HEART	Lancet. 2022; 400: 1195-205.
ANAFIE	Circ Rep. 2020; 2: 552-9.
APAF-CRT	Eur Heart J. 2021; 42: 4731-39.
ARISTOTLE	N Engl J Med. 2011; 365: 981-92.
ASCEND-HF	N Engl J Med. 2011; 365: 32-43.
ATTEND	Circ J. 2013; 77: 944-51.
AUGUSTUS	N Engl J Med. 2019; 380: 1510-24.
AVKDIAL	進行中
BEAUTIFUL	Lancet. 2008; 372: 807-16.
BLAST-AHF	Eur Heart J. 2017; 38: 2364-73.
BPLTTC	J Hypertens. 2007; 25: 951-8.
CABANA	JAMA. 2019; 321: 1261-74.
CARES	N Engl J Med. 2018; 378: 1200-10.
CARRESS-HF	N Engl J Med. 2012; 367: 2296-304.
CASTLE-AF	N Engl J Med. 2018; 378: 417-27.
CIBIS III	Circulation. 2005; 112: 2426-35.
CLOROTIC	Eur Heart J. 2023; 44: 411-21.
COMMANDER-HF	N Engl J Med. 2018; 379: 1332-42.
CONSENSUS	N Engl J Med. 1987; 316: 1429-35.

COPERNICUS	Circulation. 2002; 106: 2194-9.
DAPA-CKD	N Engl J Med. 2020; 383: 1436-46.
DAPA-HF	N Engl J Med. 2019; 381: 1995-2008.
DECLARE-TIMI 58	N Engl J Med. 2019; 380: 347-57.
DELIVER	N Engl J Med. Published online 2022: 1089-98.
DIAMOND	Eur Heart J. 2022; 43: 4362-73.
DIG	Am Heart J. 1997; 134: 3-12.
DIGIT-HF	進行中
DOREMI	N Engl J Med. 2021; 385: 516-25.
DOSE	N Engl J Med. 2011; 364: 797-805.
EAST-AFNET 4	N Engl J Med. 2020; 383: 1305-16.
EDIFY	Eur J Heart Fail. 2017; 19: 1495-503.
ELDERCARE-AF	N Engl J Med. 2020; 383: 1735-45.
ELITE Ⅱ	Lancet. 2000; 355: 1582-7.
EMPA-AHF	進行中
EMPA-kidney	N Engl J Med. 2023; 388: 117-27.
EMPA-REG OUTCOME	N Engl J Med. 2015; 373: 2117-28.
EMPEROR-Preserved	N Engl J Med. 2021; 385: 1451-61.
EMPEROR-Reduced	N Engl J Med. 2020; 383: 1413-24.
EMPHASIS-HF	N Engl J Med. 2011; 364: 11-21.
ENGAGE AF-TIMI48	N Engl J Med. 2013; 369: 2093-104.
ENTRUST-AF PCI	Lancet. 2019; 394: 1335-43.
EPOCH	Circ J. 2002; 66: 149-57.
EVEREST	JAMA. 2007; 297: 1319-31.
EXACT-HF	Circulation. 2015; 131: 1763-71.
FAIR-HF	N Engl J Med. 2009; 361: 2436-48.
FAST	Lancet. 2020; 396: 1745-57.
Fushimi AF	Circ J. 2017; 81: 1278-85.
GALACTIC-HF	N Engl J Med. 2021; 384: 105-16.
GARFIELD-AF	J Am Coll Cardiol. 2020; 76: 1425-36.
GOREISAN-HF	進行中
GUIDE-HF	JACC Heart Fail. 2022; 10: 931-44.

GWTG-HF	Circ Cardiovasc Qual Outcomes. 2010; 3: 25-32.
HN	J Am Heart Assoc. 2017; 6: e005261.
INT	Circ Heart Fail. 2012; 5: 25-35.
INVICTUS	N Engl J Med. 2022; 387: 978-88.
IONA	Lancet. 2002; 359: 1269-75.
IRONOUT-HF	JAMA. 2017; 317: 1958-66.
JCARE-CARD	Circ J. 2009; 73: 1901-8.
JASPER	Circ J. 2018; 82: 1534-45.
JAST	Stroke. 2006; 37: 447-51.
J-DHF	Eur J Heart Fail. 2013; 15: 110-8.
J-ELD AF	Clin Cardiol. 2020; 43: 251-9.
J-RHYTHM	J Cardiol. 2015; 65: 175-7.
J-ROCKET-AF	Circ J. 2012; 76: 2104-11.
J-SHIFT	Circ J. 2019; 83: 2049-60.
LAQUA-HF	進行中
MUCHA	Am Heart J. 2004; 147: 324-30.
MYTHS	進行中
ONTARGET	N Engl J Med. 2008; 358: 1547-59.
OPTIC	JAMA. 2006; 295: 165-71.
OPTIME-CHF	JAMA. 2002; 287: 1541-7.
OPTION-HF	Heart Fail. 2022; 9: 3275-86.
PARADIGM-HF	N Engl J Med. 2014; 371: 993-1004.
PARAGLIDE-HF	J Am Coll Cardiol. 2023; 82: 1-12.
PARAGON-HF	N Engl J Med. 2019; 381: 1609-20.
PEP-CHF	Eur Heart J. 2006; 27: 2338-45.
PICO	Heart. 1996; 76: 223-31.
PIONEER AF-PCI	N Engl J Med. 2016; 375: 2423-34.
PIONEER-HF	N Engl J Med. 2019; 380: 539-48.
PRAISE	N Engl J Med. 1996; 335: 1107-14.
PRIME II	Lancet. 1997; 349: 971-7.
RACE II	N Engl J Med. 2010; 362: 1363-73.
RALES	N Engl J Med. 1999; 341: 709-17.

RATE-AF	JAMA. 2020; 324: 2497-508.
RE-ALIGN	N Engl J Med. 2013; 369: 1206-14.
REALITY-AHF	J Am Coll Cardiol. 2017; 69: 3042-51.
RED-HF	N Engl J Med. 2013; 368: 1210-9.
RE-DUAL PCI	N Engl J Med. 2017; 377: 1513-24.
RELAX-AHF	Lancet. 2013; 381: 29-39.
RE-LY	N Engl J Med. 2009; 361: 1139-51.
RENAL-AF	Circulation. 2020; 23: 1735-45.
REVIEW-HF	進行中
ROCKET-AF	N Engl J Med. 2011; 365: 883-91.
ROSE AHF	JAMA. 2013; 310: 2533-43.
SAFE-D	進行中
SCD-HeFT	J Am Coll Cardiol. 2014; 63: 2560-8.
SHIFT	Lancet. 2010; 376: 875-85.
SOAP Ⅱ	N Engl J Med. 2010; 362: 779-89.
SOCRATES-REDUCED	J Med Chem. 2017; 60: 5146-61.
SOLVD	N Engl J Med. 1991; 325: 293-302.
STEMI-DTU	進行中
TOPCAT	N Engl J Med. 2014; 370: 1383-92.
TRANSFORM-HF	JAMA. 2023; 329: 214-23.
TRED-HF	Lancet. 2019; 393: 61-73.
TRITON-HF	Circ J. 2022; 86: 1068-78.
UNLOAD	J Am Coll Cardiol. 2007; 49: 675-83.
Val-HeFT	N Engl J Med. 2001; 345: 1667-75.
VASST	N Engl J Med. 2008; 358: 877-87.
VEST	N Engl J Med. 1998; 339: 1810-6.
VICTOR	進行中
VICTORIA	N Engl J Med. 2020; 382: 1883-93.
VITALITY-HFpEF	JAMA. 2020; 324: 1512-21.
WARCEF	N Engl J Med. 2012; 366: 1859-69.
WASH	Am Heart J. 2004; 148: 157-64.
WATCH	Circulation. 2009; 119: 1616-24.

心不全治療薬の考え方，使い方概論

a. 本書の企画意図

　本書の主な目的は，日常臨床で多くの心不全患者への対応に迫られている医師および医療関係者に，心不全治療に用いられる薬剤の使用について，優先的に使用する根拠，使用する際の注意点，同系薬剤の使い分けなど，最新のエビデンスに基づいた心不全診療を実現するための実践書を提供することである．

　一方で，心不全は単一疾患ではなく，原因や併存症も多岐にわたっており，エビデンスのみでは解決できない側面も多いため，そのような点を補足するために，薬剤の controversy や血行動態に関する話題，併存症管理や服薬アドヒアランス，緩和ケアなどの周辺事項を追加している．また，改訂2版では，初版の内容を最新情報へブラッシュアップするだけでなく，新規薬剤や先天性心疾患についての項目，多数の新規コラムも追加しており，初版の読者も新たな発見が得られる内容となっている．

A 心不全の薬剤使用総論

　本稿では主な最新の心不全ガイドライン[1-5]を中心に慢性心不全と急性心不全の治療に関するエビデンスについて概説する．

1 推奨クラス分類とエビデンスレベル

　推奨クラス分類とエビデンスレベルに関する定義は**表1**，**2**に示すとおりである．

2 慢性心不全における薬剤使用のエビデンス

　慢性心不全の薬剤使用のエビデンスは基本的に左室駆出率（LVEF: left ventricular ejection fraction）に基づいて構築されている（**表3**）．2021年に Universal definition and classification of heart failure が日米欧の心不全学会から合同で提唱され[6]，LVEF に応じた心不全の分類の名称が HFrEF（heart fail-

表1 推奨クラス分類

クラスⅠ	手技・治療が有効・有用であるというエビデンスがある，または見解が広く一致している
クラスⅡa	エビデンス・見解から，有効・有用である可能性が高い
クラスⅡb	エビデンス・見解から，有効性・有用性がそれほど確立されていない
クラスⅢ no benefit	手技・治療が有効・有用でないとのエビデンスがある，あるいは見解が広く一致している
クラスⅢ harm	手技・治療が，有害であるとのエビデンスがある，あるいは見解が広く一致している

〔日本循環器学会/日本心不全学会．2021年 JCS/JHFS ガイドライン フォーカスアップデート版急性・慢性心不全診療．https://www.j-circ.or.jp/cms/wp-content/uploads/2021/03/JCS2021_Tsutsui.pdf（2023年8月閲覧）〕

表2 エビデンスレベル

レベルA	複数の無作為臨床試験またはメタ解析で実証されたもの
レベルB	単一の無作為臨床試験または大規模な無作為でない臨床試験で実証されたもの
レベルC	専門家および/または小規模臨床試験（後ろ向き試験および登録を含む）で意見が一致したもの

〔日本循環器学会/日本心不全学会．2021年 JCS/JHFS ガイドライン フォーカスアップデート版急性・慢性心不全診療．https://www.j-circ.or.jp/cms/wp-content/uploads/2021/03/JCS2021_Tsutsui.pdf（2023年8月閲覧）〕

※ ACC/AHA ガイドラインでは，さらにレベルB が B-R（Randomized）と B-NR（Nonrandamized）に，レベルC が C-LD（Limited Data）と C-ED（Expert Opinion）に細分化されている（Heidenreich PA, et al. Circulation. 2022; 145: e895-e1032）[3]

ure with reduced ejection fraction），HFmrEF（heart failure with mildly reduced ejection fraction），HFpEF（heart failure with preserved ejection fraction），HFimpEF（heart failure with improved ejection fraction）へと改訂された．ただし，LVEF 40％の患者が Universal definition[6] では HFrEF に，本邦の最新ガイドライン[2] では HFmrEF（本邦のガイドラインでは mid-range と呼称）に分類されることには注意が必要である．

a. HFrEF における治療薬の推奨とエビデンスレベル

　この数年で HFrEF の薬物治療を取り巻く環境は大きく変わった．従来は

表3 左室駆出率（LVEF）に基づく心不全の分類

HF with reduced EF（HFrEF）： LVEF の低下した心不全
・HF with LVEF≦40％
HF with mildly reduced EF（HFmrEF）： LVEF が軽度低下した心不全
・HF with LVEF 41〜49％
HF with preserved EF（HFpEF）： LVEF の保たれた心不全
・HF with LVEF≧50％
HF with improved EF（HFimpEF）： LVEF が改善した心不全
LVEFがベースライン時の40％以下から10％ポイント以上改善し， 2 回目の測定時に 40％を上回っていた患者群

（Bozkurt B, et al. Eur J Heart Fail. 2021；23：352–80[6]）を改変引用）

ACE 阻害薬/ARB，β遮断薬，ミネラルコルチコイド受容体拮抗薬（MRA）が HFrEF の標準治療薬と位置付けられてきた．しかし 2021 年 JCS/JHFS ガイドラインフォーカスアップデート版[2]では，前述の 3 剤に加えて ACE 阻害薬/ARB からの切替薬としての ARNI および糖尿病の有無にかかわらず SGLT2 阻害薬（ダパグリフロジンとエンパグリフロジン）が HFrEF 治療の基本薬として位置付けられるようになった（図1）．この流れは 2021 年 ESC ガイドライン[4]（図2，表4）および 2022 年 AHA/ACC/HFSA ガイドライン[3]（図3，表5）でも同様であり，いずれの薬剤も推奨度クラスⅠとなっている．うっ血に基づく症状を有する患者への利尿薬の使用も，以前と変わらず推奨クラスⅠである．また β遮断薬を含む（guideline-directed medical therapy: GDMT）の使用にもかかわらず，症候性で洞調律，安静時心拍数≧75 拍/分（欧米では≧70 拍/分）の HFrEF に対するイバブラジンの使用は，いずれのガイドラインもクラスⅡa で推奨しており，2021 年 JCS/JHFS ガイドラインフォーカスアップデート版[2]ではHFrEF の併用薬として位置付けられている．可溶性グアニル酸シクラーゼ刺激薬のベルイシグアトは，2021 年 JCS/JHFS ガイドラインフォーカスアップデート版[2]では推奨度は示されていないが，2021 年 ESC ガイドライン[4]と 2022 年 AHA/ACC/HFSA ガイドライン[3]では推奨度クラスⅡbの扱いで

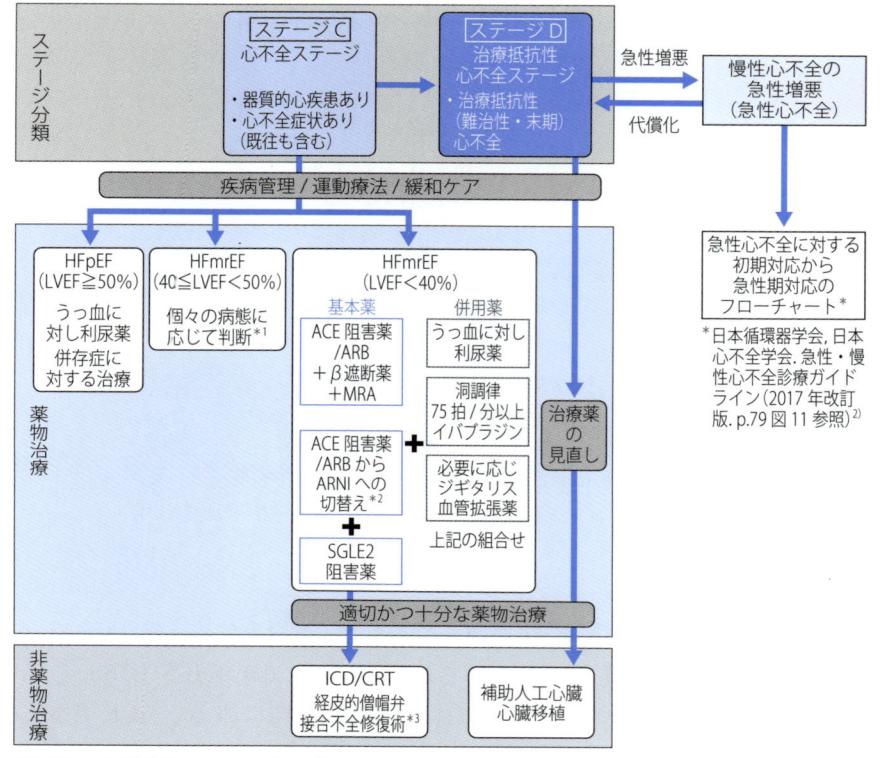

図1　心不全治療アルゴリズム

*¹ACE 阻害薬/ARB 投与例で ARNI への切替えを考慮可
*²ACE 阻害薬/ARB 未使用で入院例への導入も考慮（ただし，保険適用外）
*³機能性，重症僧帽弁逆流，EF≧20%
〔日本循環器学会/日本心不全学会. 2021 年 JCS/JHFS ガイドライン フォーカスアップデート版急性・慢性心不全診療. https://www.j-circ.or.jp/cms/wp-content/uploads/2021/03/JCS2021_Tsutsui.pdf 〔2023 年 8 月閲覧〕〕

ある．その他ジギタリスは 2017 年 JCS/JHFS ガイドライン[1]では推奨度クラスⅡa であるが，2021 年 ESC ガイドライン[4]と 2022 年 AHA/ACC/HFSA ガイドライン[3]では推奨度クラスⅡb である．

b. HFmrEF における治療薬の推奨とエビデンスレベル（表6）

　初版では HFmrEF については情報が乏しく，項目として取り上げていなかった．現在も HFmrEF 患者のみを対象とした前向きの RCT は存在しておら

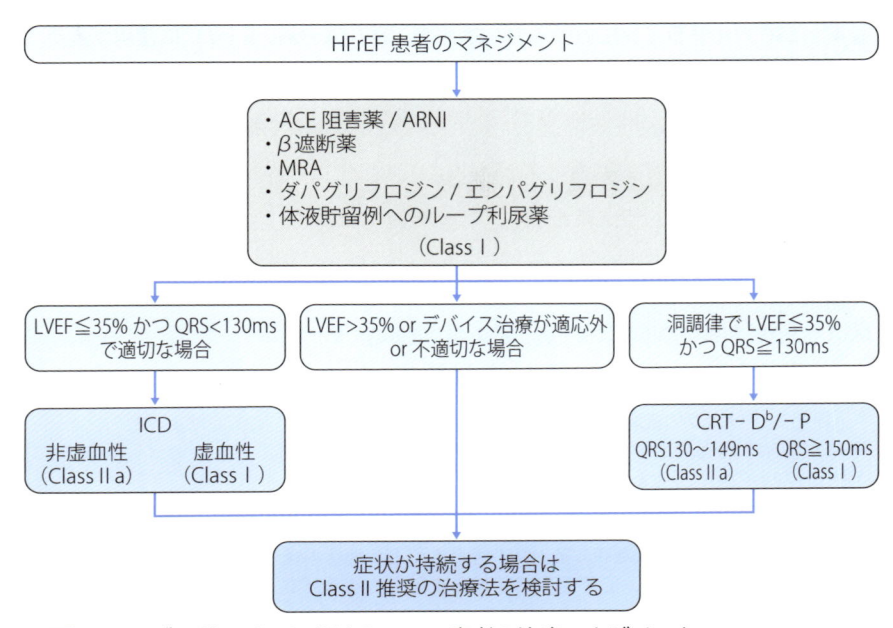

図2 ESC ガイドラインにおける HFrEF 患者の治療マネジメント

(McDonagh TA, et al. Eur Heart J. 2021; 42: 3599-726)[4]

ず，HFmrEF に関するデータは過去の臨床試験のサブ解析やポストホック解析によるものである．HFmrEF の中でも HFrEF 寄りの LVEF の患者は，HFrEF の標準治療の効果が期待できる可能性がある．2022 年 AHA/ACC/HFSA ガイドライン[3]では，うっ血症状に対する利尿薬を推奨度クラス I，ACE 阻害薬/ARB/ARNI，β 遮断薬，MRA を推奨度クラス II b としている．また，2022 年 AHA/ACC/HFSA ガイドライン[3]では SGLT2 阻害薬をクラス II a で推奨しており，2021 年 JCS/JHFS ガイドラインフォーカスアップデート版[2]では ACE 阻害薬/ARB からの切替薬としての ARNI が推奨度クラス II a となっている．2023 年の ESC ガイドラインフォーカスアップデート版[5]では，SGLT2 阻害薬の推奨度がクラス I とされた．

c. HFpEF における治療薬の推奨とエビデンスレベル（表 7）

いずれのガイドラインでも共通して，うっ血に伴う症状軽減目的での利尿薬使用は推奨度クラス I であるが，それ以外には高血圧，合併症への対応が主で

表4 ESC ガイドラインにおける HFrEF 患者（NYHA class Ⅱ-Ⅳ）に使用が推奨される薬剤

	推奨クラス	エビデンスレベル
すべての患者に推奨される薬剤		
ACE-I は HFrEF 患者の心不全入院と死亡リスクの低減のために使用が推奨される	Ⅰ	A
β遮断薬は安定した HFrEF 患者に心不全入院と死亡リスクの低減のために使用が推奨される	Ⅰ	A
MRA は HFrEF 患者の心不全入院と死亡リスクの低減のために使用が推奨される	Ⅰ	A
ダパグリフロジンとエンパグリフロジンは HFrEF 患者の心不全入院と死亡リスクの低減のために使用が推奨される	Ⅰ	A
ARNI は HFrEF 患者の心不全入院と死亡リスクの低減のために ACE-I からの切替薬として使用が推奨される	Ⅰ	B
ループ利尿薬		
利尿薬はうっ血徴候/症状を有する HFrEF 患者の心不全症状の緩和や運動耐容能の改善，心不全入院を減らす目的に使用が推奨される	Ⅰ	C
ARB		
ARB は ACE-I もしくは ARNI の忍容性がない有症候性の患者（患者はβ遮断薬と MRA も投与されるべき）に対して，心不全入院と CV 死亡リスクの低減のために使用が推奨される	Ⅰ	B
If チャネル阻害薬（イバブラジン）		
イバブラジンはエビデンスに基づく用量のβ遮断薬（もしくは最大の忍容量），ACE-I（または ARNI），および MRA による治療にもかかわらず，洞調律で LVEF 35％以下，安静時心拍数≧70 拍/分の有症候性の患者に対して，心不全入院と CV 死亡リスクの低減のために使用を考慮する	Ⅱa	B
イバブラジンはβ遮断薬不耐性もしくは禁忌の，洞調律で LVEF 35％以下，安静時心拍数≧70 拍/分の有症候性の患者に対して，心不全入院と CV 死亡リスクの低減のために使用を考慮する．また患者は ACE-I（または ARNI）と MRA を投与すべきである．	Ⅱa	C
可溶性グアニル酸シクラーゼ刺激薬（ベルイシグアト）		
ベルイシグアトは ACE-I（または ARNI），β遮断薬および MRA による治療にもかかわらず，NYHA Ⅱ-Ⅳの患者で心不全の悪化があった場合に，CV 死亡または心不全入院のリスクを低減するために考慮することがある	Ⅱb	B

表4 つづき

	推奨クラス	エビデンス レベル
ヒドララジンと硝酸イソルビド		
ヒドララジンと硝酸イソルビドは，ACE-I（または ARNI），β 遮断薬，MRA による治療にもかかわらず LVEF 35%以下もしくは LVEF 45%未満で左室拡大がある NYHA Ⅲ-Ⅳの黒色人種の患者に対して，心不全入院および死亡リスクを軽減するために使用を検討する	Ⅱa	B
ヒドララジンと硝酸イソルビドは，ACE-I，ARB，ARNI のいずれにも耐えられない（または禁忌）症候性 HFrEF 患者の死亡リスクを低減するために使用を考慮することがある	Ⅱb	B
ジゴキシン		
ジゴキシンは ACE-I（または ARNI），β 遮断薬，MRA による治療を受けても洞調律の症候性 HFrEF 患者に，入院（すべての原因および心不全による入院）のリスクを減らすために使用を考慮することがある	Ⅱb	B

ACE-I: angiotensin-converting enzyme inhibitor, ARB: angiotensin-receptorblocker, ARNI: angiotensin receptor-neprilysin inhibitor, CV: cardiovascular, HFrEF: heart failure with reduced ejection fraction, LVEF: left ventricular ejection fraction, MRA: mineralocorticoid receptor antagonist, NYHA: New York Heart Association

(McDonagh TA, et al. Eur Heart J. 2021; 42: 3599-726)[4]

ある時期が長く続いていた．しかし，HFpEF に対する SGLT 阻害薬の有効性を示す RCT の結果に基づき，2022 年 AHA/ACC/HFSA ガイドライン[3]では SGLT2 阻害薬をクラスⅡaで，2023 年の ESC ガイドラインフォーカスアップデート版[5]ではクラスⅠ（エンパグリフロジンとダパグリフロジン）で推奨するようになった．なお，2022 年 AHA/ACC/HFSA ガイドライン[3]では ARNI，MRA および ARB をクラスⅡbで推奨している．

3 急性心不全における薬剤使用のエビデンス

a. 急性心不全に対する治療アルゴリズム: JCS/JHFS ガイドライン

　薬剤使用は急性心不全治療においても主たる役割を果たすが，急性心不全は急速に心原性ショックや心肺停止に移行する可能性のある逼迫した状態であり，まず，患者の救命と生命徴候の安定化を図ることが求められる．2017 年 JCS/JHFS ガイドライン[1]で示された急性心不全に対する初期対応から急性期

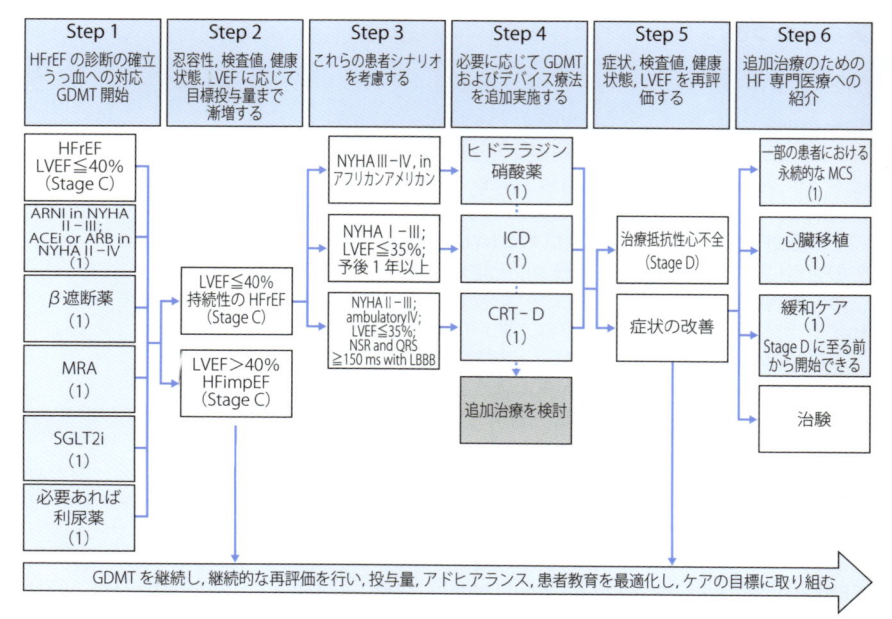

図3 AHA/ACC/HFSA ガイドラインにおける HFrEF 患者（Stage C-D）の治療マネジメント

(Heidenreich PA, et al. Circulation. 2022; 145: e895-e1032)[3]

対応のフローチャートを示す（**図4**）．全体像を踏まえた上で薬剤使用について解説を加える．

①10分以内: トリアージ（急性心不全の診断と循環破綻の有無の評価と介入）

心原性ショック，低灌流性心不全の有無を評価し，必要があれば，強心薬投与を開始しながら，IABP（intra aortic balloon pumping），ECMO（extracorporeal membrane oxygenation）などの MCS の使用を検討，実施する．できるだけ早期に心不全入院歴，治療歴，既往歴，安定期のバイタル，心機能などの患者背景情報の収集を行い，可及的すみやかに心エコー図検査を行うことでより的確な診断および病態把握が可能となる．

②次の60分以内: 実臨床ではトリアージとともに．救急外来にて呼吸状態の評価，病態把握，初期治療介入を開始する．

呼吸状態の評価ならびに病態の評価を行い，治療介入を開始する．呼吸不全，低酸素血症を呈する場合には，酸素吸入や NPPV，気管内挿管を実施する．呼

表5 AHA/ACC/HFSA ガイドラインにおける HFrEF 患者に使用が推奨される薬剤

	推奨クラス	エビデンスレベル
レニン-アンジオテンシン系阻害薬（ACE-I，ARB，ARNI）		
NYHA Ⅱ-Ⅳの HFrEF 患者では罹患率と死亡率を減らすために ARNI の使用が推奨される	I	A
過去もしくは現在症状を有する慢性 HFrEF 患者において，ARNI の使用が不可能な場合，ACE-I の使用は病状悪化および死亡率の低減に有益である	I	A
過去もしくは現在症状を有する慢性 HFrEF 患者において，咳や血管浮腫のために ACE-I 不耐性で，ARNI の使用も不可能な場合，ARB の使用は病状悪化および死亡率の低減に有益である	I	A
ACE-I または ARB の忍容性がある慢性的に NYHA Ⅱ or Ⅲの症状を有する HFrEF 患者では，病状悪化および死亡率を低減するために ARNI への置き換えが推奨される	I	B-R
ARNI は ACE-I との併用，または ACE-I の最終投与から 36 時間以内に投与してはならない	Ⅲ: Harm	B-R
ARNI は血管浮腫の既往がある患者に投与してはならない	Ⅲ: Harm	C-LD
ACE-I は血管浮腫の既往がある患者に投与してはならない	Ⅲ: Harm	C-LD
β遮断薬		
過去もしくは現在症状を有する HFrEF 患者において，死亡率の低下が証明されている 3 種類のβ遮断薬（ビソプロロール，カルベジロール，メトプロロールコハク酸徐放剤）のうち 1 種類を使用し，死亡率および入院率を下げることが推奨される	I	A
ミネラルコルチコイド受容体拮抗薬（MRAs）		
HFrEF で NYHA II-IV の症状を持つ患者で eGFR＞30 mL/min/1.73m^2，血清カリウム＜5.0 mEq/L であれば，病状悪化および死亡率の低減するために MRA（スピロノラクトンまたはエプレレノン）の使用が推奨される．高カリウム血症および腎不全のリスクを最小限に抑えるため，投与開始時にはカリウム，腎機能，利尿薬の投与量を注意深くモニタリングし，その後も注意深くモニタリングする必要がある．	I	A
MRA を服用している患者で血清カリウム＜5.5 mEq/L に維持できない場合は，生命を脅かす高カリウム血症を避けるために MRA を中止する必要がある	Ⅲ: Harm	B-NR
SGLT2 阻害薬		
症候性の慢性 HFrEF 患者では，2 型糖尿病の有無にかかわらず，心不全入院と心血管死亡を減らすために SGLT2i が推奨される	I	A
ヒドララジンと硝酸イソソルビド		
至適薬物療法を受けている NYHA Ⅲ-Ⅳの HFrEF のアフリカ系アメリカ人と自己申告した患者には，症状改善と病状悪化および死亡率を低減させるために，ヒドララジンと硝酸イソソルビドの併用が推奨される	I	A

表5 つづき

	推奨クラス	エビデンスレベル
過去もしくは現在症状を有する HFrEF 患者において，薬物不耐性または腎不全のために ARNI，ACE-I，ARB などの第一選択薬を投与できない場合は，病状悪化および死亡率の低減のためにヒドラジンと硝酸イソルビドの併用を考慮することができる	IIb	C-LD
その他の薬剤		
NYHA II-IV の症状を持つ患者において，オメガ 3 多価不飽和脂肪酸（PUFA）の補充は，死亡率や心血管入院を減らすための補助的な治療として使うことが妥当かもしれない	IIb	B-R
レニン-アンジオテンシン系薬剤（RAASi）内服中に高カリウム血症（血清カリウム＞5.5 mEq/L）を生じた心不全患者において，カリウム結合剤（パチロマー，ジルコニウムシクロケイ酸ナトリウム）による RAASi の投与継続促進がアウトカム改善に寄与するかは不明である	IIb	B-R
特定の適応（静脈血栓塞栓症，心房細動，過去の血栓塞栓イベント，心内血栓など）のない慢性心不全患者では，抗凝固療法は推奨されない	III: No Benefit	B-R
イバブラジン		
症候性（NYHA II-III）で安定した慢性 HFrEF（LVEF≦35%）で，最大耐用量の β 遮断薬を含む GDMT を受けており，安静時心拍数≧70 拍/分で洞調律を維持している患者では，イバブラジンは心不全入院および心血管死亡の減少に有益である可能性がある	IIa	B-R
ジゴキシン		
GDMT にもかかわらず症候性 HFrEF の患者（または GDMT に耐えられない患者）では，ジゴキシンは心不全入院を減少させると考えられる	IIb	B-R
可溶性グアニル酸シクラーゼ刺激薬		
GDMT を実施しているにもかかわらず最近心不全が悪化した一部の高リスク患者には，心不全入院や心血管死を減らすために可溶性グアニル酸シクラーゼ刺激薬（ベルイシグアト）の投与を考慮することがある	IIb	B-R

ACE-I: angiotensin-converting enzyme inhibitor, ARB: angiotensin-receptor blocker, MRA: mineralocorticoid receptor antagonist, ARNI: angiotensin receptor-neprilysin inhibitor, HFrEF: heart failure with reduced ejection fraction, LVEF: left ventricular ejection fraction, NYHA: New York Heart Association, GDMT: guideline directed medical therapy, SGLT: sodium-glucose cotranspor

(Heidenreich PA, et al. Circulation. 2022; 145: e895-e1032)[3]

　　吸不全の原因として肺水腫あるいは慢性閉塞性肺疾患（COPD）を合併する場合は，静脈血 pH，CO_2，乳酸の測定を行う．心原性ショックでは，動脈血ガス分析を施行し，経皮的動脈血酸素飽和度（SpO_2）＜90% または動脈血酸素分圧（PaO_2）＜60 mmHg の患者に対しては酸素投与を行い，呼吸困難の改善が認められない（呼吸回数＞25 回/分，SpO_2＜90%）場合はすみやかに陽圧呼吸を導

表6 JCS/JHFS，ESC，AHA/ACC/HFSA の各ガイドラインにおける HFmrEF 治療薬の推奨度

	JCS/JHFS 2017, 2021 Focused Update	ESC 2021/2023[5]	AHA/ACC/HFSA 2022
利尿薬	—	I (C)	I (B–NR)
ACE-I	—	IIb (C)	IIb (B–NR)
ARB	—	IIb (C)	IIb (B–NR)
ARNI	IIa (B)：ACE-I/ARB からの切替	IIb (C)	IIb (B–NR)
β遮断薬	—	IIb (C)	IIb (B–NR)
MRA	—	IIb (C)	IIb (B–NR)
SGLT2 阻害薬	—	I (A)	IIa (B–R)

ACE-I: angiotensin-converting enzyme inhibitor，ARB: angiotensin-receptor blocker，MRA: mineralocorticoid receptor antagonist，ARNI: angiotensin receptor-neprilysin inhibitor，SGLT: sodium-glucose cotranspor，HFpEF: heart failure with preserved ejection fraction
（Tsutsui H, et al. Circ J. 2019; 83: 2084–184[1]，Tsutsui H, et al. Circ J. 2021; 85: 2252–91[2]，Heidenreich PA, et al. Circulation. 2022; 145: e895–e1032[3]，McDonagh TA, et al. Eur Heart J. 2021; 42: 3599–726[4]より筆者作成）

表7 JCS/JHFS，ESC，AHA/ACC/HFSA の各ガイドラインにおける HFpEF 治療薬の推奨度

	JCS/JHFS 2017, 2021 Focused Update	ESC 2021/2023[5]	AHA/ACC/HFSA 2022
利尿薬	I (C)	I (C)	I (B–NR)
ACE-I	IIb (C)	—	—
ARB	IIb (C)	—	IIb (B–R)
ARNI	IIb (B)	—	IIb (B–R)
β遮断薬	IIb (C)	—	—
MRA	IIb (C)	—	IIb (B–R)
SGLT2 阻害薬	—	I (A)	IIa (B–R)

ACE-I: angiotensin-converting enzyme inhibitor，ARB: angiotensin-receptor blocker，MRA: mineralocorticoid receptor antagonist，ARNI: angiotensin receptor-neprilysin inhibitor，SGLT: sodium-glucose cotranspor，HFpEF: heart failure with preserved ejection fraction
（Tsutsui H, et al. Circ J. 2019; 83: 2084–184[1]，Tsutsui H, et al. Circ J. 2021; 85: 2252–91[2]，Heidenreich PA, et al. Circulation. 2022; 145: e895–e1032[3]，McDonagh TA, et al. Eur Heart J. 2021; 42: 3599–726[4]より筆者作成）

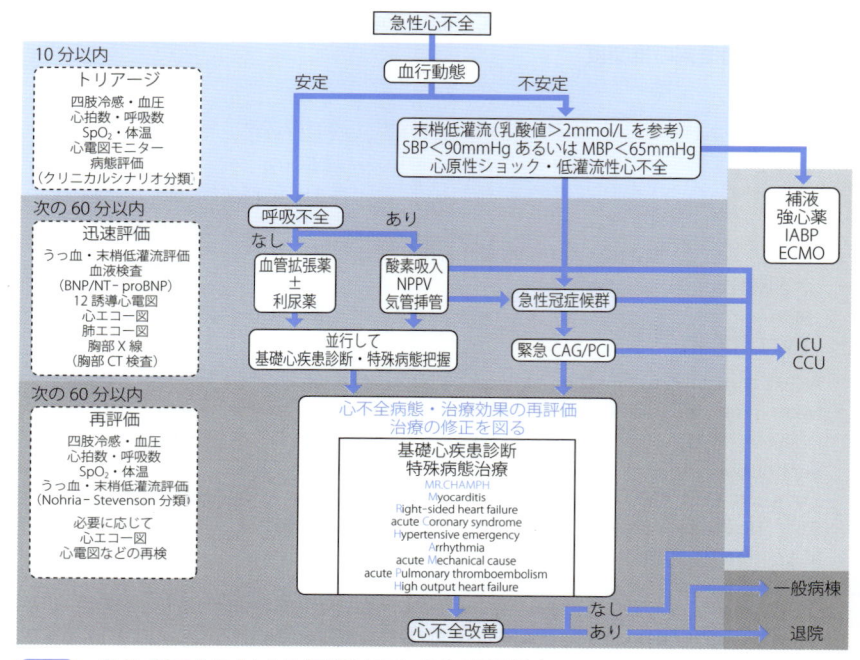

図4 急性心不全に対する初期対応から急性期対応のフローチャート

〔日本循環器学会/日本心不全学会. 急性・慢性心不全診療ガイドライン(2017年改訂版).
http://www.j-circ.or.jp/guideline/pdf/JCS2017_tsutsui_h.pdf (2023年8月閲覧)〕

NPPV: noninvasive positive pressure ventilation (非侵襲的陽圧換気療法)
CAG: coronary angiography
PCI: percutaneous coronary intervention
IABP: intra aortic balloon pumping (大動脈バルーンパンピング)
ECMO: extracorporeal membrane oxygenation

入し,改善を図る.それでも改善を認めない場合は気管挿管が推奨される.

　うっ血が存在する場合には,血管拡張薬を使用し,溢水が存在する場合には利尿薬を使用する.治療介入を始めながら特殊病態への治療を要する疾患の診断を始める.特に急性心筋梗塞を含む急性冠症候群(ACS: acute coronary syndrome)では,来院から冠動脈造影(CAG: coronary angiography),経皮的冠動脈形成術(PCI: percutaneous coronary intervention)を実施し再灌流するまでの時間(door to balloon time)を短縮することが求められており,ACSを念頭に心電図や心エコー図検査を行う.

　③次の60分以内: 初期治療への反応を評価し,治療の見直しを検討する.

治療介入開始とともにバイタルサインのチェックならびに循環・呼吸動態を監視するモニターを装着し，末梢循環や臓器灌流が保たれているかを評価する．その後も治療効果を評価するために酸素飽和度，血圧，体温，呼吸数の計測と心電図モニターは必須となる．

　初期治療への反応が良好に得られていない場合には病態把握が不十分である可能性を考慮する必要があり，見逃してはいけない特殊病態と治療を念頭に治療方針の見直しを検討する．それぞれの特殊病態の治療に関しては，本書では詳細は述べないが，緊急手術の実施も含めそれぞれ診断がつき次第，対応する．それらの病態が除外された場合にも，強心薬に反応しないショックあるいは循環動態が不安定な患者あるいは重症呼吸不全が改善しない患者では，呼吸や循環サポートができる CCU/ICU への移送あるいはより高次施設への紹介や転院をすみやかに行うことも重要となる．

b．急性心不全に対する治療アルゴリズム: ESC ガイドライン

　2022 年 AHA/ACC/HFSA ガイドライン[3]では，急性心不全は「入院患者」としてのみ扱っており，救急セッティングでのアプローチには言及していない．一方で 2021 年 ESC ガイドライン[4]の急性心不全治療戦略には 2016 年版と比較して大きな変化があった．

　2016 年 ESC ガイドラインでは Nohria-Stevenson 分類によるうっ血と低灌流所見を組み合わせた 4 つのプロファイルを用いた治療アプローチが示されていたが，今回の改訂でその概念は削除された．この従来のアプローチは病態性理学的には妥当であると考えられるが，急性心不全のセッティングでは必ずしも適当でない可能性が指摘されていた．その問題点として，まず概念的に Dry and Warm という急性心不全はありえないこと，次に各プロファイルの発生率が不均一であり，特に Dry and Cold の割合が極端に少ないために独立したプロファイルとして扱うことに問題があること，そしてうっ血（Wet）という用語が，それぞれ独立して生じて治療も異なる可能性がある "肺うっ血" と "全身うっ血" を区別できていないことなどがあげられる[7]．そのため 2021 年 ESC ガイドライン[4]では，①急性呼吸不全をもたらす肺うっ血，②体液過剰または偏在をもたらす全身うっ血，③ショックおよび多臓器不全につながる組織低灌流という 3 つの主要な生理学的変化とその相互作用をベースに，4 つの臨床病型（表 8）に分けた戦略を新たに示した．この戦略にはまだ多くの議論の余地

表8 ESC ガイドラインにおける急性心不全の臨床像の分類

	急性非代償性心不全	急性肺水腫	右室不全	心原性ショック
主な機序	左心機能障害 水分とナトリウムの腎性貯留	後負荷の上昇 and/or 著明な左室拡張機能障害 弁膜症性心疾患	右室機能障害 and/or 前毛細血管性肺高血圧症	重症心機能障害
症状の主な原因	体液貯留と心内圧上昇	肺への体液再分布と急性呼吸不全	中心静脈圧の上昇としばしば組織低灌流	組織低灌流
発症様式	徐々に（日単位）	急激に（時間単位）	徐々に or 急激に	徐々に or 急激に
主な血行動態異常	LVEDP と PCWP の上昇 心拍出量: 正常～低下 収縮期血圧: 正常～低下	LVEDP と PCWP の上昇 心拍出量: 正常 収縮期血圧: 上昇～正常	RVEDP の上昇 心拍出量: 低下 収縮期血圧: 低下	LVEDP と PCWP の上昇 心拍出量: 低下 収縮期血圧: 低下
主な臨床像	Wet and Warm or Dry and Cold	Wet and Warm	Dry and Cold or Wet and Cold	Wet and Cold
主な治療	利尿薬 強心薬/血管収縮薬（組織低灌流/低血圧がある場合） 短期的 MCS/腎代替療法（必要な場合）	利尿薬 血管拡張薬	うっ血に対する利尿薬 強心薬/血管収縮薬（組織低灌流/低血圧がある場合） 短期的 MCS/腎代替療法（必要な場合）	強心薬/血管収縮薬 短期的 MCS 腎代替療法

LVEDP: left ventricular end-diastolic pressure, MCS: mechanical circulatory support, PCWP: pulmonary capillary wedge pressure, RVEDP: right ventricular end-diastolic pressure.

（McDonagh TA, et al. Eur Heart J. 2021; 42: 3599-726）[4]

があるが，現在のトレンドを知るという意味であえて取り上げる．

①急性非代償性心不全（図5）

　急性心不全の最も一般的な形態で，多くの場合慢性心不全の既往があり，左心機能障害を有する患者に発症する（時に右心機能障害を合併）．急性肺水腫と比較して緩やかに発症し，主な病態は進行性の体液貯留である．また時に低灌流を合併することもある．治療としては利尿薬など（時に腎代替療法）によるうっ血の解除，まれではあるが組織低灌流の是正が行われる．

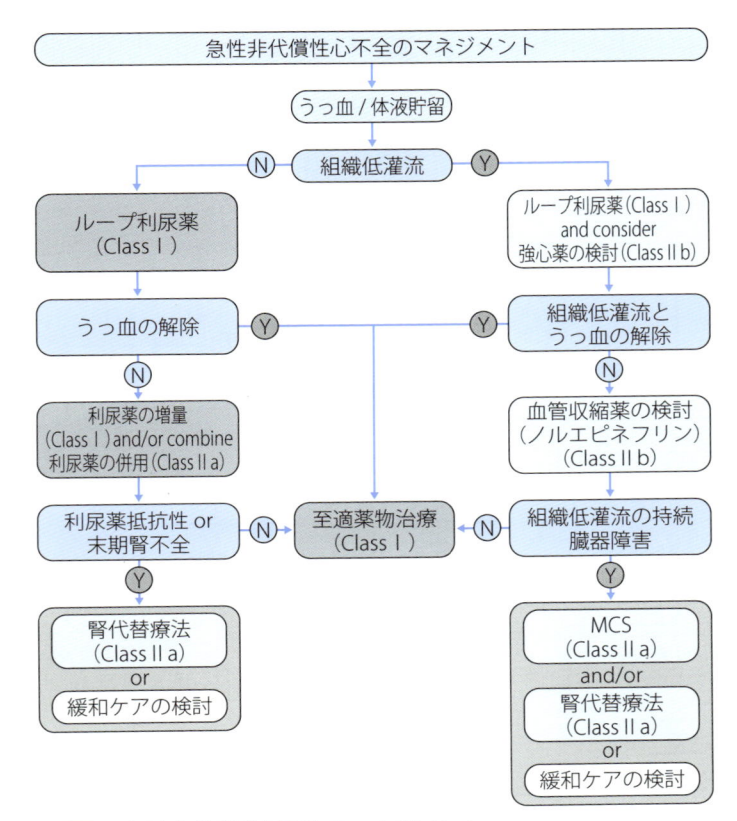

図5 急性非代償性心不全のマネジメント
(McDonagh TA, et al. Eur Heart J. 2021; 42: 3599-726)[4]

　このアルゴリズムはいくつかの問題点を抱えており，呼吸管理の方針を示していないこと，強心薬を要する持続的低灌流は心原性ショックとして扱うことを考慮する必要があること，血圧高値時の対応が示されていないことがあげられる．

②**急性肺水腫**（図6）

　急性肺水腫は起坐呼吸，呼吸不全，頻呼吸，呼吸努力の増大などから診断される．まず呼吸不全に対する対応として酸素吸入，非侵襲的陽圧換気療法（NPPV），高流量鼻カニュラ酸素療法（HFNC），気管挿管が検討される．次にループ利尿薬の静脈内投与を行い，収縮期血圧が高い場合は血管拡張薬の静脈内投与による左室後負荷の軽減を検討する．進行した心不全では心拍出量が低

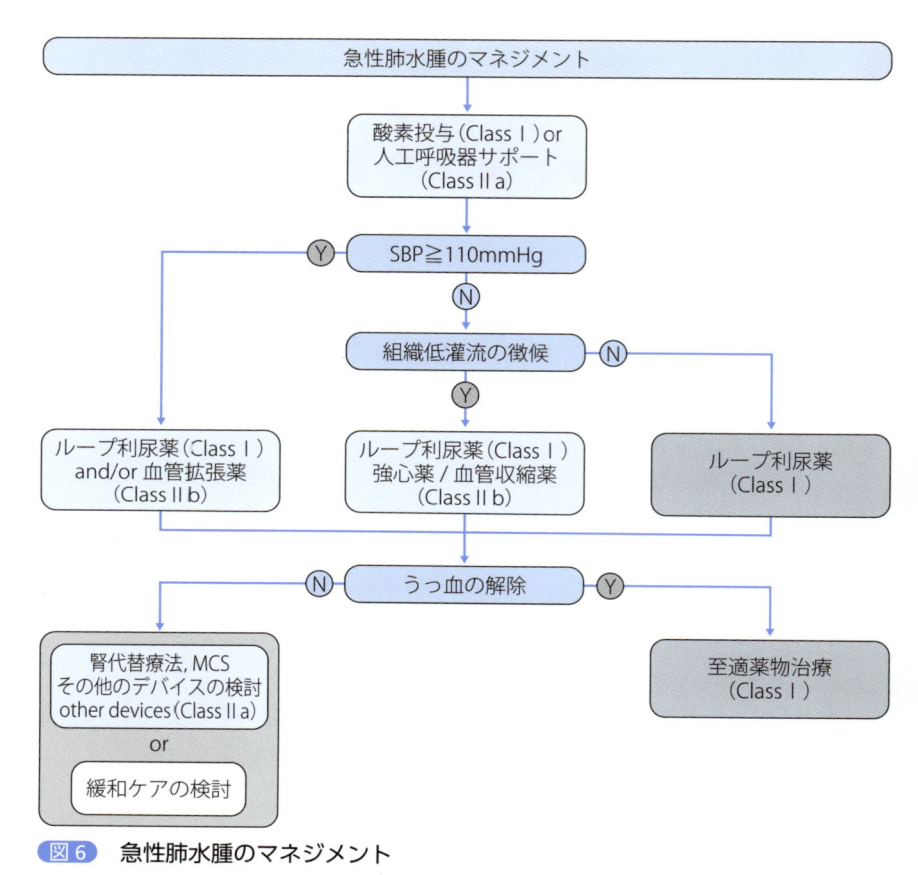

図6 急性肺水腫のマネジメント

(McDonagh TA, et al. Eur Heart J. 2021; 42: 3599-726)[4]

下している場合があり，その場合には組織低灌流の是正を行う．

③右室不全（図7）

　右室不全は右心系圧の上昇と全身性のうっ血を伴うが，心室間相互依存によって左室充満を障害し，心拍出量を減少させることがある．うっ血に対してはしばしば利尿薬が第1選択の治療となる．強心薬および血管収縮薬は，心拍出量の低下や血行動態が不安定な時に検討される．

④心原性ショック（図8）

　心原性ショックは著明な心機能障害による心拍出量の低下によって組織低灌流状態を呈し，多臓器不全で死に至る非常にリスクの高い状況である．心原性

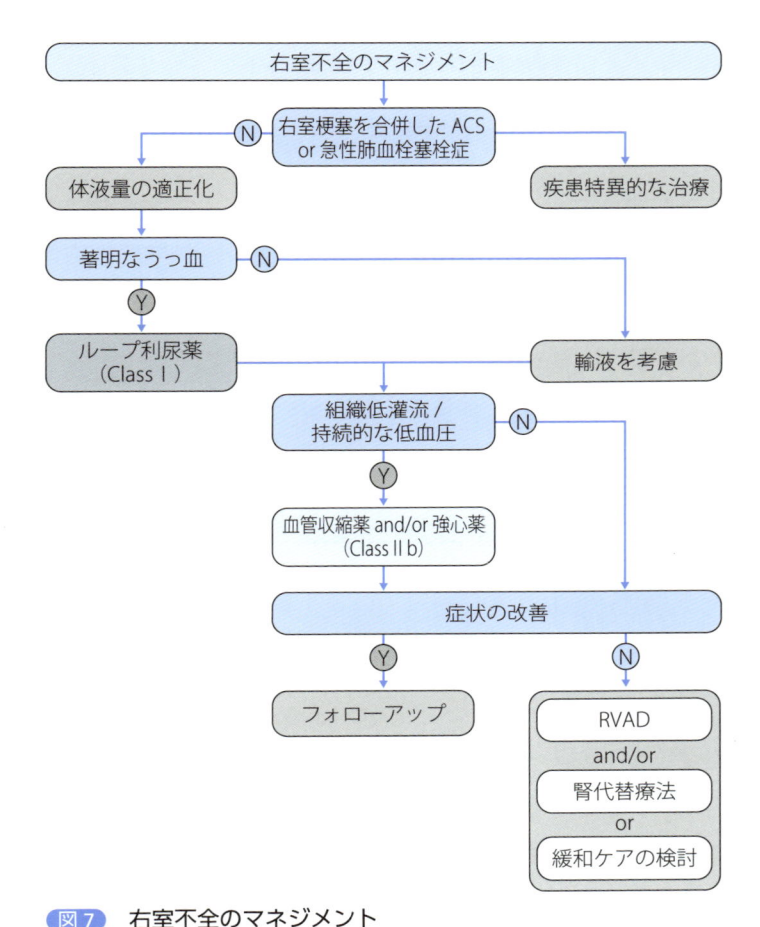

図7 右室不全のマネジメント

(McDonagh TA, et al. Eur Heart J. 2021; 42: 3599-726)[4]

ショックの管理はできるだけ早期に開始し，血行動態の安定化と臓器血流の維持を行うとともに，根本的な原因の早期発見と治療が極めて重要である．なお，組織低灌流は常に低血圧を伴うわけでなく，代償的に血管収縮を行うことで血圧は維持される一方で，その代償として組織灌流と酸素化が損なわれる状況も生じうる．

　このアルゴリズムは心原性ショック患者における一般的な管理に関する実践的な推奨を示しているが，SCAI SHOCK ステージ分類[8]に応じた病期ごとのアプローチには言及していない．

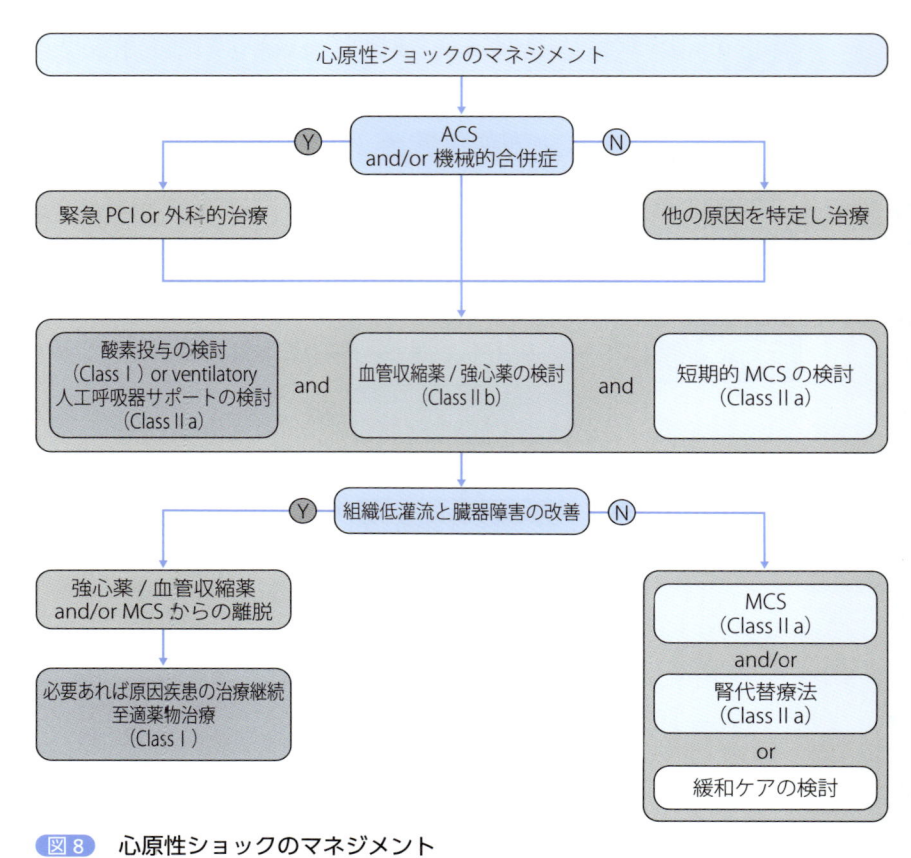

図8 心原性ショックのマネジメント

（McDonagh TA, et al. Eur Heart J. 2021; 42: 3599–726）[4]

c. 急性心不全における治療薬の推奨とエビデンスレベル

　2017 年 JCS/JHFS ガイドライン[1]（**表9**），2021 年 ESC ガイドライン[4]（**表10**），2022 年 AHA/ACC/HFSA ガイドライン[3]（**表11**）の推奨をそれぞれ提示する．本邦ではバソプレシン（V_2）受容体拮抗薬が推奨クラスⅡa，カルペリチドが推奨クラスⅡaで示されているのが特徴的である．強心薬に関しても，ドブタミン，ノルアドレナリン，PDE-Ⅲ阻害薬は本邦では病態により推奨クラスⅡaとされているところが，欧米では推奨度クラスⅡbまでとなっている．また，血管拡張薬は従来推奨クラスⅡaの扱いであったが，最近の研究結果を反映して ESC ガイドライン，AHA/ACC/HFSA ガイドラインともに推奨クラ

表9　急性心不全に使用する薬剤の推奨とエビデンスレベル（日本循環器学会/日本心不全学会ガイドライン）

	推奨クラス	エビデンスレベル	Minds推奨グレード	Minds エビデンス分類		推奨クラス	エビデンスレベル	Minds推奨グレード	Minds エビデンス分類
利尿薬					**強心薬・昇圧薬**				
ループ利尿薬					**ドブタミン**				
急性心不全における体液貯留に対する静注および経口投与	I	C	B	II	ポンプ失調を有する肺うっ血患者への投与	IIa	C	B	II
回静注に抵抗性のある場合の持続静脈内投与	IIa	B	B	IVb	**ドパミン**				
バソプレシンV₂受容体拮抗薬（トルバプタン）					尿量増加や腎保護効果を期待しての投与	IIb	A	C2	II
ループ利尿薬をはじめとする他の利尿薬で効果不十分な場合の体液貯留に対しての投与（高ナトリウム血症を除く）	IIa	A	B	II	**ノルアドレナリン**				
低ナトリウム血症を伴う体液貯留に対しての投与	IIa	C	C1	II	肺うっ血と同時に低血圧を呈する患者へのカテコラミン製剤との併用投与	IIa	B	B	III
MRA					**PDE III阻害薬**				
ループ利尿薬による利尿効果減弱の場合の併用投与	IIb	C	C1	III	非虚血性のポンプ失調と肺うっ血に対する投与	IIa	A	B	II
腎機能が保たれた低カリウム血症合併例に対する投与	IIa	B	B	II	虚血性のポンプ失調と肺うっ血に対する投与	IIb	A	B	II
腎機能障害，高カリウム血症合併例に対する投与	III	C	D	VI	心拍出量の高度低下に対してのドブタミンとの併用投与	IIb	C	C1	IVb
サイアザイド系利尿薬					**心拍数調節薬**				
フロセミドによる利尿効果減弱の場合の併用投与	IIb	C	C1	III	**ジギタリス**				
血管拡張薬					頻脈誘発性心不全における心房細動の心拍数コントロール目的での投与	I	A	B	II
硝酸薬					**ランジオロール**				
急性心不全や慢性心不全の急性増悪時の肺うっ血に対する投与	I	B	A	II	頻脈誘発性心不全における心房細動の心拍数コントロール目的での投与	I	C	B	II
ニコランジル									
急性心不全や慢性心不全の急性増悪時の肺うっ血に対する投与	IIb	C	C1	II					
カルペリチド									
非代償性心不全患者での肺うっ血に対する投与	IIa	B	B	II					
難治性心不全患者での強心薬との併用投与	IIa	B	C1	II					
重篤な低血圧，心原性ショック，急性右室梗塞，脱水症患者に対する投与	III	C	C2	VI					
カルシウム拮抗薬									
高血圧緊急症に対するニフェジピンの舌下投与	III	C	D	IVb					

〔日本循環器学会/日本心不全学会．急性・慢性心不全診療ガイドライン（2017年改訂版）．
http://www.j-circ.or.jp/guideline/pdf/JCS2017_tsutsui_h.pdf （2023年8月閲覧）[1]〕

表 10 ESC ガイドラインにおける急性心不全の初期治療に関する推奨事項

	推奨クラス	エビデンス レベル
利尿薬		
ループ利尿薬の静脈内投与は，体液過剰の徴候・症状がある急性心不全入院患者に推奨される	I	C
ループ利尿薬の増量に反応しない治療抵抗性のうっ血に対しては，ループ利尿薬とサイアザイド系利尿薬の併用を考慮する	IIa	B
血管拡張薬		
急性心不全で収縮期血圧＞110 mmHg の患者には，症状の改善とうっ血の軽減のために，初期治療として血管拡張剤の投与が考慮されることがある	IIb	B
強心薬		
収縮期血圧＜90 mmHg で，輸液負荷などの標準的な治療に反応しない組織低灌流を示す患者には，末梢灌流の改善と臓器機能の維持のために強心剤を考慮することがある	IIb	C
強心薬は，安全性の問題から，症候性低血圧と組織低灌流の証拠がない限り，ルーチンでの使用は推奨しない	III	C
血管収縮薬		
心原性ショックの患者には，血圧と重要な臓器灌流の向上を目的として血管収縮薬（できればノルエピネフリン）を考慮することがある	IIb	B
その他の薬剤		
深部静脈血栓症および肺塞栓症のリスクを低減するため，抗凝固療法を受けておらず，抗凝固療法禁忌がない患者には血栓塞栓症の予防（低分子ヘパリンなど）を推奨する	I	A
オピオイドの日常的な使用は，重度/難治性の疼痛や不安のある特定の患者を除いて推奨しない	III	C
早期治療戦略[5]		
心不全再入院や死亡のリスクを減少させるために，退院前および入院後 6 週間における頻回で慎重な経過観察中に，エビデンスに基づいた治療の開始および迅速な増量を行う集中的な戦略が推奨される	I	B

(McDonagh TA, et al. Eur Heart J. 2021; 42: 3599−726)[4]

スⅡbへとグレードダウンとなった．また，ESC ガイドライン，AHA/ACC/HFSA ガイドラインでは急性期から GDMT の適正化を意識する内容が強調されている．

表 11 AHA/ACC/HFSA ガイドラインにおける心不全入院患者への薬剤推奨

	推奨クラス	エビデンスレベル
入院が必要な HFrEF 患者では，禁忌でない限り既存の GDMT を継続し，アウトカム改善のために最適化する必要がある	I	B-NR
心不全入院中に軽度の腎機能低下や無症候性の血圧低下がみられる患者では，利尿薬などや他の GDMT をルーチンに中止すべきではない	I	B-NR
HFrEF 患者では臨床的に安定した後，入院中に GDMT を開始する必要がある	I	B-NR
HFrEF の患者で入院中に GDMT の中止が必要な場合は，できるだけ早く再開し，さらに最適化する必要がある	I	B-NR
心不全入院患者で著明な体液貯留を認める場合は，症状改善と合併症を減らすために，速やかにループ利尿薬の静脈内投与を行うべきである	I	B-NR
心不全入院患者では，症状を軽減し再入院を減らすためにうっ血の臨床的所見を改善することを目標として，利尿薬やその他のガイドラインに従った薬物療法を調整すべきである	I	B-NR
心不全入院中に利尿薬治療を必要とする患者の場合，退院レジメンには再入院を減らすための利尿薬の調整計画を含めるべきである	I	B-NR
心不全入院患者で，利尿が不十分でうっ血の症状や徴候を改善できない場合，以下のいずれかの方法で利尿薬の投与を強化することが適切である a. 静脈内ループ利尿薬の用量を増やす．または b. 第 2 の利尿薬を追加する．	IIa	B-NR
低血圧のない非代償性心不全で入院した患者に対して，息切れの緩和のために，利尿薬治療の補助としてニトログリセリンまたはニトロプルシドの静脈内投与を検討することができる	IIb	B-NR

HFrEF: heart failure with reduced ejection fraction, GDMT: guideline directed medical therapy
(Heidenreich PA, et al. Circulation. 2022; 145: e895-e1032)[3]

　次項からの本書において各論を記載する薬剤についての総論部分を本稿で述べた．ガイドラインの根拠となる論文は大きく異なるものではないが，推奨クラスは患者背景や使用可能な薬剤などによって少しずつ異なる．目の前の患者にあった治療選択を念頭に各論へ読み進めていただければ幸いである．

■文献

1) Tsutsui H, Isobe M, Ito H, et al. JCS 2017/JHFS 2017 guideline on diagnosis and treatment of acute and chronic heart failure ―Digest version―. Circ J. 2019; 83: 2084-184.

2) Tsutsui H, Ide T, Ito H, et al. JCS/JHFS 2021 guideline focused update on diagnosis and treatment of acute and chronic heart failure. Circ J. 2021; 85: 2252-91.

3) Heidenreich PA, Bozkurt B, Aguilar D, et al. 2022 AHA/ACC/HFSA guideline for the management of heart failure: A Report of the American College of Cardiology/American Heart Association Joint Committee on Clinical Practice Guidelines. Circulation. 2022; 145: e895-e1032.

4) McDonagh TA, Metra M, Adamo M, et al. 2021 ESC Guidelines for the diagnosis and treatment of acute and chronic heart failure: Developed by the Task Force for the diagnosis and treatment of acute and chronic heart failure of the European Society of Cardiology (ESC) with the special contribution of the Heart Failure Association (HFA) of the ESC. Eur Heart J. 2021; 42: 3599-726.

5) McDonagh TA, Metra M, Adamo M, et al. 2023 Focused Update of the 2021 ESC Guidelines for the diagnosis and treatment of acute and chronic heart failure. Eur Heart J 2023; ehad195. Online ahead of print.

6) Bozkurt B, Coats AJS, Tsutsui H, et al. Universal definition and classification of heart failure: a report of the Heart Failure Society of America, Heart Failure Association of the European Society of Cardiology, Japanese Heart Failure Society and Writing Committee of the Universal Definition of Heart Failure: Endorsed by the Canadian Heart Failure Society, Heart Failure Association of India, Cardiac Society of Australia and New Zealand, and Chinese Heart Failure Association. Eur J Heart Fail. 2021; 23: 352-80.

7) Masip J, Frank Peacok W, Arrigo M, et al. Acute Heart Failure in the 2021 ESC Heart Failure Guidelines: a scientific statement from the Association for Acute CardioVascular Care (ACVC) of the European Society of Cardiology. European Heart Journal Acute Cardiovascular Care. 2022; 11: 173-85.

8) Naidu SS, Baran DA, Jentzer JC, et al. SCAI SHOCK Stage classification expert consensus update: A review and incorporation of validation studies: This statement was endorsed by the American College of Cardiology (ACC), American College of Emergency Physicians (ACEP), American Heart Association (AHA), European Society of Cardiology (ESC) Association for Acute Cardiovascular Care (ACVC), International Society for Heart and Lung Transplantation (ISHLT), Society of Critical Care Medicine (SCCM), and Society of Thoracic Surgeons (STS) in December 2021. J Am Coll Cardiol. 2022; 79: 933-46.

〈柴田龍宏　大石醒悟〉

Point
- β遮断薬は左室収縮能が低下した心不全症例で生命予後改善が示されており，禁忌がなければ全例で導入が推奨される．
- 導入期には心不全が増悪するリスクがあり，少量からの漸増が望ましい．
- 有害事象がなければ最大用量を使用することが推奨される．
- 洞調律の心不全に関しては β遮断薬による心拍数低下と予後改善には関連があることが示されているが，心房細動合併患者では明らかでない．

A β遮断薬の作用機序

心不全症例では代償機構として交感神経が亢進しカテコラミン刺激が増大している．これは強心作用や心拍数増加による心拍出量増加をもたらすが，長期的には心筋のエネルギー需要の増加や心筋線維化・壊死などにより心筋障害を生じ，左室機能の低下・左室の拡大といった左室リモデリングを引き起こす．また β受容体の反応性低下，減少を生じることも知られている．β遮断薬はこのカテコラミンの過剰刺激を抑制することで，心筋障害を抑制し，さらには低下していた β受容体の反応性を回復させる．これにより心筋保護的な役割のみならず，低下した左室機能を改善させる作用がある．

B β遮断薬を心不全症例に使用する目的

詳細は次項の β遮断薬のエビデンスで解説するが，左室収縮能が低下した（左室駆出率: LVEF 40％未満）心不全症例（HFrEF）に対して症状の有無にかかわらず突然死や心不全死，心不全増悪を減少させることが示されている．そのため予後改善を目的として HFrEF に対しては禁忌がなければ全例に使用する．β遮断薬には交感神経抑制に伴い抗不整脈作用，心拍数軽減作用もあることから頻脈性不整脈の発症抑制や心拍数コントロールにおいても用いられる．

C β遮断薬の心不全症例における有効性を示すエビデンス

　有症候性の HFrEF に対し β 遮断薬（ビソプロロール，カルベジロール，メトプロロールコハク酸塩）の有用性を検討した 1990 年代の大規模臨床試験では β 遮断薬は総死亡・心不全死・突然死のいずれも低下させた[1-3]（表1）．また COPERNICUS 試験では最重症例である NYHA Ⅳ，LVEF 25% 未満の症例においてもカルベジロールの予後改善効果が示されている[4]．欧米で行われたこれらの試験で用いられた β 遮断薬の用量は本邦の承認用量よりも多いが，本邦で行われた MUCHA 試験では本邦で承認されている用量のカルベジロール（最大 20 mg/日）でも心血管イベント抑制効果が示されている[5-7]．これらの結果を受けて多くの β 遮断薬の中で，心不全に対して適応があるのはカルベジロールとビソプロロールとなっている．メトプロロールは本邦で用いられているものは短時間作用型のメトプロロール酒石酸塩であるため適応はない．

　無症候性の心機能低下，いわゆる stage B の心不全に対しても β 遮断薬の投与は推奨されている．これは心筋梗塞後の低左心機能症例（LVEF 40% 以下）に対してカルベジロール投与群は心血管死や非致死性の心筋梗塞を減少させた

（表1）　β 遮断薬の効果を検証した代表的臨床試験の概要

臨床試験名	使用薬剤	症例数	組入基準	投与目標量	平均到達投与量	総死亡低下効果
US Carvedilol[1]	カルベジロール	1094	NYHA Ⅱ〜Ⅲ LVEF<35%	200 mg	45 mg	65%減
CIBIS-Ⅱ[2]	ビソプロロール	2647	NYHA Ⅲ〜Ⅳ LVEF<35%	10 mg	7.5 mg	34%減
MERIT-HF[3]	メトプロロール	3991	NYHA Ⅱ〜Ⅲ LVEF<35%	200 mg	159 mg	34%減
COPERNICUS[4]	カルベジロール	2289	NYHA Ⅳ LVEF<25%	50 mg	37 mg	35%減
MUCHA[5]	カルベジロール	174	NYHA Ⅱ〜Ⅲ LVEF<40%	5 mg, 20 mg	5 mg（5 mg 群）17.2 mg（20 mg 群）	71%減（5 mg 群）80%減（20 mg 群）
CAPRICORN[8]	カルベジロール	1959	急性心筋梗塞かつ LVEF<40%（心不全なし）	50 mg	74%が 50 mg 到達	23%減

ことが示されているためである[8].

D β遮断薬を使用する際の注意点

1 導入時・増量時の注意

　少量から開始し徐々に漸増して目標量へ到達を目指す．開始量はカルベジロールであれば 1.25〜2.5 mg/日，ビソプロロールであれば 0.625 mg/日から開始し，入院中であれば 3〜5 日おきに漸増していく．外来であれば 2〜4 週間の間隔にする．増量の際はそれまでの 2 倍の量にしていくのを基本とし，重症例や心拍数低下などが気になる症例ではより緩やかなペースで増量する．用量依存的に予後改善および心機能が改善することが知られており[9]，できるだけ最大量まで増量することを心がける（カルベジロール 20 mg/日，ビソプロロール 5 mg/日）[10].

　β遮断薬には心収縮力を低下させる陰性変力作用があるため，導入時に心不全を増悪させる可能性がある．そのため NYHA 分類 III 度以上の心不全であれば入院した上で導入するか，もしくは利尿薬などで心不全コントロールをしてからの導入が望ましい．カテコラミンなどの静注強心薬を要する最重症例では，強心薬投与下で通常よりも少ない用量から導入していくのが無難である．このとき理論上は β受容体を介さない強心作用をもつ PDE-III 阻害薬を併用することが有用だが，実際はドブタミン併用下で導入することも可能である．前述のように β遮断薬は高用量が望ましいが低用量でも効果は示されており，導入困難な症例であっても少量でも導入する姿勢が重要である．

　導入時，増量時に問題となるのは心不全の増悪，徐脈，低血圧，めまいである．入院中であれば体重や尿量の推移を確認し，外来であっても体重推移を記録してもらい急激な増加・心不全症状の出現があれば早めに来院するよう指導する．徐脈は早期から出現してくる．日中は認めなくとも夜間に高度徐脈を認める症例もあるため，入院中であれば就寝時を含め心電図モニターの確認を行う．増量するか否かを判断する明確な心拍数の基準はないが，筆者は洞調律であれば，安静時に心拍数 60 回/分以上を増量可能な目安としている．徐脈が問題で増量できない場合は，他に徐脈を起こす要因（ジギタリスなど）を確認し，薬剤の中止や原因の除去ができないかを検討する．低血圧は他に比べると問題になることは少ない．収縮期血圧が低いことは心臓には良い面もあるため，筆

者は自覚症状がなければ収縮期血圧 90 前後でも導入・増量を試みる．ふらつき・めまいなどの有症候性の低血圧の場合は RAS 系阻害薬や利尿薬の減量を検討する．また症状が高度でない場合は数日経過を見て症状が改善するかを確認しても良い．

2 β 遮断薬の減量・中断に関して

　β 遮断薬増量中に心不全増悪・徐脈などが見られた場合は元の量への減量を行う．長期に β 遮断薬を内服している状態で心不全増悪をきたした場合は，原則として β 遮断薬の中止・減量は行うべきではない．これは心不全増悪時に β 遮断薬を中止・減量した群でその後の予後が不良であったためであり[11]，その機序としては突然の β 遮断作用がなくなることにより過剰な交感神経刺激が生じるためと考察されている．心原性ショックを呈している場合判断に迷うこともあるが，静注強心薬を併用してでも原則的には β 遮断薬を元の量で継続することが多い．高度房室ブロックなどの高度徐脈を呈した場合は β 遮断薬を中止せざるを得ない．β 遮断薬を中止することで徐脈が改善する場合は中止のままとなるが，もし改善せずペースメーカーの植込みを行った場合は再度 β 遮断薬の必要性を考慮し，適応があるならば再開することを忘れてはならない．

　β 遮断薬を投与した後に LVEF が正常化し無症状で経過する症例も存在する．このような症例に薬剤が中止できるかは常に議論となっていたが，TRED-HF 試験では心機能改善後の症例でも心不全治療薬中止に伴い 46％の症例で心機能再増悪などがみられたことが報告された[12]．この結果からもたとえ安定していても β 遮断薬は原則中止しないことが推奨される．

E 同系薬剤の使い分け

　β 遮断薬には多くの薬があるが心不全に対して用いられるのはカルベジロール，ビソプロロールのみである．この両者の違いはビソプロロールでは β_1 受容体を選択的に阻害するのに対し，カルベジロールは β_1，β_2 のみならず α_1 や α_2 受容体も阻害する．心不全の予後改善などは両者に明確な差はない．しかしカルベジロールは β_2 受容体阻害作用があるため慢性閉塞性肺疾患などの肺疾患合併症例ではビソプロロールを優先的に選択する．また心拍数低下効果もビソプロロールのほうが高いため，より心拍数を下げたい場合もこちらを用いる[13]．逆に心拍数に余裕がない症例や，重症心不全症例ではこまかな用量調節ができ

JCOPY 498-13659

るカルベジロールを用いることが多い.

注射剤では超短時間型 β_1 選択的阻害薬であるランジオロールが存在する. 低心機能の頻脈性心房細動合併の心不全症例に対してランジオロールとジゴキシンを用いて心拍数軽減効果を比較した検討では，有害事象を増やさずにランジオロール群が有意に高率に心拍数低下を達成できたことが示された[14]. そのためランジオロールは低心機能の頻脈性心房細動症例の心拍数コントロールに用いられている.

F β遮断薬の未知

1 心房細動合併 HFrEF への β遮断薬

β 遮断薬の有効性を検証したランダム化試験のメタアナリシスにおいて，心房細動症例では洞調律症例では認められていた予後改善効果は認められないことが示された[15]. この差異を証明する明確な理由は明らかではないが，心拍数低下への影響が１つの理由として考えられる. 洞調律症例では心拍数低下が予

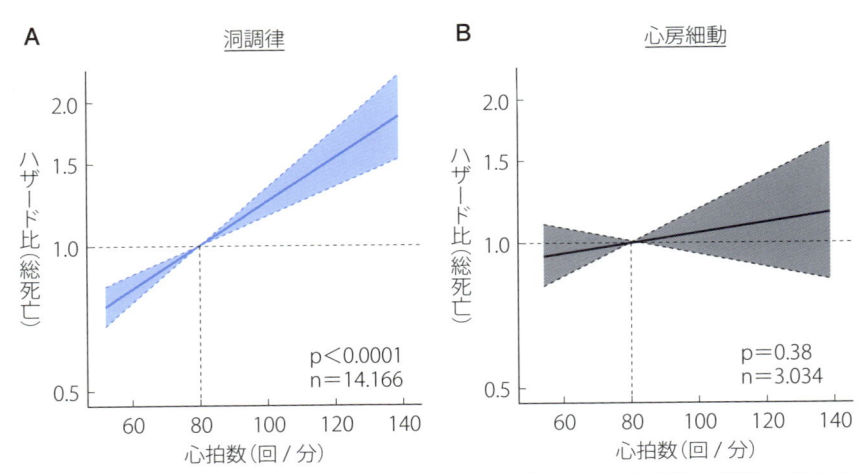

図1 HFrEF での洞調律症例（A）と心房細動症例（B）の心拍数と総死亡率との関連

洞調律では心拍数低下に伴い死亡率が低下するが，心房細動では心拍数と生存率には関連が見られない. このことが β遮断薬の予後改善効果が心房細動では低い一因である可能性がある.

(Kotecha D, et al. J Am Coll Cardiol. 2017; 69: 2885-96[16]，一部改変)

後改善につながるが，心房細動では心拍数と予後には差がないことが示されている[16,17]（図1）．このため β 遮断薬が予後に与える影響のうち心拍数低下作用が担っている部分が心房細動では乏しい可能性がある．一方でスウェーデンの大規模レジストリーでは β 遮断薬は洞調律・心房細動症例いずれの死亡率低下と関連していることが示された[17]．β 遮断薬の効果は心拍数低下作用のみではないので，現状で HFrEF に対して β 遮断薬が有効でないとはいえず，有害事象が生じないのであれば洞調律症例と同様に用いるべきである．

2 LVEF 40%以上の症例への β 遮断薬

　HFrEF 例と異なり LVEF 40%以上の心不全での β 遮断薬の予後改善効果を

A. 総死亡率

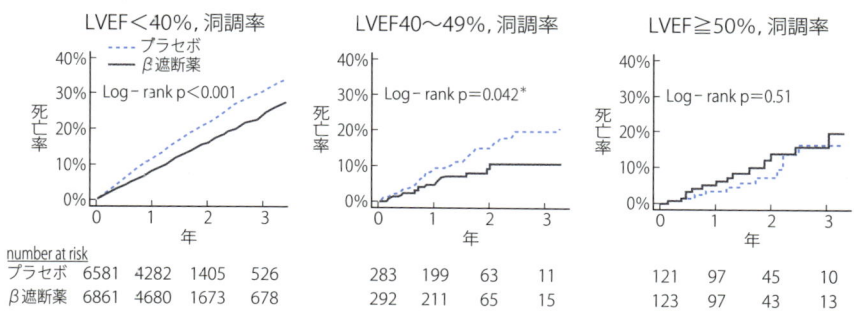

B. 心血管死亡率

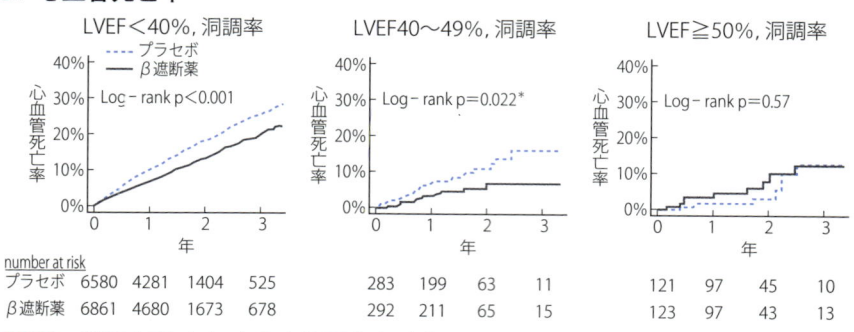

図2　総死亡率（A）と心血管死亡率（B）
既存の β 遮断薬の RCT をメタアナリシスにて解析した結果．β 遮断薬は LVEF 49%までの症例では予後改善効果を示したが，50%以上の症例では予後改善効果は見られなかった．
(Cleland JGF, et al. Eur Heart J. 2018; 39: 26-35[18]より)

示した大規模研究は存在しない．しかし既存の RCT を元に行われたメタアナリシスでは，LVEF 40〜49％の HFmrEF かつ洞調律の症例では HFrEF 同様にβ遮断薬の予後改善効果が示されており使用が推奨される．しかし心房細動症例と LVEF 50％以上の HFpEF 症例において予後改善効果は示されなかった[18]（図 2）．HFpEF へのβ遮断薬のエビデンスとしては，本邦で行われた J-DHF study ではカルベジロール高用量群で非内服群と比較し予後改善が示唆され[19]，スウェーデンで行われた大規模レジストリー研究でもβ遮断薬は総死亡・心不全入院の減少に関連していることが示されている[20]．これらのエビデンスは小規模のランダム化試験もしくは観察研究を元にしていることから，積極的に使用を推奨するほどのエビデンスとは言い難い．現状国内のガイドラインでは HFpEF へのβ遮断薬投与は class 2b 推奨に留まり，欧米のガイドラインでは特に推奨はされていない[10]．さらにはβ遮断薬を内服かつ運動時の心拍上昇が阻害されている変時性応答不全の HFpEF 症例では，β遮断薬を中断することで運動耐用能の改善が示されている[21]．HFpEF は拡張障害が主体とされるが，その病態・背景疾患は様々である．高血圧症や虚血性心疾患などの併存症へのβ遮断薬の適応も相まって，実臨床における HFpEF へのβ遮断薬の使用頻度は多いことが知られているが[22]，上記の症例など，HFpEF へのβ遮断薬の負の側面も知られるようになっている．β遮断薬が不適な HFpEF を明確に定義するのは簡単ではないが，一つのキーワードは心拍数であろう．HFpEF は心拍数を維持することで心拍出量を維持している症例が存在し，そのような症例には心拍数を落とすβ遮断薬は不適だと考えられる．代表例は上記の変時性応答不全ということになる．よって使用する際はきちんと病態を考慮し，何より重要なことはβ遮断薬使用前後の症状変化に注意することである．

■文献

1）Packer M, Bristow RM, Cohn JN, et al. The effect of carvedilol on morbidity and mortality in patients with chronic heart failure. N Engl J Med. 1996; 334: 1349-55.
2）CIBIS-Ⅱ Investigators and Committees. The Cardiac Insufficiency Bisoprolol Study Ⅱ（CIBIS-Ⅱ）: A randomised trial. Lancet. 1999; 353: 9-13.
3）MERIT-HF study group. Effect of metoprolol CR/XL in chronic heart failure: Metoprolol CR/XL Randomised Intervention Trial in Congestive Heart Failure（MERIT-HF）. Lancet. 1999; 353: 2001-7.
4）Packer M, Fowler MB, Roecker EB, et al. Effect of carvedilol on the morbidity of patients with severe chronic heart failure: Results of the carvedilol prospective ran-

domized cumulative survival（COPERNICUS）study. Circulation. 2002; 106: 2194-9.

5）Hori M, Sasayama S, Kitabatake A, et al. Low-dose carvedilol improves left ventricular function and reduces cardiovascular hospitalization in Japanese patients with chronic heart failure: The Multicenter Carvedilol Heart Failure Dose Assessment （MUCHA）trial. Am Heart J. 2004; 147: 324-30.

6）Okamoto H, Hori M, Matsuzaki M, et al. J-CHF Investigators. Minimal dose for effective clinical outcome and predictive factors for responsiveness to carvedilol: Japanese chronic heart failure（J-CHF）study. Int J Cardiol. 2013; 164: 238-44.

7）Hori M, Nagai R, Izumi T, et al. Efficacy and safety of bisoprolol fumarate compared with carvedilol in Japanese patients with chronic heart failure: results of the randomized, controlled, double-blind, Multistep Administration of bisoprolol IN Chronic Heart Failure II（MAIN-CHF II）study. Heart Vessels. 2014; 29: 238-47.

8）The Capricorn Investigators. Effect of carvedilol on outcome after myocardial infarction in patients with left-ventricular dysfunction: the CAPRICORN randomised trial. Lancet. 2001; 357: 1385-90.

9）Bristow MR, Gilbert EM, Abraham WT, et al. Carvedilol produces dose-related improvements in left ventricular function and survival in subjects with chronic heart failure. MOCHA Investigators. Circulation. 1996; 94: 2807-16.

10）日本循環器学会/日本心不全学会．急性・慢性心不全診療ガイドライン（2017 年改訂版）．

11）Fonarow GC, Abraham WT, Albert NM, et al. Influence of beta-blocker continuation or withdrawal on outcomes in patients hospitalized with heart failure. Findings from the OPTIMIZE-HF program. J Am Coll Cardiol. 2008; 52: 190-9.

12）Halliday BP, Wassall R, Lota AS, et al. Withdrawal of pharmacological treatment for heart failure in patients with recovered dilated cardiomyopathy（TRED-HF）: an open-label, pilot, randomised trial. Lancet. 2018; 6736: 1-13.

13）Düngen HD, Apostolović S, Inkrot S, et al. Titration to target dose of bisoprolol vs. carvedilol in elderly patients with heart failure: The CIBIS-ELD trial. Eur J Heart Fail. 2011; 13: 670-80.

14）Nagai R, Kinugawa K, Inoue H, et al. Urgent management of rapid heart rate in patients with atrial fibrillation/flutter and left ventricular dysfunction. Circ J. 2013; 77: 908-16.

15）Kotecha D, Holmes J, Krum H, et al. Efficacy of β blockers in patients with heart failure plus atrial fibrillation: An individual-patient data meta-analysis. Lancet. 2014; 384: 2235-43.

16）Kotecha D, Flather MD, Altman DG, et al. Heart rate and rhythm and the benefit of beta-blockers in patients with heart failure. J Am Coll Cardiol. 2017; 69: 2885-96.

17）Li SJ, Sartipy U, Lund LH, et al. Prognostic significance of resting heart rate and use of β-blockers in atrial fibrillation and sinus rhythm in patients with heart failure and reduced ejection fraction: Findings from the Swedish Heart Failure Registry. Circ Heart Fail. 2015; 8: 871-9.

18）Cleland JGF, Bunting KV, Flather MD, et al. Beta-blockers for heart failure with reduced, mid-range, and preserved ejection fraction: An individual patient-level analysis of double-blind randomized trials. Eur Heart J. 2018; 39: 26-35.

19) Yamamoto K, Origasa H, Hori M. Effects of carvedilol on heart failure with preserved ejection fraction: The Japanese Diastolic Heart Failure Study (J-DHF). Eur J Heart Fail. 2013; 15: 110-8.

20) Lund LH, Benson L, Dahlström U, et al. Association between use of β-blockers and outcomes in patients with heart failure and preserved ejection fraction. JAMA. 2014; 312: 2008-18.

21) Palau P, Seller J, Domínguez E, et al. Effect of β-blocker withdrawal on functional capacity in heart failure and preserved ejection fraction. J Am Coll Cardiol. 2021; 78: 2042-56.

22) Meyer M, Lewinter, MM. Heart rate and heart failure with preserved ejection fraction: Time to slow β-blocker use? Circ Heart Fail. 2019; 12: 1-5.

〈鍋田 健〉

Point

- レニン-アンジオテンシン-アルドステロン系を抑制しカリクレイン-キニン-プロスタグランジン系を増強する.
- HFrEF に対するエビデンスは確立されているが, HFpEF に対するエビデンスは認められていない.
- 心不全治療に対して ARB が ACE 阻害薬を上回るエビデンスはない.
- 血圧低下, 腎機能障害, 高 K 血症, 乾性咳嗽などの副作用に注意し, 耐性がある限り高用量を使用する.

A 作用機序

　アンジオテンシン変換酵素（ACE）阻害薬は, レニン-アンジオテンシン-アルドステロン系（RAAS）を抑制することにより, 降圧作用だけではなく, 心臓, 脳, 血管, 腎臓に存在する組織レニン-アルドステロン系にも作用し, 臓器保護作用を有する[1].

　腎血流量が低下すると傍糸球体装置からレニンを産生・分泌する. レニンは肝臓で産生されたアンジオテンシノーゲンをアンジオテンシン I に変換する. アンジオテンシン I は肺毛細血管に多く存在する ACE によってアンジオテンシン II に変換される. アンジオテンシン II は副腎皮質に作用しアルドステロンの分泌を促進させ, 腎臓の遠位尿細管に作用し Na と水の再吸収を引き起こす. また, アンジオテンシン II は AT1 受容体を介して血管収縮を起こし, 血圧を上昇させる. また, 循環中のものとは別に, 心臓組織の局所でもアンジオテンシノーゲン, レニン, ACE, アンジオテンシン I, アルドステロンの存在が確認されている. ACE 阻害薬はアンジオテンシン変換酵素を阻害することによりアンジオテンシン I からアンジオテンシン II の産生を抑制する. その結果, 昇圧系である血中および組織中のレニン-アンジオテンシン系を抑制する. また, ACE 阻害薬はブラジキニンが ACE に分解されるのを抑制し, 血管拡張作用を有するプロスタサイクリン, 一酸化窒素の産生を促進させ, 降圧系である

カリクレイン–キニン–プロスタグランジン系を増強させる.

　本邦で心不全に対して保険適応が得られている ACE 阻害薬はエナラプリル（レニベース®），リシノプリル（ロンゲス®，ゼストリル®）である．ただし，他の ACE 阻害薬であるイミダプリル（タナトリル®），テモカプリル（エースコール®），ペリンドプリル（コバシル®），カプトプリル（カプトリル®）などが心不全に効果がないというわけではない.

B 心不全患者に使用する目的

　心不全において，心拍出量の低下などから腎血流の低下や血圧低下などが起こると，それを代償すべく RAAS が亢進する．心不全から引き起こされる交感神経賦活化もレニン分泌亢進などを介してさらに RAAS を亢進させる．これらの RAAS の亢進は心臓への負荷（前負荷・後負荷）を増大させ，心肥大や心筋の線維化を介した心臓のリモデリングを促進し，心不全を悪化させていく悪循環に至る．ACE 阻害薬は降圧効果による後負荷減弱から心不全治療効果を発揮するうえに，心不全患者で亢進した RAAS を抑制することにより Na 貯留や過度の血管収縮を是正し，さらに心筋肥大や線維化などの心臓リモデリングを抑制する．したがって，ACE 阻害薬は高血圧がない場合でも RAAS の抑制を介して心不全の治療効果を発揮する．また，心不全発症抑制効果もあり[2,3]，糖尿病，高血圧，動脈硬化性疾患，メタボリックシンドロームなど心不全発症リスクの高い症例には心不全症状が出現する前の初期の段階から ACE 阻害薬を投与することが推奨されている.

　これらのことから，JCS/JHFS ガイドライン，および海外のガイドラインにおいても，特に左室収縮機能の低下した心不全（heart failure with reduced ejection fraction: HFrEF）においては無症候の段階から ACE 阻害薬の投与が推奨されている.

C 心不全患者における有用性を示すエビデンス

　エビデンスは蓄積され，軽症から重症 HFrEF において，生命予後を改善し，無症候性心機能低下例でも心不全の発症を予防することが明らかにされている．1987 年の CONSENSUS 試験[4]，1991 年の SOLVD 試験[5]で ACE 阻害薬が心不全予後を改善させた（図 1）．さらに，SOLVD Prevention Trial[6]では無症候の左室収縮不全においても生命予後を改善させた．さらに，ATLAS[3]では

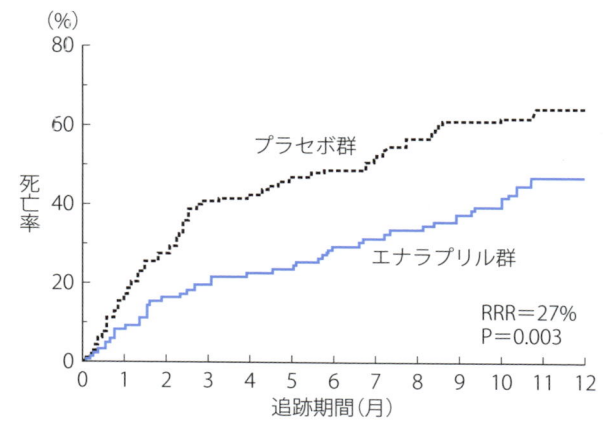

図1 ACE 阻害薬のエビデンス．CONSENSUS の試験結果
（文献 4 より引用改変）

ACE 阻害薬低用量より，高用量のほうが死亡または入院を抑制させたため，忍容性がある限り増量を試みるべきである．

　収縮不全に伴う心不全のエビデンスは確立され誰しもが疑わないが，拡張不全による心不全（heart failure with preserved ejection fraction: HFpEF）に対するエビデンスは認められていない．PEP–CHF 試験[7]では 70 歳以上，EF≧40％以上の HFpEF に対して，ACE 阻害薬ペリンドプリルとプラセボで無作為割付け試験がなされたが，一次エンドポイントである全死亡＋心不全による入院の改善は認められなかった．

　観察研究においては一定の予後改善効果が報告されているため，JCS/JHFS ガイドラインでは HFpEF に対する ACE 阻害薬は ARB とあわせてクラスⅡb とされているが[8]，ESC および AHA/ACC/HFSA ガイドラインにおいては ACE 阻害薬を推奨する記載はない[9]．

Ⓓ 使用する際の注意点（副作用，漸増の仕方，中止の判断など）

　副作用で注意すべき点としては，血圧低下，腎機能障害，高 K 血症，乾性咳嗽などがある．特に心機能が高度に低下している症例は，血管拡張作用による血圧低下作用で他臓器障害の出現に留意する．また，両側腎動脈狭窄症例および片腎で腎動脈狭窄がある症例には，腎血流や糸球体濾過圧の低下などにより

表 1　本邦で使用可能な ACE 阻害薬とその投与量

ACE 阻害薬	大規模臨床試験	海外の臨床試験における投与量	本邦における投与量・薬剤の特徴
エナラプリル（レニベース®）	CONSENSUS[4]SOLVD[5,6]V-HeFT Ⅱ[11]	20〜40 mg/日	添付文書の用量は 1 日 1 回　5〜10 mg2.5 mg/日より開始心不全に対しては耐性がある限り高用量（20 mg）を使用エビデンスが最も多い
リシノプリル（ロンゲス®）（ゼストリル®）	ATLAS[3]GISSI-3[12]	32.5〜35 mg/日	添付文書の用量は 1 日 1 回　5〜10 mg腎障害・高齢者では 2.5 mg/日より開始心不全に対しては耐性がある限り高用量（20 mg）を使用エナラプリルに比し作用の持続時間が長い

急速に腎機能障害を併発することがあり，治療上やむを得ないと判断される場合を除き，使用を避ける．高 K 血症は腎機能障害と相まって出現することがあり，特に投与初期や，K 保持性利尿薬の併用症例，高齢者，慢性腎不全患者，腎動脈狭窄症合併症例は高 K 血症の合併に注意する．また，ACE 阻害薬の長期使用で肺癌リスクを人口ベースのコホート研究で検討した結果 ARB 使用に比べて，肺癌リスク上昇と関連を認めた報告があり，長期使用患者には注意が必要である[10]．

　また，ACE 阻害薬投与例の 1 割程度に乾性咳嗽が出現する．乾性咳嗽は，キニナーゼⅡの阻害により蓄積したブラジキニンまたはサブスタンス P が気管支を刺激し，反射性の咳嗽を発現させる．重症化することはほぼなく，投与を続けるうちに症状軽減する例も多いが，忍容が得られない場合は ARB への切り替えを考慮する．

　β 遮断薬との兼ね合いもあるが，ACE 阻害薬の心不全治療効果は用量依存性があり[3]，可能な限り高用量を使用すべきである．エナラプリル，リシノプリルは 2.5 mg から（高度心機能障害で低血圧の症例はさらに低用量から）開始し，上記副作用の合併に注意し増量する（表 1）．なお本邦での使用量は海外での大規模臨床試験よりも用量が少なく，添付文書の用量は 1 日 10 mg である．また ACE 阻害薬は，妊婦もしくは妊娠している可能性のある患者には催奇形性が報告されており，一般的には禁忌である．

E 同系薬剤の使い分けについて

ACE 阻害薬および ARB の単剤を用い，心不全治療効果の直接比較を行った大規模臨床試験，ELITE II[2]，Val-HeFT[13]，ONTARGET[14]などで，いずれも ARB が ACE 阻害薬を上回る結果は得られなかった[3]．また，メタ回帰解析の BPLTTC[15]では ACE 阻害薬と ARB とで，脳卒中，冠動脈疾患，心不全に対する血圧依存性抑制効果は同等であったが，ACE 阻害薬には冠動脈疾患イベントに対する血圧非依存性効果がみられ，ARB では認めらなかった．これらのことから，心不全患者において ACE 阻害薬の優位性は変わっていない．JCS/JHFS ガイドラインでも心不全に対する ARB の適応は，咳などの副作用のために ACE 阻害薬の忍容性がない場合に推奨されている．

慢性心不全の治療に ACE 阻害薬とともに，β 遮断薬は第 1 選択薬剤であり可能な限り併用投与する．開発の歴史から β 遮断薬は ACE 阻害薬に上乗せする形で投与が行われていたが，CIBIS III 試験[16]では ACE 阻害薬エナラプリルと β 遮断薬ビソプロロールのいずれを先行投与するのがよいかが検討された．一次エンドポイントの全死亡＋全入院は両剤で差はなかったが，生存率では β 遮断薬先行群の方がよい傾向にあり，心不全悪化率では β 遮断薬先行群の方が不良の傾向にあった．これは，β 遮断薬は導入初期に心不全を悪化させ，突然死を減少させる効果が現れた可能性が考えられた．この結果から，うっ血が取れている場合は β 遮断薬を，うっ血がとれていない場合は ACE 阻害薬を優先的に導入することが望ましいとする見解がある[17]．

F ACE 阻害薬に対する未知

予後改善エビデンスを導いた大規模臨床試験では，高用量の ACE 阻害薬しか用いられておらず，用量を標的とした対比試験はほとんどなく，少量の ACE 阻害薬の心不全改善効果はわかっていない．また，HFpEF に対する予後改善効果は示されておらず，HFmrEF（heart failure with mild-reduced ejection fraction）に対する ACE 阻害薬の有効性についても，ある程度有効であるとのデータも存在する[18]が，はっきりした結論は得られていない．

また，TRED-HF 試験で，拡張型心筋症で心機能改善が得られた患者に対して，β 遮断薬や，ACE 阻害薬，ARB などの心不全治療薬を順次中止すると心不全再増悪が多かった[19]．この試験では，どの薬剤の中止が心不全再増悪に最

も寄与しているか，心不全再増悪を予測する因子などの結論は得られていないが，この結果からも，心不全治療薬は可能な限り生涯続けるべきであろう．

　2020 年より国内でもアンジオテンシン受容体ネプリライシン阻害薬（ARNI）が使用可能となった．詳細は 2-3. ARNI の項に譲るが，特に HFrEF において ARNI は ACE 阻害薬を上回る予後改善効果を示しているため，特に心不全治療の効果不十分な症例において ARNI への切り替えが推奨される[20]．ただ，ARNI は ACE 阻害薬に比し降圧効果が強く，症候性低血圧イベントや投与中断例が多い．実際にアジア人のレジストリ解析でも，収縮期血圧＜100 mmHg の HFrEF において ARNI を導入された症例の 15％以上がその継続を断念されている[21]．このことから，特に低血圧症例においては，主に安全性と忍容性の観点から ARNI へ切り替えずに ACE 阻害薬を継続するといった選択肢も実臨床では考慮されるが，明確なコンセンサスは得られていない．

■文献

1) Nehme A, Zouein FA, Zayeri ZD, et al. An update on the tissue renin angiotensin system and its role in physiology and pathology. J Cardiovasc Dev Dis. 2019; 6: 14.
2) Pitt B, Poole-Wilson PA, Segal R, et al. Effect of losartan compared with captopril on mortality in patients with symptomatic heart failure: randomised trial—the Losartan Heart Failure Survival Study ELITE II. Lancet. 2000; 355: 1582-7.
3) Packer M, Poole-Wilson PA, Armstrong PW, et al. Comparative effects of low and high doses of the angiotensin-converting enzyme inhibitor, lisinopril, on morbidity and mortality in chronic heart failure. ATLAS Study Group. Circulation. 1999; 100: 2312-8.
4) CONSENSUS Trial Study Group. Effects of enalapril on mortality in severe congestive heart failure. Results of the Cooperative North Scandinavian Enalapril Survival Study (CONSENSUS). N Engl J Med. 1987; 316: 1429-35.
5) SOLVD Investigators, Yusuf S, Pitt B, Davis CE, et al. Effect of enalapril on survival in patients with reduced left ventricular ejection fractions and congestive heart failure. N Engl J Med. 1991; 325: 293-302.
6) SOLVD Investigators, Yusuf S, Pitt B, Davis CE, et al. Effect of enalapril on mortality and the development of heart failure in asymptomatic patients with reduced left ventricular ejection fractions. N Engl J Med. 1992; 327: 685-91.
7) Cleland JG, Tendera M, Adamus J, et al. PEP-CHF Investigators. The perindopril in elderly people with chronic heart failure (PEP-CHF) study. Eur Heart J. 2006; 27: 2338-45.
8) 日本循環器学会．急性・慢性心不全診療ガイドライン（2017 年改訂版）．http://www.j-circ.or.jp/guideline/pdf/JCS2017_tsutsui_h.pdf

9) Lund LH, Benson L, Dahlström U, et al. Association between use of renin-angiotensin system antagonists and mortality in patients with heart failure and preserved ejection fraction. JAMA. 2012; 308: 2108-17.

10) Hicks BM, Filion KB, Yin H, et al. Angiotensin converting enzyme inhibitors and risk of lung cancer: population based cohort study. BMJ. 2018; 363: k4209.

11) Cohn JN, Johnson G, Ziesche S, et al. A comparison of enalapril with hydralazine-isosorbide dinitrate in the treatment of chronic congestive heart failure. N Engl J Med. 1991; 325: 303-10.

12) GISSI-3: effects of lisinopril and transdermal glyceryl trinitrate singly and together on 6-week mortality and ventricular function after acute myocardial infarction. Gruppo Italiano per lo Studio della Sopravvivenza nell'infarto Miocardico. Lancet. 1994; 343: 1115-22.

13) Cohn JN, Tognoni G and Valsartan Heart Failure Trial Investigators. A randomized trial of the angiotensin-receptor blocker valsartan in chronic heart failure. N Engl J Med. 2001; 345: 1667-75.

14) ONTARGET Investigators, Yusuf S, Teo KK, Pogue J, et al. Telmisartan, ramipril, or both in patients at high risk for vascular events. N Engl J Med. 2008; 358: 1547-59.

15) Blood Pressure Lowering Treatment Trialists Collaboration, Turnbull F, Neal B, Pfeffer M, et al. Blood pressure-dependent and independent effects of agents that inhibit the renin-angiotensin system. J Hypertens. 2007; 25: 951-8.

16) Willenheimer R, van Veldhuisen DJ, Silke B, et al. CIBIS Investigators. Effect on survival and hospitalization of initiating treatment for chronic heart failure with bisoprolol followed by enalapril, as compared with the opposite sequence: results of the randomized Cardiac Insufficiency Bisoprolol Study (CIBIS) Ⅲ. Circulation. 2005; 112: 2426-35.

17) Yancy CW, Januzzi JL, Allen LA, et al. 2017 ACC Expert consensus decision pathway for optimization of heart failure treatment. J Am Coll Cardiol. 2018; 71: 201-30.

18) Tsuji K, Sakata Y, Nochioka K, et al. CHART-2 Investigators. Characterization of heart failure patients with mid-range left ventricular ejection fraction-a report from the CHART-2 Study. Eur J Heart Fail. 2017; 19: 1258-69.

19) Halliday BP, Wassall R, Lota AS, et al. Withdrawal of pharmacological treatment for heart failure in patients with recovered dilated cardiomyopathy (TRED-HF): an open-label, pilot, randomised trial. Lancet. 2019; 393: 61-73.

20) 2021年JCS/JHFSガイドライン フォーカスアップデート版 急性・慢性心不全診療. https://www.j-circ.or.jp/cms/wp-content/uploads/2021/03/JCS2021_Tsutsui.pdf

21) Hsu CY, Chang HY, Chao CJ, et al. Utility of PREDICT-HF score in high-risk Asian heart failure patients receiving sacubitril/valsartan. Front Cardiovasc Med. 2022; 9: 950389.

〈門田宗之　伊勢孝之〉

ARNI（Sacubitril/Valsartan）

Point

- Sacubitril はナトリウム利尿ペプチドの分解酵素である Neprilysin を阻害し，ナトリウム利尿ペプチドなどの血中濃度を上昇させ，心不全に対し有益な効果をもたらす．
- HFrEF（heart failure with reduced ejection fraction）を対象とした PARA-DIGM-HF 試験ではエナラプリルに対する ARNI の優位性が示された．結果として，現在では HFrEF に対し Class Ⅰ の推奨を得ている．
- 対して，HFpEF（heart failure with preserved ejection fraction）を対象とした PARAGON-HF 試験ではバルサルタンに対し ARNI は明らかな優位性を示すことができなかった．一部のサブグループでは有効性が期待される報告もあるが，有効性と安全性のバランスを十分に加味したうえで使用を検討する必要がある．

A 作用機序

　ARNI（angiotensin receptor neprilysin inhibitor, 別名 sacubitril/valsartan）は ARB（angiotensin Ⅱ receptor blocker）である valsartan と，ナトリウム利尿ペプチド（NP）系の主な分解酵素である neprilysin（NEP）を阻害する sacubitril からなる複合体である．この sacubitril が阻害する NEP は，体内において心房性ナトリウム利尿ペプチド（ANP）や B 型ナトリウム利尿ペプチド（BNP），アドレノモジュリン，エンドセリン，アンジオテンシンⅡ，サブスタンス P など様々な物質の分解に寄与している．そのため NEP を阻害することは，血中や組織中におけるこれらの物質の増加をもたらす．

　この薬剤が心不全患者に有益な効果をもたらすメカニズムにはいくつかあげられるが，その中心は ARB の持つ RAAS（renin-angiotensin-aldosterone system）抑制効果と，sacubitril が NEP を阻害することによる，ANP や BNP の血中・組織中における増加であると考えられている（図 1）．特に NEP は ANP（>CNP）>BNP の順でその分解に寄与しているため，BNP よりも ANP の血

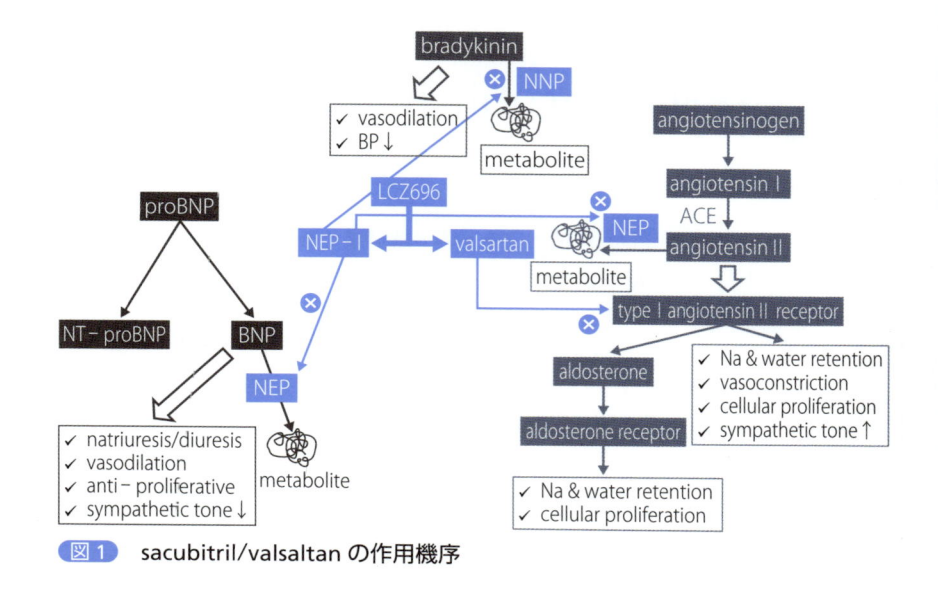

図1 sacubitril/valsaltan の作用機序

中・組織中における増加が受容体である NPR-A の活性化に寄与すると考えられている（ANP/BNP の詳細な作用機序は 5-2. カルペリチドの項を参照）．これらの仮説は，尿中において ANP や BNP のセカンドメッセンジャーである cGMP が sacubitril/valsartan を開始された患者で増加すること，また sacubitril/valsartan の開始後には BNP と比較し ANP の血中濃度上昇が顕著であることから支持されている[1,2]．ただし，NEP は ANP や BNP に限らず様々な代謝経路に作用しているため，sacubitril により NEP を阻害することは必ずしも全てが好ましい効果に繋がるわけではない．例えば，NEP は先述の通り RAAS の下流に属するアンジオテンシンⅡの分解にも寄与しており，sacubitril 単剤では心不全の増悪にも関与するアンジオテンシンⅡの増加に繋がってしまう．

そのため，ARNI では sacubitril に ARB である valsartan を組み合わせることでアンジオテンシンⅡの増加にも対応し，有益な効果が発揮されやすいよう工夫されている．また NEP の阻害はブラジキニンの分解も低下させ，追加の血管拡張作用をもたらすが，このような作用も心不全患者に対し有益な効果をもたらす一因となっている可能性がある．

B 心不全患者に使用する目的

　先述の通り作用機序の観点からは，RAAS の抑制効果に加え ANP/BNP の増加が有益な効果をもたらすと考えられている．そのため，心不全の発症や増悪に対し拮抗的に働くホルモンである ANP や BNP の血管拡張作用や Na 利尿作用に期待し，心不全患者の管理に用いられ，また日本では降圧を目的に高血圧患者への使用も可能である．

　心不全では，現状のエビデンスを鑑みると，HFrEF と HFmrEF/HFpEF で区別して使用が検討されるべきである．HFrEF では，特に慢性期の患者を対象に心不全再入院や死亡の減少といった予後改善効果が期待できる．また急性心不全患者においても，血行動態が落ち着いたタイミングで薬剤を導入することで，その後の心不全再入院を減少させることも示されている[3]．対して HFmr-EF/HFpEF では，一律に薬剤の導入を検討することの有益性は示されていない．ただし，LVEF 60% 以下の患者や，直近 30 日以内で心不全入院歴がある患者群においては予後を改善する可能性が示されている[4,5,7]．

C 心不全患者における有用性を示すエビデンス

　主な大規模ランダム化比較試験としては，HFrEF を対象とした PARA-DIGM-HF，HFpEF を対象とした PARAGON-HF の 2 つが，sacubitril/valsartan の有用性を語るうえでまず重要な試験となっている[8,9]．

　PARADIGM-HF 試験では 18 歳以上，NYHA Ⅱ-Ⅳ，LVEF≦40%（ただし，試験の途中で 35% 以下に変更された），12 カ月以内に心不全入院歴があれば BNP>100 pg/mL もしくは NT-proBNP≧400 pg/mL，なければ BNP>150 pg/mL もしくは NT-proBNP≧600 pg/mL，かつ eGFR≧30 mL/min/1.73 m^2 の患者で，sacubitril/valsartan 200 mg 2 回/日およびエナラプリル 10 mg 2 回/日に耐用性を示した患者 8,442 人が登録された．その後二重盲検にて sacubitril/valsartan 200 mg 2 回/日かエナラプリル 10 mg 2 回/日にランダムに割付けられた（sacubitril/valsartan 200 mg の ARB 部分は valsartan 160 mg に相当する）．試験は早期終了し，sacubitril/valsartan 群はエナラプリル群と比較して一次エンドポイントである心血管死もしくは初回心不全再入院の複合エンドポイントの発生率が有意に低かった（hazard ratio 0.80，95%CI: 0.73-0.87，p<0.001）．また，この好ましい効果は心血管死（hazard ratio 0.80，95%CI:

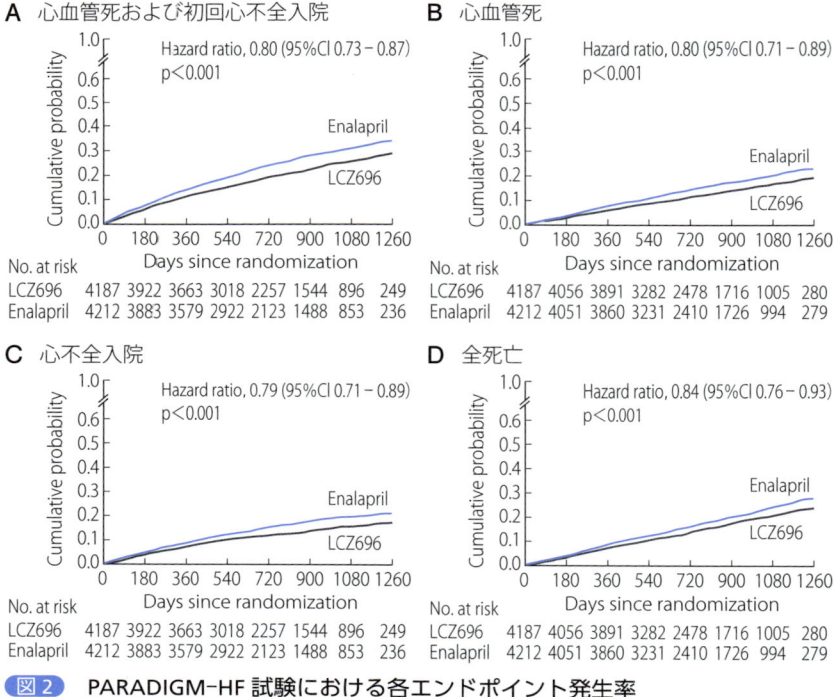

図2 PARADIGM-HF 試験における各エンドポイント発生率

（McMurray JJ, et al. N Engl J Med. 2014; 371: 993-1004）[8]

0.71-0.89，p＜0.001），初回心不全入院（hazard ratio 0.79，95％CI: 0.71-0.89，p＜0.001）それぞれでも認められ，また総死亡に限っても認められた（hazard ratio 0.84，95％CI: 0.76-0.93，p＜0.001）（図2）[8]．その後のサブ解析の結果も踏まえ，薬剤に対し忍容性を有する患者であれば，広い範囲の HFrEF で予後を改善することが期待できる．

　一方 PARAGON-HF 試験では，50 歳以上，NYHA Ⅱ-Ⅳ，LVEF 45％以上，NT-proBNP≧200 pg/mL（心房細動では＞600 pg/mL），eGFR≧30 mL/min/1.73 m^2，左房拡大もしくは左室肥大所見を有する患者のうち，valsartan 80 mg 2 回/day（160 mg/day）および sacubitril/valsartan 100 mg 2 回/day（200 mg/day）に対し耐用性を示した患者4,822 人が登録された．その後二重盲検にて sacubitril/valsartan 200 mg 2 回/日（400 mg/day）かバルサルタン 160 mg 2 回/日（320 mg/day）にランダムに割付けられた（sacubitril/valsartan 200 mg

の ARB 部分は valsartan 160 mg に相当する）．その結果一次エンドポイントである観察期間内における全心不全入院もしくは心血管死の複合エンドポイントの発生率について，hazard ratio 0.87，95％CI: 0.75-1.01，p＝0.059 といった傾向はみられるものの，sacubitril/valsartan による有意な予後改善作用を示すことができなかった[9]．しかし，その後のサブ解析から心不全入院を経験した直後の HFpEF 患者では有用であると示唆されたことから，姉妹研究として PARAGLIDE-HF 試験が行われ，PARAGON-HF 試験との prespecified

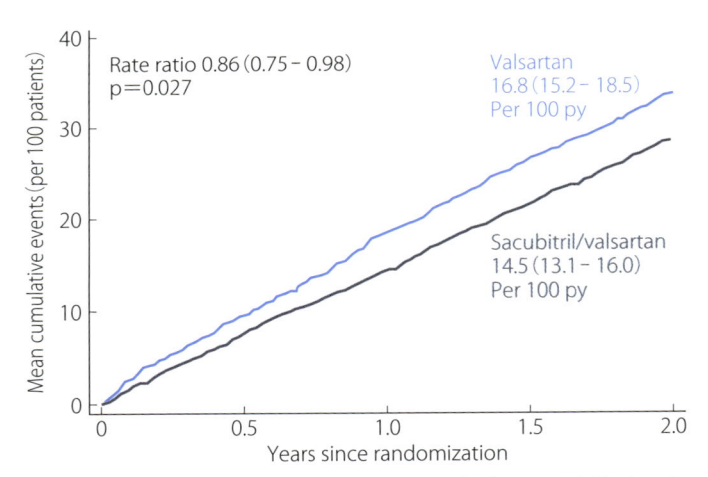

図3a 心血管死および心不全増悪の複合エンドポイント（Pooled analysis of PARAGLIDE-HF and PARAGON-HF）（N＝5,262）
（Vaduganathan M, et al. Eur Heart J. 2023; 44: 2982-93.）[7]

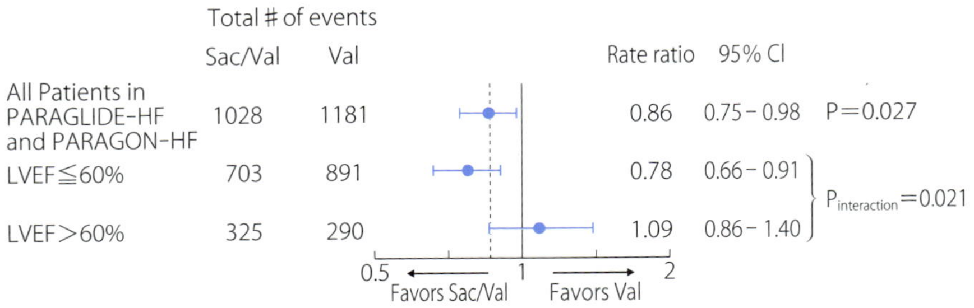

図3b Pooled analysis of all participants（n＝5,262）

patient-level pooled analysis の結果も示された．この結果では，一次エンドポイントの発生率を sacubitril/valsartan は有意に減少させ（hazard ratio 0.86, 95%CI: 0.75-0.98, p=0.027），特にその効果が LVEF≦60%の患者群においてみられることが改めて確認された〔LVEF≦60% vs. LVEF>60%; hazard ratio（95%CI），0.78（0.66-0.91）vs. 1.09（0.86-1.40），p for interaction=0.021〕（図3）[6,7]．

D 使用する際の注意点（副作用，漸増の仕方，中止の判断など）

　現在日本では HFrEF や HFpEF を問わず心不全患者に対する使用が承認されている．また用法用量に違いはあるものの，高血圧患者に対する使用も可能となっている（本書では心不全の使用についてのみ言及する）．

　心不全患者における現状では，まず ACE 阻害薬もしくは ARB からの切り替えとして sacubitril/valsartan の導入をする必要がある（ACE 阻害薬からの切り替え時には血管浮腫の発生が起きる可能性があるため，必ず ACE 阻害薬の最終内服から 36 時間以上空けて sacubitril/valsartan を開始する）．そのうえで，50 mg を 1 日 2 回（100 mg/day）から内服を開始し，患者の状態に合わせながら 200 mg を 1 日 2 回（400 mg/day）の用法用量を目指すことが推奨される．特に，PARADIGM-HF および PARAGON-HF 試験では run-in phase を設けながら，一律に 400 mg/day により試験が開始されるプロトコルとなっていたことからも，主治医はできる限り 400 mg/day への増量を目指すことが求められる．一方で，PARADIGM-HF 試験のサブ解析では，試験期間中になんらかの理由により 400 mg/day から減量された患者においても sacubitril/valsartan の予後改善効果は一貫していたことも報告されているが，これは「主治医により内服の増量が検討されない場合でも予後改善効果が一貫しているということと同義ではない」ことに留意する必要がある[9]．

　副作用については，まず血圧低下に対する注意が必要である（特に導入時の血圧が高くない患者群）．また機序的には，ACE 阻害薬/ARB と比較し輸入細動脈を開く作用を有することから ACE 阻害薬/ARB と比較し糸球体濾過量を増加させやすいため，切り替え後に eGFR の低下や高カリウム血症などのイベントは比較的起きにくい薬剤であると考えられるものの，導入後は注意する必要がある．そして，血管性浮腫はこの薬剤を使用するときに十分に気を付ける必要がある副作用であり，喉頭浮腫を示唆する喉の違和感などを含めしっかり

と症状を確認する必要がある.

E 同系薬剤の使い分けについて

このクラスの薬で現在臨床的な効果が検証されている薬は sacubitril/valsartan のみである.

F ARNI に関する未知

まず,心不全以外で本薬剤に関して大きな検証が行われた領域には,急性心筋梗塞(AMI)後の患者を対象に行われた PARADISE-MI 試験がある[10].本試験では,AMI を発症した LVEF 40%以下の患者(心不全入院歴がある患者は除外,また AMI のうち 76%は STEMI,16%に過去の MI の既往あり)を主な対象とし sacubitril/valsartan(N = 2,830)と ramipril(N = 2,831)への割付が行われた.その結果,ベースに心不全がない場合は AMI 発症後に LVEF の低下を伴う患者群であっても,ACE 阻害薬に対する sacubitril/valsartan の primary endpoint(心血管死と初回心不全入院の複合エンドポイント)に関する有効性は示されなかった.しかし本試験ではその後,初回心不全入院ではなく観察期間中の全心不全入院イベントを含む解析を行った際や,win-ratio を用いた解析,また冠動脈疾患に着目した解析などでは,sacubitril/valsartan の有効性が示唆されている[11].急性心筋梗塞を起こした患者のうち,どのような患者群で sacubitril/valsartan の使用を検討するべきかという問いに関しては今後も検証が望まれる.

また上述したように心不全に関するエビデンスとしては,本薬剤は LVEF≦60%の心不全患者では有効性が期待できる薬剤である(それも,ACE 阻害薬/ARB と比較しての有効性).しかし,PARADIGM-HF 試験や PARAGON-HF 試験は run-in phase を設け薬剤への忍容性がある患者のみを割付けした特殊な試験であることから,特にリアルワールドでの sacubitril/valsartan の安全性については未知な部分が多い.例えば,これらの試験には含まれていないが実臨床では処方がなされていると思われる,収縮期血圧が 100 mmHg 以下の患者や eGFR が 30 mL/min/1.73 m^2 以下の患者,導入時の血清カリウム値が比較的高い患者などにおける sacubitril/valsartan の安全性,臨床的な効果は不明である.また高齢化が進む本邦では,これらの大規模ランダム化比較試験の患者群とはかけ離れた臨床像を持つ患者への使用も増えることが予想される.これら

の点からも，リアルワールドなデータをもとに sacubitril/valsartan の有効性や安全性を検証することは必要不可欠である．そのため現在筆者らは，日本全国の大学病院および地域基幹病院である 17 施設において，本邦で承認を得た 2020 年 6 月から約 1 年の間に sacubitril/valsartan が処方された患者を対象として，リアルワールドな安全性を検証することを目的とした多施設共同研究を進めている（REVIEW-HF 研究）．このような研究を通し本邦における実態が明らかとなることで，今後のさらなる適切な使用法が模索されていくことを期待する．

■文献

1) Packer M, McMurray JJ, Desai AS, et al; PARADIGM-HF Investigators and Coordinators. Angiotensin receptor neprilysin inhibition compared with enalapril on the risk of clinical progression in surviving patients with heart failure. Circulation. 2015; 131: 54-61.
2) Myhre PL, Vaduganathan M, Claggett B, et al. B-Type natriuretic peptide during treatment with sacubitril/valsartan: The PARADIGM-HF Trial. J Am Coll Cardiol. 2019; 73: 1264-72.
3) Velazquez EJ, Morrow DA, DeVore AD, et al. Angiotensin-neprilysin inhibitor in acute decompensated heart failure. N Engl J Med. 2019; 380: 539-48.
4) Solomon SD, Vaduganathan M, L Claggett B, et al., Sacubitril/valsartan across the spectrum of ejection fraction in heart failure. Circulation. 2020; 141: 352-61.
5) Vaduganathan M, Claggett BL, Desai AS, et al., Prior heart failure hospitalization, clinical outcomes, and response to sacubitril/valsartan compared with valsartan in HFpEF. J Am Coll Cardiol. 2020; 75 (3): 245-254.
6) Mentz RJ, Ward JH, Hernandez AF, et al., Angiotensin-neprilysin inhibition in patients with mildly reduced or preserved ejection fraction and worsening heart failure. J Am Coll Cardiol. 2023; 82: 1-12.
7) Vaduganathan M, Mentz RJ, Claggett BL, et al. Sacubitril/valsartan in heart failure with mildly reduced or preserved ejection fraction: a prespecified participant-level pooled analysis of PARAGLIDE-HF and PARAGON-HF. Eur Heart J. 2023; 44: 2982-93.
8) McMurray JJ, Packer M, Desai AS, et al. PARADIGM-HF Investigators and Committees. Angiotensin-neprilysin inhibition versus enalapril in heart failure. N Engl J Med. 2014; 371: 993-1004.
9) Solomon SD, McMurray JJV, Anand IS, et al; PARAGON-HF Investigators and committees. Angiotensin-neprilysin inhibition in heart failure with preserved ejection fraction. N Engl J Med. 2019; 381: 1609-20.
10) Vardeny O, Claggett B, Packer M, et al., Efficacy of sacubitril/valsartan vs. enalapril

at lower than target doses in heart failure with reduced ejection fraction: PARA-DIGM-HF trial. Eur J Heart Fail. 2016; 18: 1228-34.

11) Pfeffer MA, Claggett B, Lewis EF, et al; PARADISE-MI Investigators and Committees. Angiotensin receptor-neprilysin inhibition in acute myocardial infarction. N Engl J Med. 2021; 385: 1845-55.
12) Mehran R, Steg PG, Pfeffer MA, et al. The effects of angiotensin receptor-neprilysin inhibition on major coronary events in patients with acute myocardial infarction: Insights From the PARADISE-MI Trial. Circulation. 2022; 146: 1749-57.

〈松本新吾　末永祐哉〉

ミネラルコルチコイド受容体拮抗薬

Point

- スピロノラクトンまたはエプレレノンは NYHA II 以上の症状がある HFrEF 患者ではクラス I で推奨される.
- 両薬剤ともに少量で導入し, 50 mg 1 日 1 回まで増量する.
- 腎機能障害と高 K 血症のモニターが必要である. 高 K 血症を認めた場合は必要に応じて減量・中止を考慮する.

A 作用機序

心不全の主な病態は交感神経系の活性化とレニン−アンジオテンシン−アルドステロン系 (RAAS) の賦活化といえるが, 特に RAAS の活性化は心血管系では肥大や線維化などのリモデリングが助長され, 動脈硬化や組織線維化を急速に進展させ各種臓器障害を引き起こす. この RAAS 下流のアルドステロン受容体であるミネラルコルチコイド受容体を阻害するのが, スピロノラクトンとエプレレノンに代表されるミネラルコルチコイド受容体拮抗薬 (MRA: mineralocorticoid receptor antagonist) である.

スピロノラクトンとエプレレノンが心不全患者に対して有効である理由として考えられるものは2つある. 1つは他の非 K 保持性利尿薬によって引き起こされうる低 K 血症を防ぐこと, もう1つは直接的にアルドステロンの心臓と血管などに対する悪影響を防ぐことである.

B 心不全患者に使用する目的

HFrEF 患者に対する症状改善, 心不全再入院と死亡率の低下を目的として使用する.

C 心不全患者における有用性を示すエビデンス

MRA の歴史を表に示す (表1). スピロノラクトンの HFrEF に対する効果

表1	ミネラルコルチコイド受容体拮抗薬の歴史

1957 年	スピロノラクトンの発見
1960 年	スピロノラクトン臨床応用 （K 保持性利尿薬として）
1987 年	エプレレノンの発見 心臓におけるミネラルコルチコイド受容体の存在
1999 年	RALES 試験
2003 年	EPHESUS 試験 急性心筋梗塞後のうっ血性心不全に適応承認（米国）
2011 年	EMPHASIS-HF 試験
2014 年	TOPCAT 試験

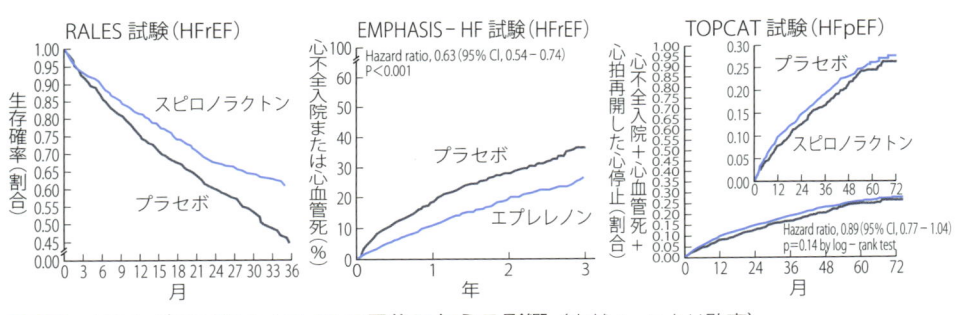

図1 MRA が HFrEF と HFpEF の予後に与える影響（文献 1～3 より改変）

は，RALES 試験[1]において 2 年でプラセボに対して総死亡 30% のリスク減が示されている（**図1**）．しかし，この試験では ACE 阻害薬は 90% 以上の患者に投与されていたものの，β遮断薬の投与は約 10% 程度に留まっており，また対象は NYHA III もしくは IV の比較的重症の HFrEF 患者であったため，はたして β遮断薬と ACE 阻害薬で治療されたうえでも上積みの予後改善効果があるのか，NYHA II 以下のより軽症・早期の HFrEF の患者に対する予後改善効果があるのか不明であった．そこで NYHA II，かつ ACE 阻害薬/ARB および β遮断薬が投与されている HFrEF 症例に対するエプレレノンの予後改善効果がEMPHASIS-HF 試験[2]で検証された．結果，HFrEF に対して ACE 阻害薬/ARB と β遮断薬にエプレレノンを加えることは一次エンドポイント（心血管死＋心不全入院）を 37% 低下させた（**図1**）．これらの結果を踏まえ，本邦（2017），ESC（2021）と AHA/ACC/HFSA ガイドライン（2022）いずれにお

いても HFrEF 患者で NYHA Ⅱ〜Ⅳの患者に対する MRA（スピロノラクトンもしくはエプレレノン）をいずれも推奨度クラス I，エビデンスレベル A としている．

HFpEF に対する MRA の効果は，TOPCAT 試験[3]で検証された．大規模ランダム化二重盲検試験で検証されたが第一次エンドポイント（心血管死＋心拍再開した心停止＋心不全入院）でリスク低下が認められなかった．ただし，心不全の再入院に限ればスピロノラクトン投与群で有意に低下していること，また HFpEF の診断が BNP/NT-proBNP 高値で裏付けされているサブグループでは，一次エンドポイントの低下が認められていることを考え合わせると，有効である可能性は十分にあると思われる．

D 使用する際の注意点（副作用，漸増の仕方，中止の判断など）

スピロノラクトンは 25 mg 1 日 1 回で開始し，可能であれば 50 mg 1 日 1 回まで増量する．これまでの臨床試験において，50 mg より多い量のスピロノラクトンの用量依存性の予後改善効果は認められていないことに注意する必要がある．エプレレノンも 25 mg 1 日 1 回で開始し，可能であれば 50 mg 1 日 1 回まで増量することが推奨されている．

投与開始もしくは増量時に注意を要するのは腎機能と血清 K 値である．RALES，EMPHASIS-HF の両試験で腎機能障害（RALES では Cr$>$2.5 mg/dL，EMPHASIS-HF では eGFR$<$30 mL/min/1.73 m^2）の症例は除外されている．AHA/ACC/HFSA ガイドラインでは治療開始時に eGFR$<$30 mL/min/1.73 m^2 もしくは血清 K 値$>$5.0 mEq/L の場合や，治療開始後に血清 K 値$<$5.5 mEq/L を維持できない場合は MRA の開始・継続を推奨していない．本邦および ESC ガイドラインにおいても投与は慎重に検討されるべきとしている．本邦ガイドラインでは血清 K 値$>$5.0 mEq/L 以上の患者で投与開始する場合はスピロノラクトン 12.5 mg 1 日 1 回（エプレレノンでは 25 mg）での開始を推奨している．また，ACE 阻害薬＋ARB＋MRA を組み合わせて投与することは高 K 血症のリスクを非常に高めるので推奨されない．

ESC ガイドラインでは投与の 1 週，4 週，8 週，12 週，6 カ月，9 カ月，12 カ月，以降は 4 カ月毎に腎機能と K 値について測定し，腎機能および K 値が悪化した場合の対応については下記のように推奨している．

- K 値が 5.5 mEq/L 以上もしくはクレアチニン値が 2.5 mg/dL 以上（eGFR$<$30

mL/min/1.73 m^2）に悪化した場合は用量を半量に減量し，慎重に採血フローを行う.

• K 値が 6.0 mEq/L 以上もしくはクレアチニン値が 3.5 mg/dL 以上（eGFR＜20 mL/min/1.73 m^2）に悪化した場合は速やかに MRA を中止して腎臓内科に相談する.

E 同系薬剤の使い分けについて

　本系統の薬剤で心不全治療薬として現在使用可能であるのはスピロノラクトンとエプレレノンの 2 剤である. エプレレノンはスピロノラクトンと比較してミネラルコルチコイド受容体（MR）への選択性が高く，他のステロイドホルモン受容体に対する親和性が低いため，女性化乳房などのホルモン関連副作用は少ない. しかしながら薬価を考慮すると，まずはスピロノラクトンを導入し，女性化乳房などホルモン関連副作用が問題となった場合にエプレレノンに変更するのが妥当な使い分けと考えられる. また現時点で心不全に対する適応はないが，本邦で使用可能な新たな MRA として，高血圧を適応とするエサキセレノン，2 型糖尿病を合併する慢性腎臓病を適応とするフィネレノンがある. スピロノラクトンとエプレレノンはいずれもステロイド骨格の構造をしているが，エサキセレノンとフィネレノンは非ステロイド骨格である. ステロイド骨格の MRA は上皮組織である腎尿細管への親和性が非上皮組織である心臓よりも高く，高 K 血症が起こりやすい. 一方，非ステロイド型 MRA は腎尿細管と心臓への親和性は同等であり，高 K 血症をきたしにくいと考えられる. さらにエサキセレノン，フィネレノンはともに MR 選択性が高く，ホルモン関連副作用も少ない. これらが心不全に対し適応が拡大された場合には，ステロイド骨格 MRA では副作用のため投与開始・継続できなかった症例に対しても投与継続できる可能性がある. フィネレノンは FIGARO-DKD 試験[5]において 2 型糖尿病を合併する CKD 患者を対象とし，標準治療に上乗せすることで心血管死＋心筋梗塞＋脳卒中＋心不全入院の複合エンドポイント発現リスクを低減させたことが報告された. さらに，腎疾患進行に関し，フィネレノンの有効性と安全性が確認された FIDELIO-DKD[6]試験と FIGARO-DKD 試験を組み合わせた統合解析 FIDELITY[7]において，心血管および腎の複合エンドポイントの発現リスクを一貫して低下することが示され，その効果は特に左室肥大がある集団で顕著に確認された. これらの結果を踏まえ，ESC ガイドライン 2023 フォー

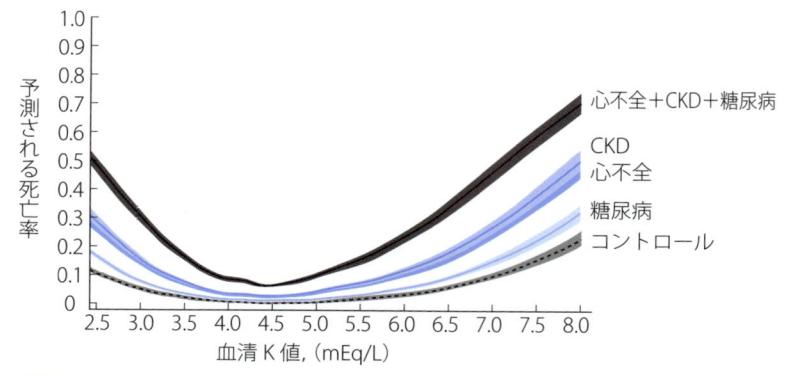

図2 心不全・慢性腎臓病・糖尿病患者の血清 K 値と死亡率の関係
(Collins A, et al. Am J Nephrol. 2017; 46: 213-21[4) より改変)

カスアップデートでは，2型糖尿病を合併する CKD 症例へのフィネレノンが推奨度クラス I，エビデンスレベル A となっている．現在，症候性の HEpEF（LVEF40％以上）患者を対象とし，心血管死および心不全イベント減少に対するフィネレノンの効果を検証する FINEARTS-HF 試験が現在進行中であり，結果の報告が待たれる．

F 同薬剤に関する未知

　MRA や RAAS 阻害薬使用下でしばしば観察される高 K 血症について，AHA/ACC/HFSA ガイドラインでは治療開始時に eGFR＜30 mL/min/1.73 m^2 もしくは血清 K 値＞5.0 mEq/L の場合や，治療開始後も血清 K 値＜5.5 mEq/L を維持できない場合は MRA の開始・継続を推奨していない．本邦および ESC ガイドラインにおいても投与は慎重に検討すべきとしている．実際，高 K 血症を伴う心不全は予後不良であることが報告されている[4]（図2）．しかし，高 K 血症が心不全の予後を悪化させる要因として，MRA や RAAS 阻害薬を中止せざるを得ないことが原因の1つであるとも考えられている．そのため，新しいカリウムバインダーである patiromer（本邦では未承認）やジルコニウムシクロケイ酸ナトリウム水和物（SZC）を併用し，高 K 血症患者においても MRA や RAAS 阻害薬を継続するべきかどうか検討されている．従来，高 K 血症で使用されていたポリスチレンスルホン酸ナトリウムは長期使用により腸管壊死を含む重篤な腸管合併症をきたす可能性があるため，継続的な使用は推奨され

JCOPY 498-13659

ていない．patiromer および SZC は安全に継続使用できると考えられており，高 K 血症を予防し MRA や RAAS 阻害薬を中止することなく継続して使用できることが期待されている．DIAMOND 試験[5]では高 K 血症の既往がある HFrEF 患者を対象とし，プラセボに対し patiromer 併用群では高 K 血症を予防し MRA の目標値（50 mg）を継続できた患者の割合が高かったことが報告された．カリウムバインダーを併用し，MRA や RAAS 阻害薬を継続することが実際に転帰を改善するかどうかは現時点では明らかではなく，今後の報告が待たれる．

■文献

1) Pitt B, Zannad F, Remme WJ, et al. The effect of spironolactone on morbidity and mortality in patients with severe heart failure. Randomized Aldactone Evaluation Study Investigators. N Engl J Med. 1999; 341: 709-17.
2) Zannad F, McMurray JJ, Krum H, et al. EMPHASIS-HF Study Group. Eplerenone in patients with systolic heart failure and mild symptoms. N Engl J Med. 2011; 364: 11-21.
3) Pitt B, Pfeffer MA, Assmann SF, et al. TOPCAT Investigators. Spironolactone for heart failure with preserved ejection fraction. N Engl J Med. 2014; 370: 1383-92.
4) Collins A, Pitt B, Reaven N, et al. Association of serum potassium with all-cause mortality in patients with and without heart failure, chronic kidney disease, and/or diabetes. Am J Nephrol. 2017; 46: 213-21.
5) Pitt B, Filippatos G, Agarwal R, et al. Cardiovascular events with finerenone in kidney disease and type 2 diabetes. N Engl J Med. 2021; 385: 2252-63.
6) Bakris GL, Agarwal R, Anker SD, et al. Effect of finerenone on chronic kidney disease outcomes in type 2 diabetes. N Engl J Med. 2020; 383: 2219-29.
7) Agarwal R, Filippatos G, Pitt B, et al. Cardiovascular and kidney outcomes with finerenone in patients with type 2 diabetes and chronic kidney disease: the FIDELITY pooled analysis. Eur Heart J. 2022; 43: 474-84.
8) Butler J, Anker S, Lund L, et al. Patiromer for the management of hyperkalemia in heart failure with reduced ejection fraction: the DIAMOND trial. Eur Heart J. 2022; 43: 4362-73.

〈本川哲史　末永祐哉　相澤直輝〉

2-5 基本薬
SGLT2 阻害薬

Point

- SGLT2 阻害薬は近位尿細管における糖とナトリウムの再吸収を阻害する.
- 血糖コントロール改善の他に，神経体液因子の亢進を伴わないうっ血の改善や腎保護作用，心筋エネルギー利用効率の改善など様々な効果を持つとされる.
- 糖尿病の有無や左室駆出率にかかわらず心不全患者の心血管死亡・心不全再入院のアウトカムを改善させる.

A 作用機序

　正常人では 1 日 180 g のブドウ糖が糸球体で濾過され，そのうち約 160 g が腎臓の近位尿細管に存在する sodium-glucose cotransporter 2（SGLT2）によりナトリウムと共に再吸収される．糖尿病患者では尿細管に到達するブドウ糖量が増加するため SGLT2 の発現が増加しているが，再吸収の閾値を超えると尿中に糖が排泄される．SGLT2 阻害薬は近位尿細管における糖の再吸収を抑制することで尿中から 70〜80 g/日のブドウ糖を排泄させ，インスリンへの直接的な作用とは独立した血糖コントロールの改善をもたらす（図 1）[1].

B 心不全患者に使用する目的

　心不全と糖尿病はしばしば併存する．2 型糖尿病は心不全発症のリスク因子であり，HbA1c の上昇に比例して心不全入院のリスクが段階的に上昇する[2].糖尿病と心臓病というと冠動脈疾患を考えがちであるが，2 型糖尿病合併心不全患者は虚血・非虚血にかかわらず予後不良である[3].インスリン抵抗性，高インスリン血症，耐糖能異常は，advanced glycation end products の過剰産生や microvascular rarefaction などを介して左室リモデリングや拡張障害といった直接的な心筋障害をきたす[4].よって血糖コントロールにより糖尿病合併心不全患者の予後を改善できると考えるのは一見理にかなっているように思

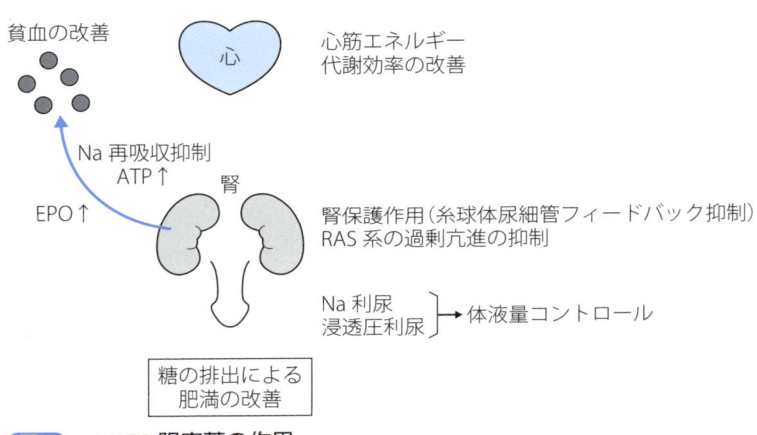

脳 — 交感神経過剰興奮の低減

貧血の改善

心 — 心筋エネルギー
代謝効率の改善

Na 再吸収抑制
ATP↑

EPO↑ 　腎 — 腎保護作用（糸球体尿細管フィードバック抑制）
RAS 系の過剰亢進の抑制

Na 利尿
浸透圧利尿 → 体液量コントロール

糖の排出による
肥満の改善

図1 **SGLT2 阻害薬の作用**
（JCS 慢性心不全ガイドラインより作成）

える．しかし従来の血糖降下薬で血糖コントロールを改善させても，心筋梗塞や脳梗塞などの血管イベントは改善するものの，心不全イベントを減少させることはできなかった[5]．そんななか，SGLT2 阻害薬が糖尿病患者を対象とした臨床試験において次々と心不全イベントの抑制効果を示し，さらにその後に行われたダパグリフロジンとエンパグリフロジンによる心不全患者を対象とした臨床試験において，糖尿病の有無にかかわらず心血管死亡と心不全入院の複合アウトカムを改善することが報告された[6-8]．これらの臨床試験の結果を踏まえて，SGLT2 阻害薬，特にエンパグリフロジンとダパグリフロジンは糖尿病治療薬のみならず，心不全治療薬となったといえる．

　想定される SGLT2 阻害薬の機序は以下の通りである．

1 体液貯留に対する作用

　糸球体から濾過されたグルコースは，近位尿細管上皮細胞の尿細管空側にある SGLT2 受容体でナトリウムと一緒に細胞内に共輸送される．SGLT2 阻害薬はこの過程を阻害するため，投与により尿中にグルコースとナトリウムが排泄

されることになる[9]. 心不全患者において過剰に貯留したナトリウムを排泄する作用がある一方で, 糖の排泄を介した浸透圧利尿により自由水を排泄するため, 血管内の循環血液量に対する影響が少なく間質の浮腫をより軽減するという報告もされている.

2 腎機能に対する作用

糖尿病患者では高血糖のため多くの糖が糸球体で濾過され, 尿細管に流れてくる. この過剰な糖に対応するため, 近位尿細管における SGLT2 の発現が亢進している. これにより糖だけでなくナトリウムの再吸収も亢進するため, 遠位尿細管の緻密斑に到達する血流も低下する. 結果として糸球体尿細管フィードバックが亢進し, 輸入細動脈が拡張することで糸球体の過剰濾過が起こる. 短期的には糸球体濾過圧が上昇するものの, 持続すると糸球体内皮細胞・上記細胞の障害が進行し, 糸球体硬化や腎機能悪化を引き起こす. SGLT2 阻害薬はこれらを阻害することで糸球体尿細管フィードバックの過剰な亢進を抑制し, 糸球体濾過圧を軽減することで腎保護作用を発揮するとされている[10]. 使用開始時に糸球体濾過量が一過性に減少することで GFR は低下するものの, 実際の腎障害を伴わないとされている. SGLT2 阻害薬は糖尿病や心不全の有無にかかわらず, 慢性腎不全患者の腎アウトカムを改善することも EMPA-kidney 試験と DAPA-CKD 試験により報告されている. 今後は慢性腎不全に対してもより用いられるようになると考えられる[11,12].

3 心筋のエネルギー代謝に対する直接的な作用

心不全患者では ATP の産生が低下し, よりエネルギー効率のよいケトン体の利用が亢進している. SGLT2 阻害薬は糖の排泄によりケトーシスを亢進するため, 心筋へのエネルギー供給に有利に働いている可能性がある[13].

C 心不全患者における有用性を示すエビデンス

EMPA-REG OUTCOME は心血管疾患の既往のある 2 型糖尿病患者をエンパグリフロジンとプラセボに割付けたランダム化試験であり, 2 型糖尿病患者の臨床試験において心血管死亡を減少させた最初の試験である. エンパグリフロジンは MACE を抑制し心不全入院もそれぞれ抑制した[6]. 心不全の既往のある症例に限っても心血管死亡と心不全入院に関して同様の効果を認めた.

DECLARE-TIMI 58 は心血管疾患の既往のある，あるいはハイリスクの 2 型糖尿病患者をダパグリフロジン 10 mg/日とプラセボに割付けし，MACE に有意差は認めなかったものの，心血管死亡と心不全の複合エンドポイトを有意に抑制した[8]．これは主に心不全入院の抑制によるものであった．その後のサブ解析で SGLT2 阻害薬のイベント抑制効果はベースラインの糖尿病の重症度に左右されないことが報告され，SGLT2 阻害薬は糖尿病の有無にかかわらず，心不全患者に対する治療薬として有用な可能性が示唆された[14]．

　EMPEROR-Reduced 試験は，左室駆出率が 40％以下に低下した慢性心不全患者を対象に，エンパグリフロジン 10 mg の心血管死および心不全入院のリスクに対する有効性をランダム化により検討した[15]．エンパグリフロジンは心血管死または心不全入院の複合エンドポイントを有意に抑制し，これは主に心不全入院の抑制効果によるものであった．また，エンパグリフロジンの効果は既往に糖尿病がある患者でも，ない患者でも同様であった．DAPA-HF 試験は，左室駆出率が 40％以下に低下した慢性心不全患者を対象に，ダパグリフロジン 10 mg の心血管死亡，心不全入院，心不全による緊急受診の複合エンドポイントに対する有効性をランダム化により検討した[16]．ダパグリフロジンは複合エンドポイントを有意に抑制し，さらに糖尿病の有無にかかわらず有効であった．これらの 2 試験の結果を受けて，JCS/JHFS ガイドラインでも「最適な薬物治療［最大量あるいは最大忍容量の β 遮断薬，ACE 阻害薬（または ARB）および MRA］が導入されているにもかかわらず症候性で，収縮能の低下した（LVEF≦40％）慢性心不全患者に対し，心不全悪化および心血管死のリスク低減を考慮してダパグリフロジンまたはエンパグリフロジンを投与する」ことがclass Ⅰ として推奨されている．

　左室駆出率の保たれた，もしくは軽度低下した心不全（HFpEF/HFmrEF）に関しては，EF≧40％の患者を対象とした EMPEROR-Preserved 試験，DELIVER 試験[17,18]においても SGLT2 阻害薬の心血管死亡と心不全再入院の複合エンドポイントに対する抑制効果が報告され，これは主に心不全再入院イベント抑制における効果であった．これらの試験の結果をうけて AHA/ACC のガイドラインでは HFpEF/HFmrEF に対して classⅡa の推奨となっている．また ESC ガイドライン 2023 フォーカスアップデートでは HFpEF/HFmrEF に対してダパグリフロジン，エンパグリフロジンの投与は classⅠ 推奨となった．本邦でもエンパグリフロジンとダパグリフロジンが左室駆出率にかかわらず適

応となっており，今後ガイドラインの改訂が待たれる．

D 使用する際の注意点

　副作用に関しては，一般的な糖尿病治療薬と同様に低血糖に注意が必要である．インスリンや SU 薬と併用する場合はあらかじめ減量を検討する．特に血糖値が正常に近くてもケトアシドーシスの可能性があり注意が必要である．感冒や下痢，食事摂取不良までのシックデイにも SGLT2 阻害薬を中止しない場合，血糖低下，浸透圧利尿，ナトリウム利尿作用のため重篤なケトアシドーシスをきたす，シックデイには中止が必須である．また，SGLT2 阻害薬を内服している心不全患者が手術のため食事摂取制限をうける場合には，2 型糖尿病合併例では手術 3 日前から，非合併例では術前の終日絶食日に休業し食事摂取が可能になれば再開する（JCS/JHFS 心不全治療における SGLT2 阻害薬の適正使用に関する Recommondation より）．SGLT2 阻害薬に特徴的な副作用として，性器感染に注意する必要がある．

E 使い分けについて

　上記のエビデンスより心不全患者に用いるのはエンパグリフロジンとダパグリフロジンということになる．これらの薬物療法の効果を検討した臨床試験は患者背景に違いがあり，用量の違いや効果を単純に比較することはできない．メタ解析では SGLT2 阻害薬の種類によらず一貫した治療効果を認めており，現時点で明確な使い分けは存在しないと筆者は考える[19]．

F 今後の展望

　急性心不全のため入院となり血行動態が安定した後での（およそ 3 日後）エンパグリフロジンの安全性と有効性を検討した EMPULSE 試験では，プラセボ群と比較してエンパグリフロジン群で死亡，心不全イベント KCQQ 改善の階層エンドポイントが抑制された．有害事象もプラセボ群と比較して頻度が少なかった[20]．

　SGLT2 阻害薬を急性心不全入院時のより早期から用いることの有効性や安全性を検討する EMPA-AHF 試験が現在進行中である[21]．また，超高齢者やフレイル患者，EF のとても高い患者に対する有効性は今後も報告が待たれる．

G キーとなる臨床試験のまとめ

- 2型糖尿病患者を対象に心血管死亡と心不全入院を抑制
  - ・EMPA-REG OUTCOME（エンパグリフロジン）[6]
  - ・CANVAS（カナグリフロジン）[15]
  - ・DECLARE-TIMI 58（ダパグリフロジン）[8]
- 左室駆出率が低下した慢性心不全患者を対象に糖尿病の有無に関わらずに心血管死亡と心不全イベントを抑制
  - ・DAPA-HF（ダパグリフロジン）[16]
  - ・EMPEROR-Reduced（エンパグリフロジン）[15]
- 左室駆出率が軽度低下したもしくは保たれた慢性心不全患者を対象に糖尿病の有無にかかわらずに心血管死亡と心不全イベントを抑制
  - ・EMPEROR-Preserved（エンパグリフロジン）[17]
  - ・DELIVER（ダパグリフロジン）[18]
- 心不全増悪のため入院となった患者を対象にSGLT2阻害薬の安全性と有効性を検討
  - ・EMPULSE（エンパグリフロジン）[20]
  - ・EMPA-AHF（エンパグリフロジン）[21]
- 慢性腎臓患者を対象としたSGLT2阻害薬の腎保護効果を示した
  - ・EMPA-KIDNEY（エンパグリフロジン）[22]
  - ・DAPA-CKD（ダパグリフロジン）[12]

■文献

1) Butler J, Hamo CE, Filippatos G, et al; EMPEROR Trials Program. The potential role and rationale for treatment of heart failure with sodium-glucose co-transporter 2 inhibitors. Eur J Heart Fail. 2017; 19: 1390-400.
2) Iribarren C, Karter AJ, Go AS, et al. Glycemic control and heart failure among adult patients with diabetes. Circulation. 2001; 103: 2668-73.
3) MacDonald MR, Petrie MC, Varyani F, et al; CHARM Investigators. Impact of diabetes on outcomes in patients with low and preserved ejection fraction heart failure: an analysis of the Candesartan in Heart failure: Assessment of Reduction in Mortality and morbidity（CHARM）programme. Eur Heart J. 2008; 29: 1377-85.
4) Poornima IG, Parikh P, Shannon RP. Diabetic cardiomyopathy: the search for a unifying hypothesis. Circ Res. 2006; 98: 596-605.

5) Control Group; Turnbull FM, Abraira C, Anderson RJ, et al. Intensive glucose control and macrovascular outcomes in type 2 diabetes. Diabetologia. 2009; 52: 2288–98.

6) Zinman B, Wanner C, Lachin JM, et al.; EMPA-REG OUTCOME Investigators. Empagliflozin, cardiovascular outcomes, and mortality in type 2 diabetes. N Engl J Med. 2015; 373: 2117–28.

7) Neal B, Perkovic V, Mahaffey KW, et al; CANVAS Program Collaborative Group. Canagliflozin and cardiovascular and renal events in type 2 diabetes. N Engl J Med. 2017; 377: 644–57.

8) Wiviott SD, Raz I, Bonaca MP; DECLARE-TIMI 58 Investigators. Dapagliflozin and cardiovascular outcomes in type 2 diabetes. N Engl J Med. 2019; 380: 347–57.

9) Griffin M, Rao VS, Ivey-Miranda J, et al. Empagliflozin in heart failure: Diuretic and cardiorenal effects. Circulation. 2020; 142: 1028–39.

10) Verma S, McMurray JJV. SGLT2 inhibitors and mechanisms of cardiovascular benefit: a state-of-the-art review. Diabetologia. 2018; 61: 2108–117.

11) The EMPA-KIDNEY Collaborative Group; Herrington WG, Staplin N, Wanner C, et al. Empagliflozin in patients with chronic kidney disease. N Engl J Med. 2023; 388: 117–27.

12) Heerspink HJL, Stefánsson BV, Correa-Rotter R, et al; DAPA-CKD Trial Committees and Investigators. Dapagliflozin in patients with chronic kidney disease. N Engl J Med. 2020; 383: 1436–46.

13) Honka H, Solis-Herrera C, Triplitt C, et al. Therapeutic manipulation of myocardial metabolism: JACC State-of-the-Art Review. J Am Coll Cardiol. 2021; 77: 2022–39.

14) Kato ET, Silverman MG, Mosenzon O, et al. Effect of dapagliflozin on heart failure and mortality in type 2 diabetes mellitus. Circulation. 2019; 139: 2528–36.

15) Packer M, Anker SD, Butler J, et al; EMPEROR-Reduced Trial Investigators. Cardiovascular and renal outcomes with empagliflozin in heart failure. N Engl J Med. 2020; 383: 1413–24.

16) McMurray JJV, Solomon SD, Inzucchi SE, et al; DAPA-HF Trial Committees and Investigators. Dapagliflozin in patients with heart failure and reduced ejection fraction. N Engl J Med. 2019; 381: 1995–2008.

17) Anker SD, Butler J, Filippatos G, et al; EMPEROR-Preserved Trial Investigators. Empagliflozin in heart failure with a preserved ejection fraction. N Engl J Med. 2021; 385: 1451–61.

18) Solomon SD, McMurray JJV, Claggett B, et al; DELIVER Trial Committees and Investigators. Dapagliflozin in heart failure with mildly reduced or preserved ejection fraction. N Engl J Med. 2022; 387: 1089–98.

19) Vaduganathan M, Docherty KF, Claggett BL, et al. SGLT-2 inhibitors in patients with heart failure: a comprehensive meta-analysis of five randomised controlled trials. Lancet. 2022; 400: 757–67.

20) Voors AA, Angermann CE, Teerlink JR, et al. The SGLT2 inhibitor empagliflozin in patients hospitalized for acute heart failure: a multinational randomized trial. Nat Med. 2022; 28: 568–74.

21) Horiuchi Y, Matsue Y, Nogi K, et al. Early treatment with a sodium-glucose co-transporter 2 inhibitor in high-risk patients with acute heart failure: Rationale for and design of the EMPA-AHF trial. Am Heart J. 2023; 257: 85-92.
22) The EMPA-KIDNEY Collaborative Group; Herrington WG, Staplin N, Wanner C, et al. Empagliflozin in patients with chronic kidney disease. N Engl J Med. 2023; 388: 117-27.

〈堀内 優〉

1. 心不全患者への包括的心臓リハビリテーション

　高齢化とともに増加の一途をたどる心不全は2030年には130万人に至ると推計されている[1]．そして，JCARE-CARD によると，心不全入院した患者の4人に1人が退院後半年以内に心不全増悪で再入院していることが報告されており，再入院をいかに抑制するかは重要な課題であるといえる．

　塩分摂取や過労，怠薬などは，心不全の増悪因子とされている．入院中の患者は，これらの増悪因子を，医療スタッフにより厳格に管理されている．しかし，退院したその日から，患者はそれらの増悪因子をすべて自己管理しなければならなくなる．さらに，心不全自体は改善しても，運動耐容能は十分改善していないことも多く，退院後の生活を困難にする要因となりうる．心不全患者が退院後に直面するだろうこれらの課題に対応するのが，包括的心臓リハビリテーションの1つの大きな役割である．つまり，包括的心臓リハビリテーションは，心不全患者の運動耐容能を向上させ，退院後の，快適な社会復帰をサポートするとともに，適切な疾患管理も行い，再入院を防ぐための治療プログラムである．実際に，包括的心臓リハビリテーションは，心不全患者の全入院を30％減少させ，心不全入院を41％低下させることも報告されており[2]，心不全患者の再入院を防ぐ手段としてガイドラインでも強く推奨されている[3]．

　包括的心臓リハビリテーションで実施する内容は，主に，①運動療法，②患者教育・カウンセリング，③疾患管理であり，通常週1〜3回の頻度で患者に通院いただき，多職種からなる心臓リハビリテーションチームでこれらの介入を行う．

　運動療法は包括的心臓リハビリテーションの中心的な要素である．運動療法により，心不全患者の運動耐容能の向上が期待でき，患者の生活の質を向上させることができる．そして，心臓リハビリテーションにおける日々の運動療法を通して，患者の運動耐容能の推移を確認することもできる．同一負荷量で運動をしているのに，普段より息切れを強く感じたり，脈拍が早くなったりしているなら，運動耐容能は悪化している可能性がある．当然心不全の増悪は運動

耐容能悪化の一因となるものであり，心不全増悪の有無について適切に評価を行う必要がある．逆に，同一負荷量で運動をしても，楽に感じるようになってきているのであれば，運動耐容能が改善していることを示唆しており，運動量の増量を検討することもできる．

患者教育・カウンセリングでは，減塩などの個別の栄養指導や，服薬指導のほか，心不全とはどういう状態で，その増悪因子にはどのようなものがあるのかといったことを系統的に学ぶ機会も提供する．また，復職についても相談や，心理的なカウンセリングも行う．

疾患管理としては，毎回の運動療法開始前に，体重や浮腫，自覚症状，服薬状況について確認を行う．患者の実際の服薬アドヒアランスはここで確認することができる．また，体重測定を指導されて，実際に測定することができている患者も，いざ体重増加を経験したときに，次どうすればよいか判断できないことは多い．自らの足を指でおさえて浮腫を確認する方法を指導し，心不全増悪の懸念がある場合は，減塩の見直しや服薬遵守状況の見直しを指導する．もちろん，心不全増悪なく過ごせることを期待したいが，増悪時にはその対応法を指導することを通じて，患者の自己管理能力獲得を支援することも重要だと考えられる．そして，週1〜3回の頻度で通院する包括的心臓リハビリテーションは，このような疾患管理・自己管理能力獲得支援にとって最適な場であると考えられる．

以上のように，包括的心臓リハビリテーションは，心不全患者に強く推奨される治療であるが，本邦の報告では，心不全の入院中から退院後まで継続して心臓リハビリテーションに参加できているのは，心不全患者の7％にとどまっている[4]．低い参加率には，様々な要因があると考えられるが，包括的心臓リハビリテーションの意義について，医療者・患者両方にまだ十分認知されていないことも1つの要因と考えられる．多くの方々に，包括的心臓リハビリテーションの良さを知ってもらえるよう，微力ながらこれからも活動していきたい．

■文献

1) Okura Y, Ramadan MM, Ohno Y, et al. Impending epidemic: future projection of heart failure in Japan to the year 2055. Circ J. 2008; 72: 489-91.
2) Taylor RS, Long L, Mordi IR, et al. Exercise-based rehabilitation for heart failure: Cochrane systematic review, meta-analysis, and trial sequential analysis. JACC Heart Fail. 2019; 7: 691-705.

3) 日本心臓リハビリテーション学会. 2021 年改訂版 心血管疾患におけるリハビリテーションに関するガイドライン. https://www.j-circ.or.jp/cms/wp-content/uploads/2021/03/JCS2021_Makita.pdf（2021 年 3 月 22 日閲覧）.

4) Kamiya K, Yamamoto T, Tsuchihashi-Makaya M, et al. Nationwide survey of multi-disciplinary care and cardiac rehabilitation for patients with heart failure in Japan—An analysis of the AMED-CHF Study—. Circ J. 2019; 83: 1546-52.

〈三浦弘之〉

64 ● column 1. 心不全患者への包括的心臓リハビリテーション

JCOPY 498-13659

column

2. 心不全患者の遠隔モニタリング

循環器領域における遠隔モニタリングの草分け的な存在として，植込み型除細動器（ICD）や両心室ペーシング機能付き植込み型除細動器（CRTD）などの植込み型心臓電気デバイス（CIED）がある．CIED 患者の外来管理に遠隔モニタリングを用いることは国内でも推奨されて久しい[1]．最新の海外のガイドラインでは，遠隔モニタリングの具体的なシステム構築方法や，ICD 患者を含む CIED 患者における来院間隔の延長に関する言及などがされている[2]．情報通信技術の目覚ましい発達・普及を背景にして，usual care としての遠隔モニタリングが確立されたといえる．

ICD や CRTD が植込まれた心不全患者においては，インピーダンス法で血行動態が測定でき，これを遠隔モニタリングすることが可能である．また，その他の血行動態をモニタリングできるデバイスとして，右室圧や肺動脈圧を測定する植込み型デバイスも開発されている．このような植込み型デバイスを用いて血行動態指標をモニタリングし，心不全増悪を予防する試みも以前から行われている．

左室駆出率（EF）が低下した植込み型デバイス後の心不全患者における，遠隔モニタリングの有用性を検証したメタ解析では，全体として予後改善効果を示せなかったものの，サブ解析においては右室圧/肺動脈圧による遠隔モニタリングはインピーダンス法に比べて心不全入院を減少させるという結果であった[3]．

GUIDE-HF 試験では，肺動脈圧センサーを植込んだ NYHA 分類クラス II ～IV の心不全患者において，肺動脈圧に基づく治療介入を行った群は対照群を比較して心不全入院が減少することが報告された[4]．この試験においては，血行動態に基づいた管理は左室駆出率によらずイベント発生率を低下させており[5]，どのような心不全患者においても圧のモニタリングはきわめて有用であることを示しているといえる．

しかし当然のことながら高額なデバイスをどのような患者にも植込むわけに

はいかず，いかに持続可能かつ有効な遠隔モニタリングの方法を開発するかは喫緊の課題である．

　そもそも心不全増悪の要因には生活環境によるものも少なくなく，患者の生活に介入することで心不全増悪を予防しよう，という試みは以前から行われてきた．日本においても家庭での疾病管理プログラムを強化し生活改善に積極的に関わることで，再入院を低下させ QOL を改善させることができたという報告がある[6]．同研究は看護師による頻回の自宅訪問を基本とし，電話によるフォローアップを行うという介入であった．
　一方，電話での遠隔モニタリングを基本とした INT 試験では，6 カ月での遠隔モニタリングの予後改善効果を示せなかった[7]．120 カ月後の予後まで追跡した延長試験においても，複合エンドポイントに対する改善効果は示せなかったものの，一貫して遠隔プログラム群では死亡率が低く，電話によるモニタリングであっても長期的には有益である可能性はあると考えられる[8]．
　とはいえ，電話でのモニタリングのみであると患者は受動的になりやすく，行動変容に結びつくのに個人差が多いような印象をうける．患者の行動変容を起こすには患者自身が治療に参画し，モニタリングしたアラートを迅速に医療者側と共有する必要がある．看護師が頻回に訪問する疾病管理プログラムはその行動変容が可能となるものの労力がかかるのが実情である．

　心臓リハビリテーションは，生活そのものである "運動" に対して，患者自身が能動的に行動を起こしやすい治療である．しかし患者の多くが高齢であったり，頻回の通院が困難であったりすることから，その実施率は低いのが実情である．遠隔医療はこのような心臓リハビリテーションのアンメットニーズにミートすることから，大阪大学ではウェアラブル心電計，IoT を実装したエアロバイクシステム，そしてこれらを統合するアプリをコンポーネントとした遠隔リハビリシステムを開発した．リアルタイム双方向通信を用いて医療機関と自宅を結ぶことで，医療機関で行っているのと同様の適切な負荷，適切な頻度で心臓リハビリテーションを自宅で行うことを可能にしている（図 1）．本システムを使用した高齢心不全患者を対象としたパイロット研究では，すべての患者がプログラムを安全に完遂でき，運動耐容能の改善を認めた[9]．現在，本システムを用いた治験が進行中である[10]．心臓リハビリテーションは運動療法の

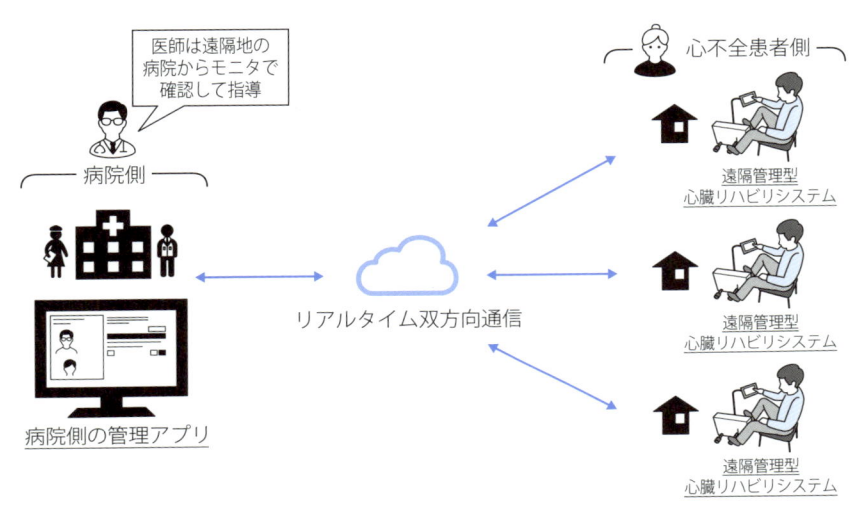

図1 遠隔心臓リハビリテーションシステム

みならず包括的な教育プログラムであり，在宅での適切なリハビリや患者指導が患者自身の行動変容に結びつくことが期待される．

　今後，AI技術などに代表されるようなさらなる革新的なイノベーションがありえるため，心不全の遠隔モニタリングはさらに発展することが予想される．心不全の病態への洞察を深めながら，どのような遠隔モニタリングが最適であるのか，さらなる検討が必要である．

■文献

1) 日本循環器学会/日本不整脈心電学会合同ガイドライン．不整脈非薬物治療ガイドライン（2018年改訂版）．

2) Ferrick AM, Raj SR, Deneke T, et al. 2023 HRS/EHRA/APHRS/LAHRS expert consensus statement on practical management of the remote device clinic. Heart Rhythm. 2023; S1547-5271 (23) 02011-8.

3) Hajduczok AG, Muallem SN, Nudy MS, et al. Remote monitoring for heart failure using implantable devices: a systematic review, meta-analysis, and meta-regression of randomized controlled trials. Heart Fail Rev. 2022; 27: 1281-300.

4) Lindenfeld J, Zile MR, Desai AS, et al. Haemodynamic-guided management of heart failure (GUIDE-HF): a randomised controlled trial. Lancet. 2021; 398: 991-1001.

5) Zile MR, Mehra MR, Ducharme A, et al. Hemodynamically-guided management of

heart failure across the ejection fraction spectrum: The GUIDE-HF Trial. JACC Heart Fail. 2022; 10: 931-44.

6) Tsuchihashi-Makaya M, Matsuo H, Kakinoki S, et al. Home-based disease management program to improve psychological status in patients with heart failure in Japan. Circ J. 2013; 77: 926-33.

7) Angermann CE, Störk S, Gelbrich G, et al. Mode of action and effects of standardized collaborative disease management on mortality and morbidity in patients with systolic heart failure: the Interdisciplinary Network for Heart Failure (INH) study. Circ Heart Fail. 2012; 5: 25-35.

8) Angermann CE, Sehner S, Faller H, et al. Longer-term effects of remote patient management following hospital discharge after acute systolic heart failure: The Randomized E-INH Trial. JACC Heart Fail. 2023; 11: 191-206.

9) Kikuchi A, Taniguchi T, Nakamoto K, et al. Feasibility of home-based cardiac rehabilitation using an integrated telerehabilitation platform in elderly patients with heart failure: A pilot study. J Cardiol. 2021; 78: 66-71.

10) Chimura M, Koba S, Sakata Y, et al. Evaluation of the efficacy and safety of an integrated telerehabilitation platform for home-based cardiac REHABilitation in patients with heart failure (E-REHAB): protocol for a randomised controlled trial. BMJ Open. 2023; 13: e073846.

〈菊池篤志〉

- 利尿薬は心不全の主たる病態である「うっ血」に対する唯一の内服治療薬．とりわけループ利尿薬はその中心的な役割を担う．
- 急性期にはループ利尿薬は十分量を投与すること（静注を推奨）．一方で，慢性期は必要最小限の投与にすべきである．
- 副作用である低カリウム血症には要注意（予後を悪化させうる）．十分なモニタリングと投与量などの調整が必要である．
- 効果持続時間やバイオアベイラビリティ（生物学的利用能）も考慮する．短時間作用型（フロセミド）＜長時間作用型（アゾセミド，トラセミド）．

A ループ利尿薬の作用機序

ループ利尿薬はヘンレ係蹄上行脚の $Na^+/K^+/2Cl^-$ 共輸送体を阻害し，Na^+ 再吸収を抑制する（図1）（これに付随して Ca^{2+} と Mg^{2+} の再吸収も抑制）．Na^+ は水と一緒に移動するため，Na^+ の再吸収を阻害することで水分の再吸収を抑制し，尿中から水分を排泄する（注: 通常25〜30%程度の NaCl を再吸収しており，腎機能障害が進行しても比較的最後まで機能が保たれる）．

ループ利尿薬は，その大部分が血液中でアルブミンと結合して存在するため，糸球体濾過による尿細管への分泌は限定的である．近位尿細管の有機アニオントランスポーターや multidrug resistance-associated protein 4 を介して管腔側へ分泌され，利尿作用を発揮する．低アルブミン血症や NSAIDs の使用により尿細管腔への分泌が減弱してしまう．

B ループ利尿薬を心不全患者に使用する目的

ループ利尿薬は他の種類の利尿薬と比較して，強力な利尿作用を持ち，心不全患者の労作時息切れや浮腫といった「うっ血」に起因する症状を緩和するために中心的な役割を担っている．

特に急性増悪期（急性心不全）においては，うっ血解除のために積極的に使

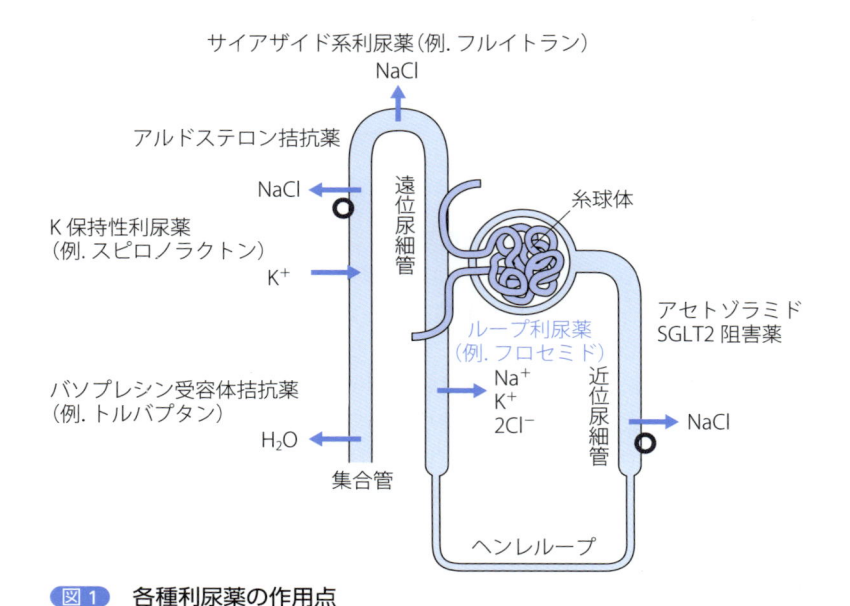

図1 各種利尿薬の作用点

用され，本邦の急性心不全患者の 80％以上で投与されている[1]．より早期にループ利尿薬を投与し，反応性に基づいて迅速に投与量調整を行うことで，急性心不全患者の予後を改善させる可能性が報告されている[2,3]．利尿薬の反応性を評価するのに，尿量だけでなく，尿中のナトリウム排泄量を測定して効果判定を行うことも提言されている[4]．慢性期においても，頸静脈怒張や S3 gallop といったうっ血所見が持続する患者の予後は不良であり[5,6]，利尿薬を適切に使用してうっ血をコントロールすることは重要である．

　ただし，RAAS（renin-angiotensin-aldosterone system; レニン–アンジオテンシン–アルドステロン系）阻害薬や β 遮断薬と違い，まずは投与されていれば大丈夫という薬ではないので，状況に応じて用量調節が必要であり，その適切な管理には慎重な病歴聴取と身体診察など経験を要する部分がある．

C ループ利尿薬の心不全患者における有用性を示すエビデンス

　1990 年代に現在の evidence-based medicine（EBM）のコンセプトが確立したが，この EBM 時代以前からループ利尿薬は日常臨床に浸透していたために，うっ血所見のある心不全患者に利尿薬を投与する or 投与しないという（非人道

的な）RCT（randomized controlled trial; ランダム化比較試験）は倫理的に認められず，ループ利尿薬の予後改善効果を示した大規模 RCT は存在しない（注: 各国の心不全診療ガイドラインではループ利尿薬投与はエビデンスレベル B or C となっている）．

一方で，観察研究ではループ利尿薬の有用性は報告されているものの[7]，それとは反対に予後を悪化させる可能性も指摘されている[8]．特にループ利尿薬の過剰投与は，心不全患者の予後を悪化させる懸念があり，投与量はそのときどきの状態に合わせた必要最小限にすべきである[9]．

ただし，急性増悪期（急性心不全）においては，ループ利尿薬は十分量を投与することが肝要である．過去の RCT（下記の注参照）において[10]，フロセミド少量投与群に比較して，大量投与群において利尿効果が大きく（血清クレアチニンの変化など他の評価項目に差はない），急性期はループ利尿薬の投与量を無理に制限するメリットは少ないと考える．初発の心不全の場合には，通常量（フロセミド 20〜40 mg/日）で開始して利尿効果を確認しながら適宜調節する〔注: Diuretic Optimization Strategies Evaluation（DOSE）試験．ループ利尿薬の使用方法や投与量を検証した初めての大規模 RCT．利尿薬大量投与（外来処方の 2.5 倍量）と少量投与（外来処方と同量）および単回静注投与（1 日 2 回静注）と持続静注投与の 2×2 群の研究デザイン〕．

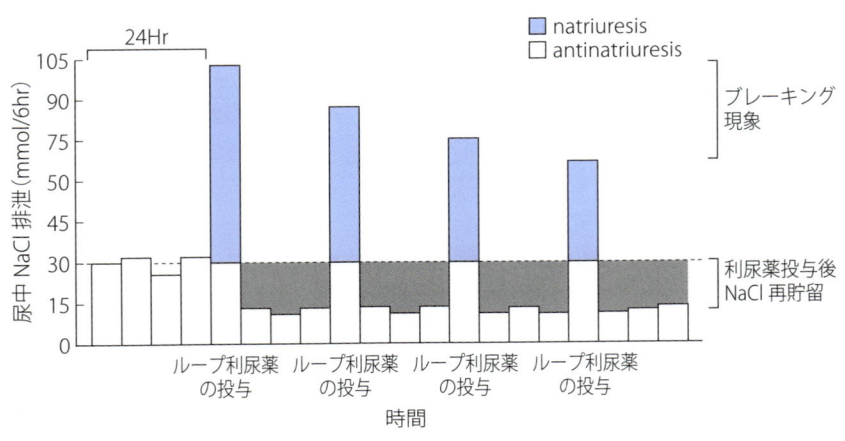

図2 リバウンド現象
(Felker GM, et al. N Engl J Med. 2011; 364: 797–805)[10]

フロセミドの単回静注投与と持続静注投与に関しても，一般的には両者で有用性や安全性に違いはないとされるが[10]，特定の患者群（中等度〜高度の腎機能障害，高度の右心不全など）においては持続静注投与の方が利尿効果は得られやすいかもしれない[11]．また，単回静注投与ではリバウンド現象（post-diuretic NaCl retention や braking phenomenon）などの影響でナトリウム再吸収が起こるため，1日2回の分割投与が推奨される（図2）．

D 使用する際の注意点（副作用，漸増の仕方，中止の判断など）

- 電解質異常: 特に低カリウム血症は問題であり，予後を悪化させる可能性がある[12,13]．また，ループ利尿薬の過剰投与は低ナトリウム血症を惹起する（ナトリウム喪失）．他にも低マグネシウム血症や低カルシウム血症（例．尿路結石や骨粗鬆症）なども合併することがある．
- 代謝異常: 低カリウム血症が生じることで，ATP依存性カリウムチャネルを介した膵β細胞からのインスリン分泌が低下する（耐糖能低下）．高尿酸血症も惹起することで知られる．
- 聴覚障害: 内耳のリンパ液中のイオン組成が変化することで起こるとされる．

E ループ利尿薬の使い分けについて（同系薬剤）（表1）

- フロセミド: ループ利尿薬の代表的な薬剤．世界中で使用されており，本邦においては内服薬と静注薬が使用できる．内服では吸収率（バイオアベイラビリティ: 生物学的利用能）が一定しないことが多く（平均50％程度），急性期は即効性も鑑みて静脈内投与が望ましい．
- アゾセミド: 長時間作用型のループ利尿薬．本邦で行われたアゾセミドとフロセミドを比較したRCTにおいて，アゾセミドはフロセミドより心血管イ

表1 各種ループ利尿薬の比較

	等力価	最大効果発現時間	効果持続時間	生物学的利用能*
フロセミド（ラシックス®）	20 mg	1〜2時間	6時間	10〜90％（平均50%）
アゾセミド（ダイアート®）	30 mg	3時間	12時間	80〜100％
トラセミド（ルプラック®）	4 mg	1〜2時間	8〜10時間	80〜100％

*内服投与の場合

JCOPY 498-13659

ベントを抑制する可能性が報告されている[14].

- トラセミド: 抗アルドステロン作用を併せ持つループ利尿薬. 遠位尿細管のアルドステロン受容体への拮抗作用があり, 他のループ利尿薬に比較して低カリウム血症を起こしにくい. 上述のアゾセミド同様に, 効果持続時間も比較的長い. 慢性心不全患者に対しては, フロセミド投与群と比較してトラセミド投与群で心血管イベントの発症率が低かったと報告されており[15], システマティックレビュー・メタ解析においてもトラセミドの優位性が示唆されている[16]. 近年実施された心不全入院患者を対象にした TRANSFORM-HF 試験では, しかしながら, トラセミド投与群とフロセミド投与群の間で長期的な死亡・入院の発生には有意差が認められなかった[17].

F ループ利尿薬に関する未知

各ループ利尿薬間での心不全患者の予後へ与える影響に違いが存在するのか決定的なエビデンスがない状況で, 上記の TRANSFORM-HF 試験が実施され, 結果はトラセミド・フロセミド両薬剤間で死亡などの発生に差は認められなかった. しかしながら, 同試験はプラグマティックさを前面に押し出したデザインのため, 投与薬剤のクロスオーバーが高率に起こり, さらに ARNI や SGLT2 阻害薬などの新規薬剤がランダム化後に開始されたケースも多くあるために結果の解釈には注意が必要である. 現在, 本邦において LAQUA-HF 試験(心不全患者に対するトラセミド vs フロセミド×サクビトリルバルサルタン vs ダパグリフロジンの 2×2 ファクトリアル無作為化試験 [UMIN000045229]) が進行中であり, TRANSFORM-HF 試験との結果の違いにも注目したい.

■文献

1) Shiraishi Y, Kohsaka S, Sato N, et al. 9-Year trend in the management of acute heart failure in Japan: A report from the national consortium of acute heart failure registries. J Am Heart Assoc. 2018; 7: e008687.
2) Matsue Y, Damman K, Yoors AA, et al. Time-to-furosemide treatment and mortality in patient hospitalized with acute heart failure. J Am Coll Cardiol. 2017; 69: 3042-51.
3) Shiraishi Y, Kurita Y, Matsukawa M, et al. Real-world intravenous diuretic use to treat congestion in patients with heart failure—An observational study using a research database. Circ Rep. 2023; 5: 27-37.
4) McDonagh TA, Metra M, Adamo M, et al. 2021 ESC Guidelines for the diagnosis and

treatment of acute and chronic heart failure. Eur Heart J. 2021; 42: 3599-726.

5) Drazner MH, Rame JE, Stevensen LW, et al. Prognostic importance of elevated jugular venous pressure and a third heart sound in patients with heart failure. N Engl J Med. 2001; 345: 574-81.

6) Drazner MH, Rame JE, Dries DL. Third heart sound and elevated jugular venous pressure as markers of the subsequent development of heart failure in patients with asymptomatic left ventricular dysfunction. Am J Med. 2003; 114: 431-7.

7) Domanski M, Norman J, Pitt B, et al. Diuretics use, progressive heart failure, and death in patients in the studies of left ventricular dysfunction (SOLVD). J Am Coll Cardiol. 2003; 42: 705-8.

8) Ahmed A, Husain A, Love TE, et al. Heart failure, chronic diuretic use, and increase in mortality and hospitalization: an observational study using propensity score methods. Eur Heart J. 2006; 27: 1431-9.

9) Eshaghian S, Horwich TB, Fonarow GC. Relation of loop diuretic dose to mortality in advanced heart failure. Am J Cardiol. 2006; 97: 1759-64.

10) Felker GM, Lee KL, Bull DA, et al. Diuretic strategies in patients with acute decompensated heart failure. N Engl J Med. 2011; 364: 797-805.

11) Ellison DH, Felker GM. Diuretic treatment in heart failure. N Engl J Med. 2017; 377: 1964-75.

12) Núñez J, Bayés-Genís A, Zannad F, et al. Long-term potassium monitoring and dynamics in heart failure and risk of mortality. Circulation. 2018; 137: 1320-30.

13) Aldahl M, Jensen AC, Davidsen L, et al. Associations of serum potassium levels with mortality in chronic heart failure patients. Eur Heart J. 2017; 38: 2890-6.

14) Masuyama T, Tsujino T, Origasa H, et al. Superiority of long-acting to short-acting loop diuretics in the treatment of congestive heart failure. Circ J. 2012; 76: 833-42.

15) Murray MD, Deer MM, Ferguson JA, et al. Open-label randomized trial of torsemide compared with furosemide therapy for patients with heart failure. Am J Med. 2001; 111: 513-20.

16) DiNicolantonio JJ. Should torsemide be the loop diuretic of choice in systolic heart failure? Future Cardiol. 2012; 8: 707-28.

17) Mentz RJ, Anstrom KJ, Eisenstein EL, et al. Effect of torsemide vs furosemide after discharge on all-cause mortality in patients hospitalized with heart failure: The TRANSFORM-HF Randomized Clinical Trial. JAMA. 2023; 329: 214-23.

〈白石泰之〉

利尿薬

3-2 サイアザイド系利尿薬

> ## Point
> - 作用機序はナトリウム利尿(ループ利尿薬と同じ)である.
> - 利尿作用以外に血管拡張作用がある: 降圧薬としての役割.
> - サイアザイド系利尿薬単独の利尿効果は弱い: 基本はループ利尿薬と併用.
> - ループ利尿薬との併用療法は非常に強力: その反面副作用も多い(例. 低カリウム血症, 低ナトリウム血症など).

A サイアザイド系利尿薬の作用機序

　サイアザイド系利尿薬は遠位尿細管の Na^+/Cl^- 共輸送体を阻害し, Na^+ 再吸収を抑制する. ループ利尿薬と同様に, Na^+ の再吸収の阻害により水分の再吸収を抑制する(ナトリウム利尿).

　また, サイアザイド系利尿薬はナトリウム排泄および体液量の減少作用以外に, 末梢血管拡張作用もあるため降圧薬としても使用される.

　経口摂取による吸収率は良く, ループ利尿薬同様に血中では蛋白と結合し, 近位尿細管から管腔内に分泌される. 腎機能障害が進んでもループ利尿薬は最後まで効果が期待できるのに対して, 高度の腎機能障害がある場合には(推定糸球体濾過量 [eGFR] ≦30 mL/min/1.73 m^2), サイアザイド系利尿薬の効果はあまり期待できない(高用量使用すれば効果は期待できるかもしれない).

B サイアザイド系利尿薬を心不全患者に使用する目的

　サイアザイド系利尿薬は利尿作用が弱いため, 心不全患者のうっ血症状に対して単独で使用されることは少ない(ごく軽症の心不全患者であれば有用かもしれない). 他の利尿薬と併用されることが多く, 特にループ利尿薬治療に抵抗性注を示す患者へ使用される(注: 心不全では腎血流量が低下するため, 近位尿細管での Na 再吸収が亢進する. RAS 阻害薬は近位尿細管での Na 再吸収を阻

害するため，基本的には利尿薬投与時は併用が望ましい．それでも場合によっては，高用量のループ利尿薬を要することも多い）．

慢性的にループ利尿薬を使用していると，遠位尿細管の代償性肥大によるNa 再吸収亢進（ブレーキング現象）が起こる．そこで遠位尿細管の Na/Cl 共輸送体をブロックするサイアザイド系利尿薬を使用することで，強力な追加利尿作用を示す．また一般的に，サイアザイド系利尿薬は効果持続時間が比較的長いので，ループ利尿薬投与後のリバウンド現象を軽減させる働きもある．

C サイアザイド系利尿薬の心不全患者における有用性を示すエビデンス

降圧薬としてサイアザイド系利尿薬の有用性は多くの臨床試験ですでに証明されており，臨床現場ではまだまだ重宝する薬剤である[1-3]．一方で，心不全患者へ対するエビデンスはループ利尿薬と同様に乏しい[4]．

利尿薬抵抗性のある心不全患者へ対しては，ループ利尿薬を増量するよりも，サイアザイド系利尿薬を追加した方が，急性期の利尿効果は優れていることが小規模の RCT で証明されており[5]，多くの観察研究からも同様の報告がある．利尿薬抵抗性の克服，うっ血所見の改善は，患者 QOL 改善や在院日数の短縮などにつながるが[6]，一方，利尿薬併用療法の長期的な予後改善効果に関しては議論の分かれるところである[4,7]．

D 使用する際の注意点（副作用，漸増の仕方，中止の判断など）

サイアザイド系利尿薬は遠位尿細管での Na^+ の再吸収を低下させ，集合管に到達する Na^+ が増加する結果，アルドステロン依存性の Na/K ポンプが亢進し（Na↑/K↓），低カリウム血症と代謝性アルカローシスが惹起される．ループ利尿薬と併用されることが多いため，これらの副作用が助長される．

心不全患者においては血中カリウム濃度を正常に保つこと（4.0〜5.0 mEq/L）が心・不整脈イベントの抑制に重要である[8]．催不整脈作用をもつ薬剤が併用されている場合（例．ジギタリス製剤，強心薬など）には特に注意を要する．予防や補正のため 1 日あたり 20〜40 mEq のカリウム製剤（例．塩化カリウム）を使用するが，低マグネシウム血症や代謝性アルカローシスがあると治療抵抗性となるため，こちらも同時に補正することがポイントである．冠動脈疾患を合併する心不全例では，消化性潰瘍予防のためのプロトンポンプ阻害薬による

低マグネシウム血症から低カリウム血症が惹起されることもあるので頭の片隅に置いておくとよい．またカリウム保持性利尿薬であるアルドステロン拮抗薬の併用も効果的な場合がある．

上記の電解質異常のほかに，高尿酸血症（尿酸の排泄減少）や耐糖能低下，高カルシウム血症（尿中の排泄減少）も惹起される．

E サイアザイド系利尿薬の使い分けについて（同系薬剤）

ループ利尿薬にサイアザイド系利尿薬を併用した場合に，各サイアザイド系利尿薬の間で利尿効果に大きな違いは認められないとされる[9]．以下に，各サイアザイド系利尿薬について簡単に述べる（**表1**）．

- ヒドロクロロチアジド: 世界中で使用されているサイアザイド系利尿薬の1つ．本邦では他にもトリクロルメチアジド（フルイトラン®）が使用される．ループ利尿薬に追加する場合には少量から導入するのがポイントである．
- インダパミド（ナトリックス®）: 遠位尿細管に作用するサイアザイド系類似の利尿薬．降圧作用が強く，高血圧合併例に使用されることが多い（保険病名は本態性高血圧症）．他のサイアザイド系利尿薬に比較して，低カリウム血症にはなりにくいとされる．
- クロルタリドン: 本邦では使用できない．インダパミドと同様に降圧作用が強い．
- メトラゾン: 本邦では使用できない．サイアザイド系類似の利尿薬だが，腎機能が中等度低下（eGFR $30\sim40$ mL/min/1.73 m^2）している場合でも効果を発揮する．

表1 本邦で使用可能なサイアザイド系利尿薬

	投与量	T_{max}	$T_{1/2}$
ヒドロクロロチアジド	$12.5\sim100$ mg	$1\sim2$ 時間	10 時間
トリクロルメチアジド（フルイトラン®）	$1\sim8$ mg	$1\sim2$ 時間	1.5 時間
インダパミド（ナトリックス®）	$1\sim4$ mg	$1\sim2$ 時間	$10\sim15$ 時間

*一般的に $T_{1/2}$（半減期）の4倍が効果持続時間の目安

F サイアザイド系利尿薬に関する未知

実臨床で利尿薬抵抗性の心不全患者に出会ったときは，ループ利尿薬に他利

尿薬を併用することも多い．特に急性期においては，サイアザイド系利尿薬および
よびバソプレシン受容体拮抗薬の併用が利尿効果を増強し，血行動態を改善さ
せることが報告されている．最近，急性心不全患者を対象とした CLOROTIC
試験（二重盲検無作為化試験）において，ループ利尿薬治療群と比較して，ルー
プ利尿薬にヒドロクロロチアジドを上乗せすることで尿量が増え，体重が有意
に減少することが報告されたが，しかしながら，呼吸苦症状や 90 日死亡・再入
院などの臨床アウトカムは改善しないことが示された[10]．さらに，ヒドロクロ
ロチアジド併用群で血清クレアチニン値が有意に上昇することも示されてい
る．バソプレシン受容体拮抗薬のトルバプタンが広く使用できる本邦において
は使用機会は多くないのが現状である．サイアザイド系利尿薬ではないが，急
性心不全患者に対して炭酸脱水素酵素阻害薬のアセタゾラミド（国内において
は心不全への保険適応はない）をループ利尿薬に併用することで，利尿増強効
果とうっ血症状の改善が示され注目を浴びている[11]．これらの薬剤はどちらも
ナトリウム利尿を強化するため，短期的な使用については臨床上有効な場合も
あるだろう．

　一方で，本邦の心不全レジストリからの報告では，ループ利尿薬の投与量に
かかわらず，サイアザイド系利尿薬の併用は心不全患者の長期予後を悪化させ
る可能性が指摘されている[12]．バソプレシン受容体拮抗薬についても，現時点
では中長期的な予後改善効果はないという見解である[13]．心不全患者の予後を
考慮した最適な利尿薬の組み合わせについて，今後さらなる前向き臨床試験が
望まれる．また，どのタイミングで利尿薬併用（少量のループ利尿薬＋他利尿
薬）を開始すれば良いかも不明であり，より早期から他利尿薬を併用してルー
プ利尿薬の投与量の減量を図るアプローチも現在検討中である．

■文献

1) ALLHAT Officers and Coordinators for the ALLHAT Collaborative Research Group. Major outcomes in high-risk hypertensive patients randomized to angiotensin-converting enzyme inhibitor or calcium channel blocker vs diuretic: The Antihypertensive and Lipid-Lowering Treatment to Prevent Heart Attack Trial (ALLHAT). JAMA. 2002; 288: 2981-97.

2) Beckett NS, Peters R, Fletcher AE, et al. Treatment of hypertension in patients 80 years of age or older. N Engl J Med. 2008; 358: 1887-98.

3) Tsujimoto T, Kajio H. Thiazide use and decreased risk of heart failure in nondiabetic patients receiving intensive blood pressure treatment. Hypertension. 2020; 76: 432-

41.

4) Jentzer JC, De Wald TA, Hermendaz AF. Combination of loop diuretics with thiazide-type diuretics in heart failure. J Am Coll Cardiol. 2010; 56: 1527-34.

5) Siqurd B, Olesen KH, Wennevold A. The supra-additive natriuretic effect addition of bendroflumethiazide and bumetanide in congestive heart failure. Permutation trial tests in patients in long-term treatment with bumetanide. Am Heart J. 1975; 89: 163-70.

6) Mehta MH, Rogers JG, Hasselblad V, et al. Association of weight change with subsequent outcomes in patients hospitalized with acute decompensated heart failure. Am J Cardiol. 2009; 103: 76-81.

7) Ellison DH, Felker GM. Diuretic treatment in heart failure. N Engl J Med. 2017; 377: 1964-75.

8) Salah K, Pinto YM, Eulings LW, et al. Serum potassium decline during hospitalization for acute decompensated heart failure is a predictor of 6-month morality, independent of N-terminal pro-B-type natriuretic peptide levels: an individual patient data analysis. Am Heart J. 2015; 170: 531-42.e1.

9) Ellison DH. Diuretic therapy and resistance in congestive heart failure. Cardiology. 2001; 96: 132-43.

10) Trulls JC, Morales-Rull JL, Casado J, et al. Combining loop with thiazide diuretics for decompensated heart failure: the CLOROTIC trial. Eur Heart J. 2023; 44: 411-21.

11) Mullens W, Dauw J, Martens P, et al. Acetazolamide in acute decompensated heart failure with volume overload. N Engl J Med. 2022; 387: 1185-95.

12) Yamazoe M, Mizuno A, Kohsaka S, et al. Incidence of hospital-acquired hyponatremia by the dose and type of diuretics among patients with acute heart failure and its association with long-term outcomes. J Cardiol. 2018; 71: 550-6.

13) Konstam MA, Gheorghiade M, Burnett JC Jr, et al. Effects of oral tolvaptan in patients hospitalized for worsening heart failure: the EVEREST Outcome Trial. JAMA. 2007; 297: 1319-31.

〈白石泰之〉

Point

- トルバプタンはループ利尿薬をはじめとした，他の利尿薬と併用する．
- トルバプタンの長期予後改善を示すデータは乏しいが，腎機能障害合併例や低血圧例にも使用しやすい利尿薬である．
- 超急性期の経口摂取困難な時期にトルバプタン静注薬の使用が検討される．

A トルバプタンの作用機序

　脳下垂体から分泌されるバソプレシンは，腎集合管のバソプレシン V_2 受容体を介してアクアポリン 2 チャネルの発現を促進し，水の再吸収を増加させる．心不全患者では脳下垂体からのバソプレシンが過剰分泌されているため，さらなる水分貯留につながる[1]．トルバプタンは腎集合管のバソプレシン V_2 受容体

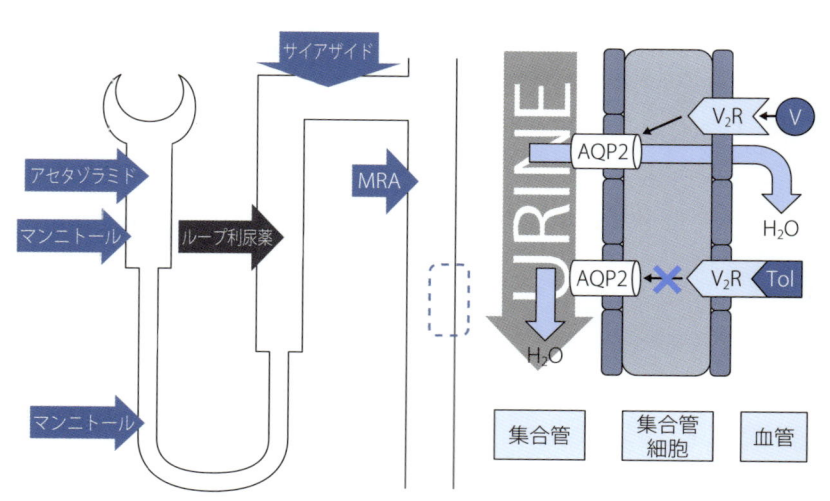

図1 トルバプタンの作用機序

を選択的に阻害する．これにより，アクアポリン 2 チャネルの発現が抑制され，集合管からの水の再吸収が減少することにより，利尿作用を発揮する（図1）．

B トルバプタンを心不全患者に使用する目的

　うっ血の解除を目的に，ループ利尿薬など，他の利尿薬を使用してもうっ血の解除が難しい症例に，他の利尿薬と併用して使用する．特に，腎機能障害や低 Na 血症を併発している症例には積極的な使用が検討される．

C トルバプタンの心不全患者における有用性を示すエビデンス

　トルバプタンに関する大規模研究の 1 つが，第 III 相試験としてランダム化・二重盲検で施行された，EVEREST 研究である[2,3]．この研究では，うっ血性心不全で入院した患者を入院後 48 時間以内に通常治療に加えてトルバプタン 30 mg/日を投与される群と，プラセボを投与される群に割付け，最低 60 日間投与し比較検討している．短期（7 日間）での評価では，トルバプタン投与群において primary endpoint: 臨床症状の改善と体重変化の組み合わせ，secondary endpoint: 体重減少，呼吸困難の改善，ともに改善を認めた．一方で，長期予後は，フォローアップ期間中（中央値 9.9 カ月）の全死亡，心血管死亡のいずれもトルバプタン群とプラセボ群とに有意差を認めなかった．2008〜2019 年までの医療保険データベースを使用し，2 回以上の心不全入院歴があり，そのうち 1 回以上でトルバプタン，またはループ利尿薬が継続されていた患者 1,931 名を対象とした研究でも，トルバプタン投与による再入院までの期間短縮は認められなかった[4]．これまでにトルバプタン投与による長期予後改善に関する様々な検討は行われてきたが，現時点では長期予後を改善することを示したデータは乏しい．

　心不全治療に影響を及ぼしうる，腎機能障害や，低血圧を呈する症例へのトルバプタンの有効性を示す報告がある．ループ利尿薬は血管内から除水するため，血管内脱水をきたすことがあり，血圧低下や腎機能低下をきたしうる．一方で，トルバプタンは，ループ利尿薬に比べ，3rd スペースからも除水するため，血管内脱水になりにくい[5,6]．早期からトルバプタンを使用した症例において，腎機能低下をきたしにくかったことが報告されている[7,8]．また，少数例でのランダム化試験ではあるが，心不全に CKD stage G3〜5 を合併した症例に対するトルバプタンの併用は，ループ利尿薬の増量に比べて多くの尿量が得ら

れ，腎機能の悪化をきたしにくかったことが報告されている[9]．ループ利尿薬に比べ，血圧低下をきたしにくいことも報告されており[8,10]，腎機能低下例や低血圧症例へも比較的使用しやすい利尿薬であると考えられる．

D トルバプタンを使用する際の注意点

トルバプタンに特有の副作用として，高 Na 血症がある．発売後 5 年間の 3,349 例を対象とした解析では，高 Na 血症（血清 Na 濃度 150 mEq/L 以上）は投与患者の 3.65％に認められた．また，高 Na 血症発症の危険因子として，1）血清 Na 濃度，2）血清 K 濃度，3）血清 BUN/Cr 比，4）トルバプタン開始用量，5）年齢が同定された[11]．これらの危険因子に配慮することに加え，筆者は「自分自身で飲水することができる」ことが，高 Na 血症の回避に重要であると考える．医療保険データベースを用いた検討では，2020 年の時点でトルバプタン被投与者のうち，80 歳以上が 50％程度，60 歳以上が 80％以上を占め，高齢者の割合が増加していることが報告されている[12]．次項で触れているように，経口摂取困難〔飲水ができない〕な患者に対するトルバプタン静注薬の使用が可能になっている．経口・経静脈投与ともに，トルバプタンの投与初期には過剰な利尿に伴う脱水や，高 Na 血症などの副作用があらわれるおそれがある．高 Na 血症の危険性の高い症例にトルバプタンを投与する際には，低用量から開始することが検討される．また，採血頻度を増やしたり，飲水可能な患者には飲水制限の解除・緩和や，飲水を促したりするなどして注意を払う必要がある．これらの患者への指導は，医師からのみではなく，患者に関わる多職種からアプローチすることが重要である．

E 同系薬剤の使い分け

2022 年に静脈内投与後にトルバプタンへと加水分解されるプロドラックである注射薬，トルバプタンリン酸エステルナトリウム注射薬（サムタス®，以下「トルバプタン静注薬」）が発売された．用量は，トルバプタン内服薬 7.5 mg がトルバプタン静注薬 8 mg に，トルバプタン内服薬 15 mg がトルバプタン静注薬 16 mg にそれぞれ相当する．トルバプタン静注薬の第Ⅲ相臨床試験として，OPTION-HF 試験[13]と TRITON-HF 試験[14]がある．

OPTION-HF 試験では，トルバプタン以外の利尿薬の使用にもかかわらず体液貯留所見を認めるうっ血性心不全 294 例について，トルバプタン内服薬 15

mg 投与群（145 例）とトルバプタン静注薬 16 mg 投与群（149 例）に無作為割付けがなされた．primary endpoint は体重変化，secondary endpoint はうっ血症状（下腿浮腫，内頚静脈圧）と NYHA 分類の変化であり，安全性とともに評価が行われた．いずれの評価項目に関しても，トルバプタン静注薬のトルバプタン内服薬に対する非劣勢が示された．

　TRITON–HF 試験では，フロセミド 20 mg 以上に相当する静注利尿薬を使用しているにもかかわらず，体液貯留所見のある経口摂取困難（あるいは治療上絶食下での加療が必要）なうっ血性心不全患者 45 例に対してトルバプタン静注薬が 8 mg/日から開始された．血中 Na 濃度が 147 mEq/L 以下かつ 24 時間で 10 mEq/L 以上の Na 濃度上昇が認められず，トルバプタン静注薬の投与による尿量増加が 500 mL 以下，または尿量増加が 500 mL 以上であっても体重減少やうっ血症状の改善が認められない場合には 16 mg/日に増量され，最長 5 日間投与された．本試験により，トルバプタン静注薬の忍容性が示された．

　腎機能の低下した急性心不全の入院早期にトルバプタンを使用することにより，利尿薬への反応が改善したとの報告がある[15]が，これまでは入院初期の経口摂取が困難な時期にトルバプタン内服薬の使用は困難であった．トルバプタン静注薬の登場により，ループ利尿薬などで反応が不十分な経口摂取困難な症例に対し，まずトルバプタン静注薬を併用し，早期のうっ血解除を図った上で，必要であれば亜急性期から慢性期にかけ，トルバプタン内服薬での管理に移行していくことが検討される．

F　トルバプタンに関する未知

　前述の通り，トルバプタン投与による心不全再入院の抑制や，長期予後の改善に関する報告は乏しい．これまでの長期投与に関する研究に，トルバプタンの投与が有効ではない群が含まれていることも要因として考えられる．トルバプタンの有効性を予測する因子として，トルバプタン投与後の尿浸透圧の変化[16]や，投与前の尿中 cyclic AMP/血漿 AVP 濃度が有用である[17]との報告がある．また，3 カ月以内の心不全再入院，入院時のループ利尿薬使用，eGFR <45 mL/min/1.73 m^2 で予測される利尿薬抵抗性に対するトルバプタンの早期使用が有効であるとの報告もあり[18]，トルバプタンの有効性が予測される症例でのさらなる長期成績の検討が期待される．

　また，どのような症例でトルバプタン静注薬を選択すべきなのかは，明らか

になっていない．経口摂取が可能な患者のみが対象なのか，それ以外にトルバプタン静注薬の方が有効な患者背景因子があるのかは，今後の研究により明らかにされることが期待される．

■文献

1) Kinugawa K, Imamura T, Komuro I. Experience of a vasopressin receptor antagonist, tolvaptan, under the unique indication in Japanese heart failure patients. Clin Pharmacol Ther. 2013; 94: 449-51.

2) Gheorghiade M, Konstam MA, Burnett JC Jr, et al. Short-term clinical effects of tolvaptan, an oral vasopressin antagonist, in patients hospitalized for heart failure: the EVEREST Clinical Status Trials. JAMA. 2007; 297: 1332-43.

3) Konstam MA, Gheorghiade M, Burnett JC Jr, et al. Effects of oral tolvaptan in patients hospitalized for worsening heart failure: the EVEREST Outcome Trial. JAMA. 2007; 297: 1319-31.

4) Kinugawa K, Matsukawa M, Nakamura Y, et al. Impact of tolvaptan add-on treatment on patients with heart failure requiring long-term congestion management: A retrospective cohort study using a medical claim database in Japan. J Cardiol. 2023; 82: 35-42.

5) Kawabata H, Iwatani H, Yamamichi Y, et al. Tolvaptan efficiently reduces Intracellular fluid: Working toward a potential treatment option for cellular edema. Intern Med. 2019; 58: 639-42.

6) Takagi K, Sato N, Ishihara S, et al. Differences in pharmacological property between combined therapy of the vasopressin V2-receptor antagonist tolvaptan plus furosemide and monotherapy of furosemide in patients with hospitalized heart failure. J Cardiol. 2020; 76: 499-505.

7) Shirakabe A, Hata N, Yamamoto M, et al. Immediate administration of tolvaptan prevents the exacerbation of acute kidney injury and improves the mid-term prognosis of patients with severely decompensated acute heart failure. Circ J. 2014; 78: 911-21.

8) Jujo K, Saito K, Ishida I, et al. Randomized pilot trial comparing tolvaptan with furosemide on renal and neurohumoral effects in acute heart failure. ESC Heart Fail. 2016; 3: 177-88.

9) Komiya S, Katsumata M, Ozawa M, et al. Efficacy of tolvaptan on advanced chronic kidney disease with heart failure: a randomized controlled trial. Clin Exp Nephrol. 2022; 26: 851-8.

10) Matsuzaki M, Hori M, Izumi T, et al. Efficacy and safety of tolvaptan in heart failure patients with volume overload despite the standard treatment with conventional diuretics: a phase Ⅲ, randomized, double-blind, placebo-controlled study (QUEST study). Cardiovasc Drugs Ther. 2011; 25 Suppl 1: S33-45.

11) Kinugawa K, Sato N, Inomata T, et al. Novel risk score efficiently prevents tolvap-

tan-induced hypernatremic events in patients with heart failure. Circ J. 2018; 82: 1344-50.

12) Uno T, Hosomi K, Yokoyama S, et al. Trends in tolvaptan prescription and the association between hypernatremia and aging in tolvaptan-treated patients in Japan: Real-world data mining using Japanese databases. Int J Clin Pharmacol Ther. 2023; 61: 33-6.

13) Sato N, Uno S, Kurita Y, et al. Efficacy and safety of intravenous OPC-61815 compared with oral tolvaptan in patients with congestive heart failure. ESC Heart Fail. 2022; 9: 3275-86.

14) Kinugawa K, Nakata E, Hirano T, et al. Tolerability of the intravenously administered tolvaptan prodrug, OPC-61815, in patients with congestive heart failure who have difficulty with, or are incapable of, oral intake (TRITON-HF) —A phase Ⅲ, multicenter, open-label trial. Circ J. 2022; 86: 1068-78.

15) Matsue Y, Ter Maaten JM, Suzuki M, et al. Early treatment with tolvaptan improves diuretic response in acute heart failure with renal dysfunction. Clin Res Cardiol. 2017; 106: 802-12.

16) Imamura T, Kinugawa K, Minatsuki S, et al. Urine osmolality estimated using urine urea nitrogen, sodium and creatinine can effectively predict response to tolvaptan in decompensated heart failure patients. Circ J. 2013; 77: 1208-13.

17) Kakeshita K, Koike T, Imamura T, et al. Impact of urine cyclic AMP relative to plasma arginine vasopressin on response to tolvaptan in patients with chronic kidney disease and heart failure. Clin Exp Nephrol. 2023; 27: 427-34.

18) Takimura H, Kurozumi A, Taniguchi R, et al. Predictors of poor very early diuretic response and effectiveness of early tolvaptan in symptomatic acute heart failure. Am J Cardiovasc Drugs. 2023; 23: 185-96.

〈生駒剛典　末永祐哉〉

Chapter 3-4 利尿薬
利尿薬抵抗性に対する対応

Point

- 心不全治療における目標の1つは十分なうっ血の解除・適切な体液管理であり，その中心はループ利尿薬である．
- 心不全診療において，しばしば利尿薬抵抗性を認めることがある．ループ利尿薬の増量や，作用機序の異なる利尿薬の併用が推奨される．一方，利尿薬抵抗性の原因が低心拍出症候群における腎灌流の低下である場合は，強心薬や補助循環装置による心拍出量の増加が必要である．
- うっ血を繰り返し，利尿薬抵抗性を示す症例では限外濾過も1つの選択肢であるが，心不全治療におけるエビデンスは controversy である．

A 心不全治療におけるうっ血管理の重要性

心不全治療において最も重要なポイントの1つは，うっ血の解除・管理である．急性心不全においては，呼吸困難症状を改善させるため，早急なうっ血の解除が求められている．また，慢性心不全では，代償された心不全の状態を維持するために，至適な volume 管理が重要である．これらの治療の中心となるのは利尿薬である．

JCS/JHFS ガイドライン 2017[1]や，最新の ESC ガイドライン 2021[2]，AHA/ACC/HFSA ガイドライン 2022[3]のいずれでも，うっ血・体液過剰のある急性心不全患者に対する利尿薬投与はクラスⅠで推奨されており，その第1選択薬はループ利尿薬である．ループ利尿薬は，うっ血による心不全症状を軽減し，前負荷を減らし，左室拡張末期圧を低下させ，その効果は即効性である．急性心不全治療における時間軸の重要性が注目されるようになって久しいが，その背景にあるのが，本邦における心不全の急性期治療と予後との関係性に関する多施設レジストリー研究（REALITY-AHF）によって明らかにされた，door-to-furosemide time の重要性である[4]．前向きに登録された，救急外来（ER）に来院し入院となった急性心不全患者 1,682 人において，ER 到着から最初の静注フロセミドまでの時間（door-to-furosemide time）が院内予後と関係するか

を検討した結果，早期の利尿薬治療と院内死亡率の間に関係がある可能性が示されている．この超急性期の phase において，ループ利尿薬の即効性が有用であることがわかる結果である．一方，米国のデータでは，急性心不全で入院した患者のうち約1/3で，入院中に利尿薬治療のエスカレーションが必要となるという報告もある[5]．日常臨床でも実際に，「期待された利尿効果が得られない」，「利尿薬が効きにくい」と感じることも多く，いわゆる「利尿薬抵抗性」という状態は，しばしば経験される．また，REALITY-AHF のサブ解析では，利尿薬への反応性が乏しいほど予後は不良であることが示されており[6]，「利尿薬抵抗性」は心不全治療において克服しなければならない課題の1つである．

B 利尿薬抵抗性の機序

それでは，なぜ利尿薬抵抗性は起こるのか，まずはこの「利尿薬抵抗性」の機序について，利尿薬の作用部位である尿細管を中心に考えてみる（図1）．

1 利尿薬の作用部位（尿細管）に到達するまで

● 糸球体濾過量の低下

心拍出量が低下している場合，腎灌流が低下し，利尿薬抵抗性を示す．

ループ利尿薬は血中のアルブミンと結合して腎臓に運ばれるため，低アルブミン血症では尿細管への到達が困難となり，利尿薬の効果が減弱する．

残存しているネフロンそのものが減少していることもあり，その場合も利尿薬抵抗性を示す．

2 利尿薬の作用部位（尿細管）での反応性

ループ利尿薬を投与していると，利尿薬の反応性が徐々に低下する breaking phenomenon という現象が引き起こされる[7]．

● 近位尿細管の機能亢進

近位尿細管で65～70％のナトリウムが再吸収される．ループ利尿薬は腎臓緻密斑でレニン分泌を刺激し，レニン-アンジオテンシン系が亢進され，近位尿細管でのナトリウム再吸収が亢進する．また，利尿薬投与後の反動によって，ナトリウムの再吸収が亢進する（post-diuretic effect）．

● ヘンレループの機能亢進

ヘンレループで20～25％のナトリウムが再吸収される．ループ利尿薬が作用

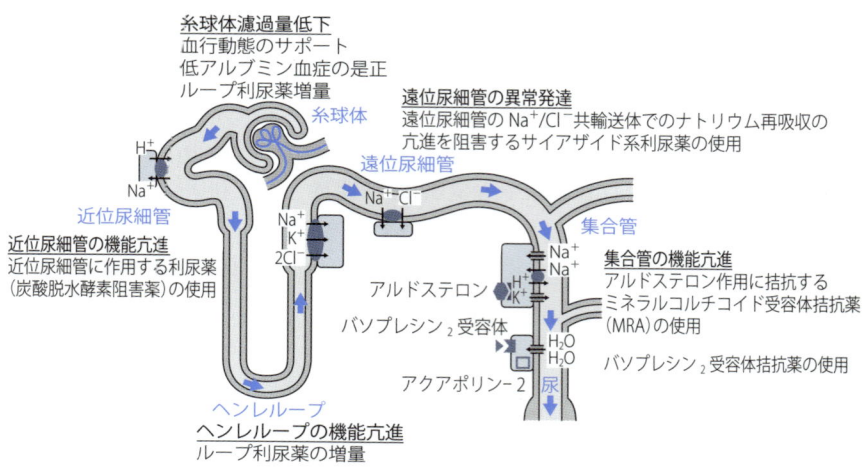

図1 利尿薬抵抗性の機序と対応

する部位であり，その長期的な影響で $Na^+/K^+/2Cl^-$ 共輸送体のアップレギュレーションが起こる．

● 遠位尿細管の異常発達

ループ利尿薬によってナトリウム再吸収が抑制されることで，より遠位の尿細管でのナトリウムの再吸収が亢進する．構造的変化としては遠位尿細管の細胞肥大によるナトリウム再吸収の亢進が起こる．

● 集合管の機能亢進

レニン–アンジオテンシン–アルドステロン系の亢進により，アルドステロン受容体を介してナトリウム再吸収が亢進する．

神経体液性因子の亢進からバソプレシンも亢進しており，水の再吸収が亢進する．

ループ利尿薬の効果が不十分な場合には，以上のような利尿薬抵抗性の機序を考えながら，次の一手を検討し，十分なうっ血の解除を目指す必要がある．次に，利尿薬抵抗性への具体的な対応について解説する．

C 利尿薬抵抗性への対応

先述したようなループ利尿薬抵抗性の機序をふまえて，AHA/ACC/HFSA

のガイドラインでも ESC のガイドラインでも，利尿薬抵抗性を認める場合はループ利尿薬の増量や，尿細管の異なる部位に作用する利尿薬の併用，例えば，サイアザイドやアセタゾラミドの併用が推奨されている．ここで，急性非代償性心不全患者において，静注ループ利尿薬治療にアセタゾラミドを併用することでうっ血の解除を得られやすいかどうかを検証した ADVOR 試験[8] について紹介する．この研究では，うっ血のある急性非代償性心不全患者において，元々内服していたループ利尿薬の 2 倍量を静脈投与で継続したうえで，アセタゾラミド（静脈投与）群とプラセボ群に 1：1 に割付け，3 日以内のうっ血の解除の成功を一次エンドポイントに設定し，アセタゾラミドの有効性と安全性について検討した．3 日以内にうっ血の解除に成功した患者の割合は，アセタゾラミド群で 42.2%，プラセボ群で 30.5%（p＜0.001）であり，急性心不全における早期のうっ血解除において，アセタゾラミドの有効性が示された．また，腎機能の増悪や低カリウム血症，低血圧の発生率は両群に差はなく，特に電解質異常は，利尿薬の併用時にはより注意が必要であるが，今回の試験結果から，その安全性も示された．このアゾセミドの利尿増加の機序にはクロール値が関与していると考えられている．血清クロール値は，レニン分泌の制御およびループ利尿薬またはサイアザイド利尿薬に対する反応に直接関与している可能性があり[9,10]，アセタゾラミドはクロールの再吸収を増加させ，ネフロンの近位尿細管における重炭酸塩とナトリウムの排泄を増加させることで，利尿薬抵抗性の患者において利尿を増加させることができると考えられる．なお，ESC のガイドラインでは，エキスパートオピニオンとして，急性心不全におけるループ利尿薬（フロセミド）の治療アルゴリズムが提唱されており，利尿薬への反応性の判断，利尿薬抵抗性を示す場合の対応において参考にしていただきたい（図 2）．

　一方，利尿薬抵抗性を示す場合に，全例においてループ利尿薬の増量や，作用機序の異なる利尿薬の併用が推奨されるわけではない．心拍出量の低下から腎灌流が低下し，糸球体濾過量が低下して利尿薬抵抗性を示す場合，糸球体に届く血流そのものが減少しているため，どんなに利尿薬を増量・併用しても，尿量増加は得られない．それだけでなく，低心拍出症候群においては，利尿薬増量により血圧低下や臓器灌流の低下を助長し，血行動態がさらに増悪するリスクもある．そのような場合には，腎血流を増加させる必要があり，強心薬や補助循環装置を用いて心拍出量を増加させることで，腎灌流が増加し尿量増加

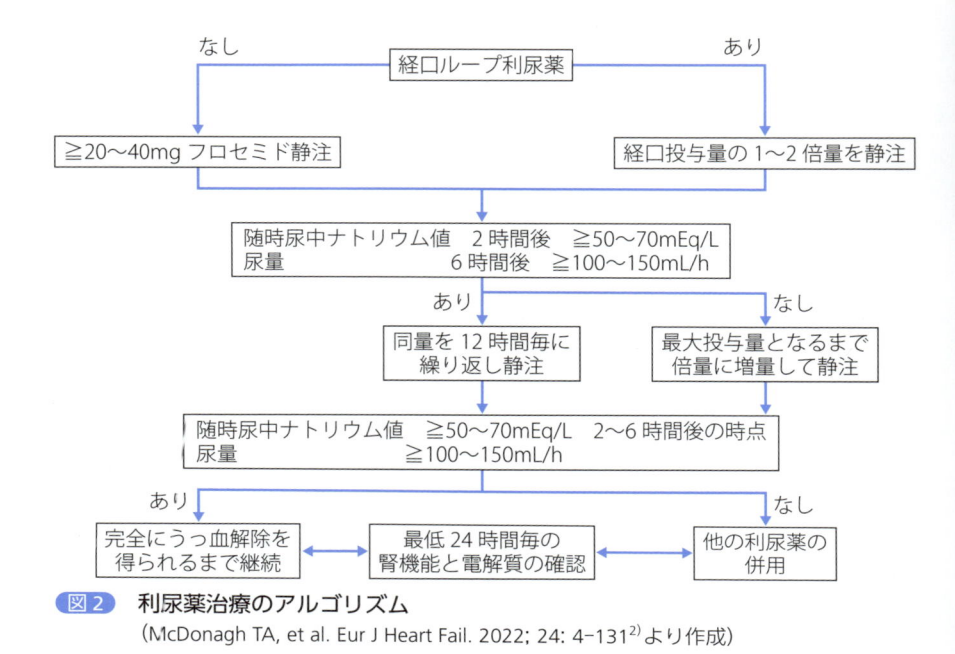

図2 利尿薬治療のアルゴリズム
（McDonagh TA, et al. Eur J Heart Fail. 2022; 24: 4-131[2]）より作成）

を得られるようになる.

　以上のように，利尿薬抵抗性を示す場合，何が原因で十分な利尿効果を得られていないのかを考えたうえで，治療方針を検討する必要がある.

D ultrafiltration

　利尿薬抵抗性に対してループ利尿薬の増量や，異なる作用機序の利尿薬の併用を行ってもうっ血の解除を得られない場合もある．そのときに考慮される代替治療の1つとして，限外濾過（ultrafiltration: UF）がある．ループ利尿薬はヘンレループの上行脚に作用し，$Na^+/K^+/2Cl^-$ 共輸送体を阻害することによりナトリウム排泄を促すため，ナトリウム排泄に比べると水の排泄のほうが多く起こり，低張尿が生成される．一方，UF では等張血漿が除去されるため，同じ量の水に対してより多くのナトリウムが除去されることから，UF の方が優れた除水戦略であるという仮説が立てられた．その仮説を検証するために行われた試験が，Ultrafiltration versus Intravenous Diuretics for Patients Hospitalized for Acute Decompensated Congestive Heart Failure（UNLOAD）研究である[11]．この研究は，体液過剰を伴う急性心不全のため入院となった患者

200 人を対象として，通常の利尿薬治療群と UF 治療群に 1：1 に割付け，48 時間後の呼吸困難症状の改善と体重減少を一次エンドポイントに設定して，UF の有効性と安全性について検討した研究である．その結果，UF 治療群の方が通常の利尿薬治療群と比べて，有意に体重減少が多く，90 日以内の心不全による再入院や予約外受診は有意に少なかった．また，UF による有意な有害事象も認めなかった．ところが，その後行われた Cardiorenal Rescue Study in Acute Decompensated Heart Failure（CARRESS-HF）研究では，相反する結果となっている[12]．この研究は，急性非代償性心不全のため入院し，腎機能の増悪（急性心不全で入院する 12 週前，もしくは入院して 10 日以内に 0.3 mg/dL 以上の Cr 値の上昇）を認め，かつ，末梢性浮腫・頸静脈怒張・肺水腫・胸水のうち 2 つ以上を有する患者 188 人を対象に，段階的な利尿薬治療群と UF 治療群に 1：1 に割付け，一次エンドポイントは 96 時間後の体重の変化および Cr 値の変化であった．結果は，UF 治療群において，段階的な利尿薬治療群と比較して 96 時間後の Cr 値の有意な上昇を認め，両群ともに体重減少を認めたものの，2 群間に有意な差は認めなかった．また，60 日間のフォローアップ期間中の体重減少，死亡率，心不全による入院率は，2 群間に有意な差を認めず，60 日後の Cr 値の改善は，段階的な利尿薬治療群の方が有意に大きく改善していた．一方で，有害事象については UF 治療群において有意に多く認めていたことから，本研究では，腎機能の増悪を伴う急性心不全患者において，UF は段階的薬物治療と比較して腎機能保護の観点からは劣る，という結論となった．以上の結果から，現時点では，うっ血治療にはまずは利尿薬による薬物療法を行い，うっ血を繰り返し，利尿薬抵抗性を示す症例など，個々の症例に応じて UF を検討する，というのが心不全治療における UF 治療の現状である（図 3）．その他にも，心不全患者における UF の効果を検討した研究は複数あるものの，その結果にはばらつきがあり，UF の適応についての十分なエビデンスはなく，まだまだ検討の余地があるといえる．CARRESS-HF 研究では，段階的な利尿薬治療群では利尿薬の効き具合に応じて薬物調整を行ったが，UF 治療群では 1 時間あたり 200 mL の徐水速度に一律に設定されており，そのため，UF 治療群では血管内 volume の減少や血圧低下のリスクがより高くなり，より有害な神経体液性因子の活性化につながった可能性もあると考えられている[13]．症例に応じて個別に UF の設定をすれば有効性を示せる可能性はあり，心不全における UF の有用性を明らかにするためには，より対象を絞った新た

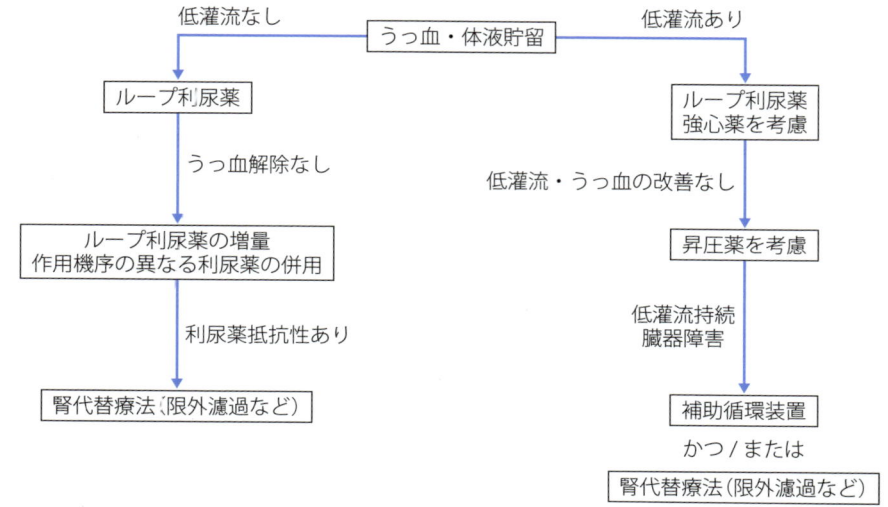

図3　低灌流の有無に応じた急性非代償性心不全の治療アルゴリズム
（McDonagh TA, et al. Eur J Heart Fail. 2022; 24: 4-131[2]）より作成）

なランダム化比較試験が必要であると考えられる.

■文献

1) 日本循環器学会/日本心不全学会合同ガイドライン. 急性・慢性心不全診療ガイドライン（2017 年改訂版）.
2) McDonagh TA, Metra M, Adamo M, et al. 2021 ESC Guidelines for the diagnosis and treatment of acute and chronic heart failure. Developed by the Task Force for the diagnosis and treatment of acute and chronic heart failure of the European Society of Cardiology（ESC）with the special contribution of the Heart Failure Association （HFA）of the ESC. Eur J Heart Fail. 2022; 24: 4-131.
3) Heidenreich PA, Bozkurt B, Aguilar D, et al. 2022 AHA/ACC/HFSA Guideline for the Management of Heart Failure: A Report of the American College of Cardiology/American Heart Association Joint Committee on Clinical Practice Guidelines. Circulation. 2022; 145: e895-e1032.
4) Matsue Y, Damman K, Voors AA, et al. Time-to-furosemide treatment and mortality in patients hospitalized with acute heart failure. J Am Coll Cardiol. 2017; 69: 3042-51.
5) Greene SJ, Triana TS, Ionescu-Ittu R, et al. In-hospital therapy for heart failure with reduced ejection fraction in the United States. JACC Heart Fail. 2020; 8: 943-53.
6) Kuroda S, Damman K, Ter Maaten JM, et al. Very early diuretic response after admission for acute heart failure. J Card Fail. 2019; 25: 12-9.

7） Ellison DH, Felker GM. Diuretic treatment in heart failure. N Engl J Med. 2017; 377: 1964-75.

8） Mullens W, Dauw J, Martens P, et al. Acetazolamide in acute decompensated heart failure with volume overload. N Engl J Med. 2022; 387: 1185-95.

9） Hanberg JS, Rao V, Ter Maaten JM, et al. Hypochloremia and diuretic resistance in heart failure: Mechanistic insights. Circ Heart Fail. 2016; 9: 10.1161.

10） Ter Maaten JM, Damman K, Hanberg JS, et al. Hypochloremia, Diuretic resistance, and outcome in patients with acute heart failure. Circ Heart Fail. 2016; 9: e003109.

11） Costanzo MR, Guglin ME, Saltzberg MT, et al. UNLOAD Trial Investigators. Ultra-filtration versus intravenous diuretics for patients hospitalized for acute decompensated heart failure. J Am Coll Cardiol. 2007; 49: 675-83.

12） Bart BA, Goldsmith SR, Lee KL, et al. Heart Failure Clinical Research Network. Ultrafiltration in decompensated heart failure with cardiorenal syndrome. N Engl J Med. 2012; 367: 2296-304.

13） Verbrugge FH. Editor's Choice-Diuretic resistance in acute heart failure. Eur Heart J Acute Cardiovasc Care. 2018; 7: 379-89.

〈石原里美　末永祐哉〉

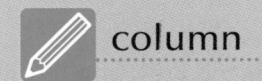

column

3. 海外留学ってお勧め？
米国編①

1. 海外留学はお勧めか？

　海外留学に行きたいと思っている先生には，ぜひ行くのをお勧めしたい．留学前の私がそうであったように，留学に行きたいと考えている多くの先生が，「本場で研究をしたい」「たくさん論文を書きたい」「一度は海外で生活してみたい」といったような動機で留学をすると思うが，留学を経験した身として言えることは，海外留学はそれらをはるかに超えた経験をくれる，はずである．大袈裟かもしれないが，海外留学は人として成長させるに十分な経験をくれる可能性がある．

2. 海外留学のメリットは？

　海外留学のもっとも基本的かつ本質的なメリットはおそらく「最良に近い環境で研究ができて論文を書ける」ことであろう．「最良に近い」の意図としては，①日本ではできない研究ができる，②日本では巡り合えない指導者をもてる，③臨床業務がなく研究に多くの時間をとれる，④日本からでは困難をきわめるハイインパクトジャーナルに手が届く可能性があることであろう．一方で，海外留学のメリットは研究面にとどまらない．むしろ自分自身の経験を振り返ってみると，研究面のメリットよりも海外留学でしか得られない経験—家族との時間，海外留学で知り合う友人，海外生活での異文化コミュニケーション—の方がずっと重要であったと実感している．日本では多くの循環器内科医は夜遅くまで働き，休日も病院に顔を出し，夜間・休日はカテ待機をしていると思う．医師の働き方改革がいわれる昨今ではあるが，家族とのゆっくりとした時間をつくることは非常に努力のいることだと実感する．一方，海外での研究留学の場合には基本的に臨床業務はないので，かなり自由な勤務になる．私の場合には朝8時前に病院に行き，夕18：30に帰宅していた．帰宅後にはほぼ仕事はしなかったので，家族で一緒に夕食を食べ，子供を寝かしつけることもできた．また，土日は完全にオフなことが多いはずなので家族で自由な時間を

過ごすことができる．庭でバーベキューをしたり，車でドライブに行ったり，ときには飛行機で足をのばして旅行もできる．今振り返ると海外留学は長い夏休みを過ごしているような感覚に近いかもしれない．海外留学中には留学先で多くの友人を得られるはずである．私の場合，留学していた Mayo Clinic には多くの日本人フェローがいたので，循環器内科にかぎらず，多くの日本人フェローの友人ができた．また，海外留学中では友人との付き合いが家族ぐるみになることがさらによく，留学後も続く一生の財産になる．

　一方で海外留学のデメリットは何と言ってもお金である．海外留学にかかるお金に加えて，もし留学中に無給もしくは給与が減るのであれば，その間に得られるはずだった分の給与も失うことになる．さらにここ最近の円安と海外の物価高（日本の貧困化…）もあり海外留学をとりまく経済状況は私が留学していた当時より苦しいと想像する．ただし，この海外留学にかかるお金は前述のメリットを得るための「投資もしくは経費」であり，「損失」ではないことを強調したい．

3. 米国留学のよさ，米国を留学先に選んだ理由

　私が米国留学をした理由は，指導してもらいたかった Borlaug 先生が米国の Mayo Clinic にいたから，である．これから留学される先生はどこの施設に留学に行くか大いに迷うとは思うが，きっと興味のあるところに行くのが一番だろうと思う．ただし周辺の状況も現実的に留学先の選定には重要で，私の場合には指導者の他に，指導者の最近の論文数，ラボのフェローの少なさ，日本人フェローの少なさ，治安を考慮していた．ヨーロッパへの留学もきっとよいに決まっているとは思うが，米国留学のよさをいま振り返ってあげるとしたら…アメリカのスケールの大きさ…だと感じている．アメリカ人の体格の大きさ，圧倒される雄大な自然，病院の巨大さ，スーパーマーケットのシリアル売り場の衝撃的な広さ，それからアメリカ人の心の大きさ．Google，Apple，Microsoft，Amazon，Twitter，Space X，OpenAI などのテクノロジー分野に限らず，医療においても様々な新しいデバイスやイノベーションを生み出し世界をリードする米国の器質はこういったところから生まれるのだろうかといつも驚かされる．

終わりに

　もし海外留学に興味があるならば，ぜひ行ってみてほしい．「井の中の蛙大海を知らず」「百聞は一見に如かず」きっと先生方の人生さらにご家族にとっても何物にもかえがたい経験が得られるはず，である．この文章が先生方の留学への一歩をふみだすための一助になればうれしい．私は…できることならばもう一度米国留学に行きたい．

〈小保方 優〉

JCOPY　498-13659

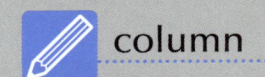

4. 海外留学ってお勧め？ 米国編②

　私は2017年から2019年まで米国カリフォルニア州サンディエゴのUniversity of California, San Diego（UCSD）に心不全の臨床研究を勉強するためにVisiting scholarとして留学した．海外留学がお勧めか？　という問いに対して絶対的な答えはないであろうし，こういった留学体験記には生存者バイアスがつきものである（自分が生存者かはさておき）．良かった点，大変であった点を列挙し読者の皆様の参考になればと思う．

1. 良かった点

①日本からではなかなかアクセスできないデータにアクセスできた．心不全で留学する，というと基礎研究と臨床研究に大別される．基礎研究では自分で実験系を構築し実験データを集めるということになると思う．一方で臨床研究では自分で前向きにデータを集め臨床研究を行っていたらあっという間に留学が終わってしまうため，いかにボスがデータへのアクセスを持っているかが大事だと思う．私が留学したAlan Maiselは急性心不全患者における心腎連関のバイオマーカー研究であるAKINESIS studyの結果を公表したばかりであり，幸運なことにデータへのアクセスができた．自分が日ごろ疑問に思っていることを優れたデータベースで検討できることは留学の大きなメリットの1つである．

②エキスパートとディスカッションできる．興味があるテーマを見つけたらまず簡単にデータをまとめ，ボスや同僚とディスカッションする．進めて良さそうなテーマであれば，論文にまとめて共著者に回覧するのだが，扱うデータベースが国際多施設共同試験であったため，今まで有名雑誌の著者として名前を見ていた研究者と論文のやり取りをしながらディスカッションすることになる．コメントが厳しすぎて収集がつかなくなることもあったが，データを解析しこれまでのエビデンスのなかでどう解釈するべきかを学ぶ貴重な機会であった．

③臨床業務を離れて，落ち着いて勉強する機会が持てる．留学前の日常業務はほぼ虚血性心疾患の診療であったため，心不全そのものに対する理解や統計解析の手法などの学習が不十分なまま留学してしまった．教科書や論文，Review を通読する時間を持つことができ，知識のアップデートができたのは現在の自分の大きな財産となっている．

2. 大変であった点

①英語．ほぼ日本から出たことがなく，学生時代から苦手科目であった英語には本当に苦労した．英語でコミュニケーションが取れなければ，基本的には相手にされないと思ってよい．合計 2 年間留学したものの，結局は日常会話もままならないレベルで帰国することとなった．多少向上した英語力は現在の仕事の助けにはなっている．

②自分が日々行っていることの実感がない．留学してすぐに何か良い結果が出るわけもなく，見知らぬ土地でデータと向き合っていると自分が何をしているのかわからなくなるときがある．日本で臨床医として働いているときは，患者さんからやりがいという大きなエネルギーをもらっていたことを強く感じた．

③小さなラボで同じ境遇の人がいない．ラボのメンバーは Alan Maisel と出入りしているフェロー，医学生，医学部に入りたい大学生，という構成であった．研究業務に特化しているのは自分だけである．大きなラボのようにリサーチフェローみんなで楽しく食事会，という機会もほとんどなかった．その代わりずっと一緒に仕事をしていたフェローの一人とは随分親しくなった．ほぼすべての論文で 1st もしくは 2nd author となり，帰国後も交流が続いている．大きな組織のように熾烈な authorship 争いがなかったのは幸運であった．

　留学はボス，データ，同僚という自分がどうにかできる範疇以外の影響が大きく，不確定要素が大きい．しかし，これまで日本で majority として生活してきた人間が，異国の地に身を置き minority として家族と身を寄せ合って生活するのは，自分にとってはかけがえのない経験であったと思っている．

〈堀内　優〉

Chapter 4-1 強心薬 ドブタミン

Point

- ドブタミンは強心作用と末梢血管拡張作用により，血行動態の改善と心不全症状の軽減が得られる．
- ドブタミン長期投与症例では，うっ血・臓器低灌流の再増悪をきたさないように慎重なモニタリングと，薬物治療・非薬物治療の強化が離脱するうえで重要となる．
- 植込み型VADを見据えた強心薬の用量調整や，在宅でのドブタミン持続静注については，今後症例が増えていくことが予想される．

A ドブタミンの作用機序

カテコラミンはアドレナリン受容体（α_1，α_2，β_1，β_2）に結合することで，様々な生理作用を示す．心筋に存在する受容体の大部分はβ_1受容体であり，心筋収縮増強・心筋弛緩亢進・心拍数増加作用を有する．ドブタミンは心筋β_1受容体に選択的に作用し，心筋細胞内のcAMP濃度を増加させ，心収縮能を増加させる合成カテコラミンである．血管平滑筋α受容体・β_2受容体にも作用し，β_2受容体を介して血管拡張作用を有するため，左室の後負荷軽減が得られる．強心作用と後負荷軽減の効果で，心拍出量の増加を介して，心不全症状の軽減が得られる．α受容体を介した血管平滑筋の収縮作用は弱いことと，β_2受容体への効果で血管拡張作用があり，両者が拮抗することもあり，高用量ドパミンやノルアドレナリンと比較すると昇圧作用は小さい．

B ドブタミンを心不全患者に使用する目的

心不全に対して静注強心薬を使用する目的は，血行動態の改善および心不全症状の軽減・改善という短期効果である．ドブタミンは強心効果と血管拡張作用による後負荷軽減効果によって，低心拍出量の改善と左室拡張末期圧の低下による肺うっ血の改善が得られる．本邦でのガイドラインでは，ドブタミン持続投与は「ポンプ失調を有する肺うっ血患者への投与」がClass IIaで推奨さ

表1 心不全自覚症状および臓器低灌流所見の例

心不全の自覚症状	発作性夜間呼吸困難・起座呼吸，労作時呼吸困難，頸静脈怒張，ラ音，Ⅲ音，下腿浮腫，胸水，体重増加
臓器低灌流所見	四肢冷感，冷汗，チアノーゼ 腎機能増悪・乏尿，血中・尿中電解質（低ナトリウム血症など） 代謝性アシドーシスの進行，血中尿酸値上昇 混合静脈血酸素飽和度（SvO_2）低下　など
初期治療の目標	呼吸困難・倦怠感の軽減 平均血圧 65 mmHg 以上 尿量 0.5 mL/kg/時 以上 $SvO_2 > 70\%$

れており，Nohria-Stevenson 分類における"wet and cold"に分類される症例が良い適応である[1]．収縮期血圧と臓器灌流が保たれた急性心不全に対する第一選択薬ではないため，すべての心不全症例で漫然と導入することは避けるべきである[1,2]．臓器低灌流の所見（四肢冷感・チアノーゼ，乏尿・乳酸値上昇などの検査所見）を認める場合（表1）や血圧低値の症例では，血管拡張薬投与による血圧低下や臓器低灌流の増悪をきたしうるため，ドブタミン投与を考慮すべきである．以前，血管拡張薬投与で尿量低下した症例，強心薬持続投与歴がある症例では早期よりドブタミン投与を検討する．治療開始前後の低灌流の評価は重要であり，具体的には，乳酸値の測定，血行動態モニタリング（Swan-Gants カテーテル・FloTrac® など），尿量・尿所見（尿中電解質: Na，K，Cl）などは，複数回のモニタリングで治療効果の評価ができるため，特に重症例では経時的に評価すべきである．

　ドブタミンは血管収縮作用が小さいため昇圧作用が弱く，心原性ショックを含む血圧低値の症例ではドブタミンの増量だけでなくノルアドレナリンを選択もしくは併用すべきである[3]．また，強心薬投与で心筋酸素消費量は増加するため，残存虚血がある症例では催不整脈作用が現れることがあり，広範心筋梗塞，心臓手術後，心原性ショック時などは慎重なモニタリングが必要である．

　一般的には急性心不全もしくは慢性心不全急性増悪時に，血行動態改善目的に短期間の使用を心がけるべきであるが，重症心不全患者では投与期間が長期化することがある．ドブタミン投与による β_1受容体への刺激が長期化すると，同受容体のダウンレギュレーションが生じ，β_1作用の効果が低下する．この場

合は，PDE-Ⅲ阻害薬の併用もしくは同薬剤への変更を行う．

C ドブタミンの心不全患者における有用性を示すエビデンス

　ドブタミンの心不全患者における有用性のエビデンスは，血圧・臓器灌流の保たれた患者でのプラセボ対照前向き試験のメタアナリシスと，背景因子を補正した後ろ向きコホート解析による報告がある．ドブタミンのプラセボ対照とした13研究のメタアナリシスで，ドブタミン投与は予後を改善しない〔OR 1.47（95%CI 0.98-2.21），p＝0.06〕ことが示された[4]．

　複数の後ろ向き解析では，ドブタミン投与併用群では血管拡張薬投与群と比較して，院内死亡率が有意に高いと示された[5-7]．

　実臨床における不安定な血行動態の心不全患者にプラセボ対照試験を行うことは倫理的に困難であるが，上記の結果から血行動態が安定した後の不必要なドブタミンの長期投与・間欠的投与は控えることが望ましいと判断される．

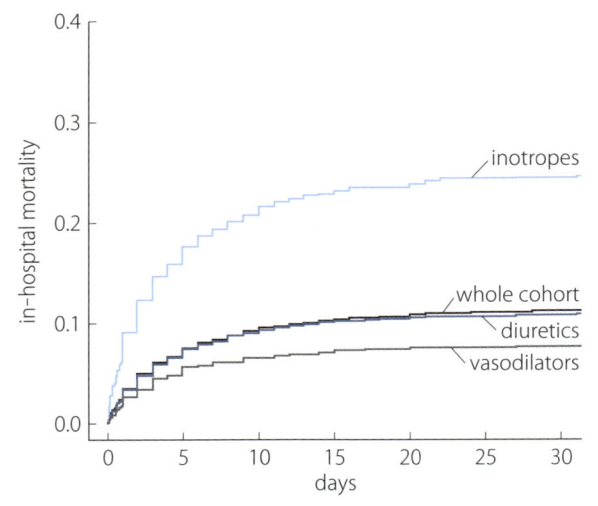

図1　観察研究（ALARM-HF）に登録された急性心不全症例で，入院後48時間以内に最初に投与された静注薬ごとの院内死亡率（背景因子については調整されていない）

Whole cohort（N＝4953），IV diuretics（N＝4167），IV vasodilators（N＝1930），IV inotropes and/or vasopressors（N＝1617）
（Mebazza A, et al. Intensive Care Med. 2011; 37; 290-301）[6]

D 使用する際の注意点　副作用・漸減・漸増・中止の判断

　急性心不全もしくは慢性心不全の急性増悪症例で臓器低灌流所見が明らかな場合に，ドブタミン $2\sim3\,\mu g/kg/min$ の低用量から投与を開始し，自覚症状および臓器低灌流所見を評価しながら，流量調整を行う（流量: $1\sim10\,\mu g/kg/min$）．低灌流をモニタリングする方法として，尿量・乳酸値に加えて，経胸壁心エコーにおける LVOT-VTI 測定や，Swan-Gants カテーテルを留置して，混合静脈血酸素飽和度（SvO_2）モニタリングが有用である．心不全症状・低灌流所見が改善しなければ，ドブタミン増量を行うが，$5\sim6\,\mu g/kg/min$ 程度まで増量しても効果が不十分と判断した場合は，PDE-III 阻害薬の併用が有用な場合がある（ミルリノンの初期投与量: $0.1\sim0.3\,\mu g/kg/min$，併用の際には初期ローディングは行わずに投与開始する）．心原性ショック症例や，臓器低灌流を伴う低血圧症例に関してはノルアドレナリンを併用する．さらに IABP・VA-ECMO・IMPELLA などの MCS についても，血行動態が破綻する前に早期導入することを検討する．MCS は使用後より心拍出量・体液量の適正化を目指し，循環不全や低灌流の改善（血圧の上昇や乳酸値の低下）を確認するまでは十分な循環補助を行い，心不全症状・臓器低灌流所見が改善したのちに weaning を開始し，早期離脱を目指す．

　血行動態のモニタリングがない状態でうっ血の再増悪・臓器低灌流の評価は，身体所見・胸部 X 線・血液検査で評価を継続する．症状・重症度によって $0.2\sim1.0\,\mu g/kg/min$ ずつ減量する．血行動態が増悪している中で無理な減量・離脱を進めことは，心不全患者の予後を悪化させるため，慎むべきである．$1\,\mu g/kg/min$ 以下の減量では，より慎重に $2\sim3$ 日ごとに $0.2\sim0.3\,\mu g/kg/min$ ずつ漸減する．離脱に難渋する場合には経口強心薬（ピモベンダンなど）の投与を追加した上で，再度減量を考慮してもよい．

　重症心不全の場合，ドブタミンを $1\sim2\,\mu g/kg/min$ まで減量する過程で，うっ血もしくは低心拍出症状の再増悪をきたし，それ以上の減量が困難になる場合がある．このような症例では，強心薬投与を継続している段階で，心不全に対する薬物・非薬物療法が最大限に行われているか，植込み型 VAD や心臓移植の適応についても検討する必要がある．植込み型 VAD の Destination Therapy が開始され，年齢や併存疾患の制限が変更されているため，同治療の導入が可能か，VAD 治療に習熟した施設やスタッフとの連携・情報共有を早期から行

うことも重要である.

また，心不全ステージ D の治療抵抗性心不全に対してドブタミン投与から離脱困難な症例が経験される．自宅退院を希望された場合には，在宅ドブタミン持続静注の選択肢についても検討する．本治療に関しては，対応可能な医療機関・サポートスタッフ，長期投与が可能な静脈路（皮下植込み型中心静脈アクセスポート），在宅環境調整，投与用量や点滴交換頻度の設定だけでなく，携帯型ポンプを含む一部の物品は患者負担になることもあり，多職種でのカンファレンスが複数回必要であり，ドブタミンの流量を減らしすぎず心不全症状が安定している段階からの準備が重要である．実際に運用できた報告も少数であり，適応および実施は十分な検討が必要である.

ドブタミンを含めたカテコラミン製剤は末梢静脈からの投与の際に，血管外漏出・静脈炎をきたすことがしばしば経験される．強い疼痛や皮膚潰瘍を形成することもあり，局所の炎症および投与中断に伴う心不全の増悪をきたしうる．静脈炎を疑う場合には早期に末梢から中心静脈カテーテルへの変更を検討すべきである．最近では内頸静脈穿刺の侵襲を考慮し，末梢挿入型中心静脈カテーテル（PICC）での投与を選択する症例もある.

E 同系薬剤との使い分けについて

ドブタミンと同系薬剤として，ドパミン・ノルアドレナリンが上げられる．ドブタミンは心筋 β_1 受容体への作動が中心であり，血管平滑筋への影響が小さいため，昇圧作用は小さい．心原性ショックを含む血圧低値の症例では，ドブタミン単独投与よりノルアドレナリン持続静注を選択する必要がある.

点滴静注で使用する同系薬剤として，PDE-Ⅲ阻害薬が上げられる．PDE-Ⅲ阻害薬は β_1 受容体には作用せず，，その下流の心筋および血管平滑筋細胞内 cAMP の代謝を阻害し，cAMP 濃度を上昇させることで，β_1 作用による強心効果，β_2 作用による血管拡張作用が現れる．β_1 受容体のダウンレギュレーションをきたさないため，ドブタミンの長期投与例では，同系薬剤への変更や併用を検討する．重篤な合併症として心室頻拍・心室細動があり，また，他の強心薬より半減期が長く，腎排泄の薬剤であり，腎機能低下例での使用は注意を要する.

F ドブタミンに関する未知

現在の心不全診療では，植込み型 VAD 治療による Destination Therapy が

保険適応となり，重症心不全に対する治療戦略についても変化が予想される．VAD を前提とすることで強心薬治療も離脱の検討だけでなく，いかに安定した状態で VAD に持ち込むかという観点が重要となる．

　心不全患者の高齢化が進み，増加傾向であることも問題である．フレイルを有する高齢者心不全に対する強心薬投与中の心臓リハビリテーションの有効性や，Stage D の治療抵抗性心不全の症状緩和を目的とした外来での間欠的ドブタミン投与や，在宅でのドブタミン持続静注については，まだ十分な知見が得られていない．今後，適切な準備・導入タイミングを見出し，多くの症例で導入することで，症状緩和・QOL の改善が期待できる強心薬の使用法への知見が集積されることを期待している．

■文献

1) 日本循環器学会/日本心不全学会合同ガイドライン　急性・慢性心不全診療ガイドライン（2017 年改訂版）.
2) Ponikowski P, Voors AA, Anker SD, et al. 2016 ESC Guideline for the diagnosis and treatment of acute and chronic heart failure. Eur Heart J. 2016; 37: 2129-200.
3) De Backer D, et al. Coparison if dopamine and norepinephrine in the treatment of shock. N Engl J Med. 2010; 326: 779-89.
4) Tacon CL, McCaffrey J, Delaney A. Dobutamine for patients with severe heart failure: a systematic review and meta-analysis of randomized controlled trials. Intensive Care Med. 2012; 38; 359-67.
5) Abraham WT, Adams KF, Fonarow GC, et al. In-hospital mortality in patients with acute decompensated heart failure requiring intravenous vasoactive medications: am analysis from the Acute Decompensated Heart Failure National Registry （ADHERE）. J Am Coll Cardiol. 2005; 46; 57-64.
6) Mebazza A, et al. Short-term survival by treatment among patients hospitalized with acute heart failure: the global ALARM-HF registry using propensity scoring methods. Intensive Care Med. 2011; 37; 290-301.
7) O'Connor CM, Gattis WA, Uretsky BF, et al. Continuous intravenous dobutamine is associated with an increased risk of death in patients with advanced heart failure: Insights from the Flolan International Randomized Survival Trial （FIRST）. Am Heart J. 1999; 138: 78-86.

〈加来秀隆〉

Point

- ホスホジエステラーゼ（PDE）-Ⅲ阻害薬はβ受容体刺激とは独立して作用し，心筋収縮の増強効果と血管拡張効果を持つ.
- ポンプ失調を伴う急性心不全に対して適応となり，末梢循環不全の予防・改善を目的に使用する.
- 副作用として血圧低下や不整脈が生じる. 腎機能障害時にはさらに副作用が生じやすくなるため減量して使用する.
- β遮断薬を投与中の症例，肺高血圧の合併や右心不全が強い症例にも有効に作用し，単剤で無効な場合や重症心不全症例ではドブタミンとの併用療法が有効である場合がある.

A　PDE-Ⅲ阻害薬の作用機序

　心筋では，β受容体刺激により促進性 G 蛋白が活性化され，アデノシン三リン酸（ATP）から環状アデノシン一リン酸（cAMP）が産生される. cAMP はプロテインキナーゼ A を活性化し，プロテインキナーゼ A はセカンドメッセンジャーとして収縮に関わる種々の蛋白質をリン酸化する. 心筋細胞膜における Ca チャネルのリン酸化により Ca イオンが細胞内へ流入し，筋小胞体からの Ca 誘発性 Ca 放出が生じる. 加えて，筋小胞体におけるリアノジン受容体のリン酸化により筋小胞体からの Ca イオンの放出はさらに促される. 結果的に心筋細胞内の Ca イオン濃度の上昇が生じ，筋収縮が促進される（図 1）[1].

　PDE-Ⅲは主に心臓や平滑筋に発現し，cAMP を分解する酵素である. よって，PDE-Ⅲ阻害薬は cAMP の分解を抑制することにより，cAMP の作用を増強し，β受容体刺激とは独立して心筋収縮を促す. 一方，平滑筋において cAMP はミオシン軽鎖キナーゼの不活性化に働き弛緩を惹起するために，PDE-Ⅲ阻害薬は血管拡張作用も併せ持つ. つまり，PDE-Ⅲ阻害薬は，強心血管拡張薬として作用する.

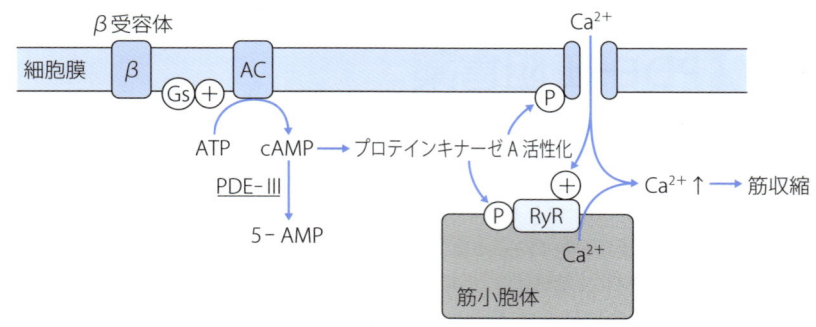

図1 心筋収縮のメカニズム

Gs: 刺激性 G 蛋白，AC: アデニル酸シクラーゼ，ATP: アデノシン三リン酸，cAMP: 環状アデノシン一リン酸，AMP: アデノシン一リン酸，PDE: ホスホジエステラーゼ，P: リン酸化，RyR: リアノジン受容体

B 各国ガイドラインの PDE-Ⅲ阻害薬の適応

　日本の JCS/JHFS ガイドライン（2017年改訂版）では，PDE-Ⅲ阻害薬はポンプ失調と肺うっ血を伴う急性心不全に対して用いる薬剤と記載されている[2]．その推奨度は非虚血性心不全がクラスⅡaである一方，虚血性心不全に対してはクラスⅡbとなっており，心不全の原因によって推奨度が若干区別されている．これは次項に述べる OPTIME-CHF 試験の結果による[3]．また，心拍出量の高度低下に対してのドブタミンとの併用投与について，推奨クラスⅡbとされている．

　ESC ガイドラインでは，PDE-Ⅲ阻害薬の投与の推奨は強心薬として1つの枠組みとして扱われており，収縮期血圧 90 mmHg 未満でかつ低灌流所見を認める症例で標準治療に反応のない場合に，クラスⅡbで推奨されている[4]．症候性の低血圧や低灌流所見を認めない限り，ルーチーンでの使用は推奨されていない．

　AHA/ACC/HFSA ガイドラインでも，PDE-Ⅲ阻害薬の投与の推奨は強心薬としての1つの枠組みとして扱われている．心原性ショックではクラスⅠで推奨されている[5]．左室駆出率の低下したステージDの心不全で，機械的補助循環もしくは心臓移植への適格性がある患者では，"Bridge" としての使用することが推奨されている（クラスⅡa）．一方，適格性のない患者では，緩和目的で使用することが考慮されると推奨されている点は興味深い（クラスⅡb）．

C PDE-Ⅲ阻害薬のエビデンス

急性心不全患者において PDE-Ⅲ阻害薬の予後を検討した研究には OPTIME-CHF 試験[3]，ADHERE[6]の報告などがあるが，多くはミルリノンについての検討である．

OPTIME-CHF 試験は，949 例の慢性心不全増悪患者で，主治医によって強心薬の投与が必須ではないと判断された症例が，ミルリノン投与群とプラセボ群に無作為に割付けられた研究である[3]．入院日数，入院中死亡率，60 日間死亡率に関しては両群間で有意差を認めなかった一方，介入が必要な持続的低血圧や新規心房性不整脈はミルリノン投与群の方が有意に高かった．サブ解析では，虚血性心不全ではプラセボ群に比べ，ミルリノン投与群でむしろ予後が不良であると報告された[7]．米国の非代償性心不全患者の観察研究である ADHERE の解析でも，ニトログリセリン投与群の入院中死亡率 4.7%に対して，ミルリノン投与群 12.3%とミルリノン投与群で入院中死亡率が高いという結果であった[6]．一方で，2016 年に報告されたメタ解析では，ミルリノン使用群とコントロール群で全死亡に差は認めないとも報告されている[8]．

以上から，急性心不全患者における PDE-Ⅲ阻害薬の投与は，少なくとも予後を改善するとは言えず，ルーチンでの PDE-Ⅲ阻害薬の使用は控えるべきで，十分に適応を考慮した上で使用すべきであると言える．

D PDE-Ⅲ阻害薬の投与方法と注意点

日本で使用可能な PDE-Ⅲ阻害薬は，ミルリノン（商品名: ミルリーラ®）とオルプリノン（商品名: コアテック®）の 2 種類がある．いずれも禁忌は閉塞性肥大型心筋症であり，主な副作用としては血圧低下，心室性もしくは上室性不整脈があげられる．その他に，腎機能障害，頭痛，胸痛，嘔吐，血小板減少などが生じうる．

使用方法として，添付文書上は薬物の効果発現を早める目的で loading の記載があるものの，loading は症候性低血圧や不整脈が生じること，持続投与から開始しても血行動態の改善効果には相違がないとの報告もあることなどから[9]，loading は必ずしも行われない．用量としては，ミルリノンは $0.05 \sim 0.25$ $\mu g/kg/min$ で開始し，上述の副作用がないことを確認しながら，$0.05 \sim 0.75$ $\mu g/kg/min$ で持続投与を行う．オルプリノンは $0.05 \sim 0.2$ $\mu g/kg/min$ で開始し，同

じく慎重に漸増し 0.05〜0.5 μg/kg/min で持続投与を行う．肺動脈楔入圧や心係数は投与開始後 2〜3 時間で一定となるとされているために[9]，投与開始 2〜3 時間程度で効果判定を行い，必要があれば 0.05〜0.1 μg/kg/min ずつ増量を考慮する．末梢臓器障害・心不全症状が改善し，血行動態が安定した場合に減量を試みるが，減量に伴い低灌流による臓器障害や症状の増悪を生じる可能性があるために，慎重にモニタリングを行いながら 1〜2 日ごとに 0.05〜0.1 μg/kg/min ずつ減量して中止する．腎機能障害を認める際は，血中濃度が上昇しやすく，副作用の出現頻度が上がり，かつ遷延する傾向にあることから，少量から投与開始をするべきである．高度の腎機能障害を認める患者ではミルリノンでは最大でも 0.2 μg/kg/min にとどめるべきである[10]．

E 同系薬剤の使い分け，ドブタミンとの併用療法

1 PDE-Ⅲ阻害薬とドブタミン・ドパミンとの使い分け

　2021 年に報告された DOREMI 試験では，心原性ショックの患者をミルリノン群もしくはドブタミン群に割付け，その効果が比較された[11]．主要評価項目である入院中死亡や副次評価項目には有意な差を認めなかった．そのため，実臨床では患者ごとの病態にあわせて使い分けることが現実的である．

　PDE-Ⅲ阻害薬もドブタミン・ドパミンも，ともにポンプ失調を有する急性心不全患者が適応であるために，必要となる病態は類似している．PDE-Ⅲ阻害薬の特徴は β 受容体を介さずに効果を発揮することである．また，血行動態的特徴としては，ドブタミン・ドパミンと比して末梢血管抵抗・肺血管抵抗の低下作用が強いこと，心筋酸素消費量の増加が軽度であることが上げられる（表 1）．したがって，PDE-Ⅲ阻害薬は，β 遮断薬を投与中の症例，肺高血圧の合併や右心不全が強い症例への投与に適している．逆に，ドブタミン・ドパミンの方が好まれるのは，PDE-Ⅲ阻害薬で副作用の生じやすい血圧が低い症例や腎機能障害時，また OPTIME-CHF 試験の結果から虚血性心疾患の患者である．

2 ミルリノンとオルプリノンの使い分け

　オルプリノンはミルリノンと比べ，心係数の増加率が低い一方で，肺動脈楔入圧の低下率が高いことが報告されており[12]，血管拡張作用はオルプリノンの

表1　ドブタミン・ドパミンと PDE-Ⅲ阻害薬の比較

種類	用量		薬物動態	効果			
	点滴静注 (μg/kg/分)			心拍出量	心拍数	末梢血管抵抗	肺血管抵抗
ドブタミン	0.5〜5		半減期: 2 分	↑	↑	↓	↕
	5〜20			↑	↑	↕	↕
ドパミン	0.5〜10		半減期: 2 分	↑	↑	↓	↕
	10〜15			↑	↑	↑	↕
ミルリノン	0.05〜0.75		半減期: 50 分	↑	↑	↓	↓
オルプリノン	0.05〜0.5		半減期: 57 分	↑	↑	↓	↓

方が強いと言われている．よって，心係数が高度に低下している症例にはミルリノンが適切と考えられるが，血圧が高い症例にはオルプリノンが適していると思われる．

3 PDE-Ⅲ阻害薬とドブタミンの併用療法

　低用量のドブタミンに低用量の PDE-Ⅲ阻害薬を併用することで，血管拡張に伴う低血圧や心拍数増強作用が少なく，十分な強心作用を得ることが期待できる[13]．具体的には，PDE-Ⅲ阻害薬もしくはドブタミンの単剤で効果が不十分である場合，もしくは単剤での効果が不十分であると予測される重症心不全患者に対して併用療法が有用であると考える．また，心係数の上昇や肺動脈楔入圧の低下作用は，ドブタミンに，ミルリノンもしくはオルプリノンのいずれを追加しても同程度に効果的であったとも報告されている[14]．

F　PDE-Ⅲ阻害薬に関する未知

　現状での PDE-Ⅲ阻害薬に関するエビデンスの基礎となっている臨床研究の解釈には，注意を要する．例えば，OPTIME-CHF 試験では平均 Cr 1.4 mg/dL であるにもかかわらずミルリノンを 0.5 μg/kg/min で開始しており，これは現在本邦で一般的に使用されている用量と比べると高用量である[3]．同様に観察研究の ADHERE でも平均 Cr 1.8 mg/dL にミルリノンは平均 0.54 μg/kg/min で投与されている[7]．これらの試験では PDE-Ⅲ阻害薬の有効性は証明できなかったものの，高用量投与による副作用の増加が，結果に影響した可能性が否

定できない[7]．実際，ミルリノンの場合，臨床上は 0.2〜0.4 $\mu g/kg/min$ の比較的低用量でも十分な効果を認めることが多く，低用量の PDE-Ⅲ阻害薬は心不全における予後改善に有効である可能性もある[15]．個々の症例により投与方法の最適化を図るべきではあるが，どの程度で用量設定をすべきか，低用量PDE-Ⅲ阻害薬とドブタミンの併用療法は予後を改善するかといった点は今後の検討課題である．

■文献

1) Opie LH. Heart physiology: from cell to circulation. Philadelphia: Lippincott Williams & Wilkins; 2004.
2) 日本循環器学会/日本心不全学会合同ガイドライン．急性・慢性心不全診療ガイドライン（2017 年改訂版）．www.j-circ.or.jp/guideline/pdf/JCS2017_tsutsui_h.pdf.
3) Cuffe MS, Califf RM, Adams KF, et al. Outcomes of a prospective trial of intravenous milrinone for exacerbations of chronic heart failure（OPTIME-CHF）investigators. Short-term intravenous milrinone for acute exacerbation of chronic heart failure: a randomized controlled trial. JAMA. 2002; 287: 1541-7.
4) McDonagh TA, Metra M, Adamo M, et al. 2021 ESC Guidelines for the diagnosis and treatment of acute and chronic heart failure. Eur Heart J. 2021; 42: 3599-3726.
5) Heidenreich PA, Bozkurt B, Auilar D, et al. 2022 AHA/ACC/HFSA Guideline for the Management of Heart Failure: A Report of the American College of Cardiology/ American Heart Association Joint Committee on Clinical Practice Guidelines. Circulation. 2022; 145: e895-e1032.
6) Abraham WT, Adams KF, Fonarow GC, et al. In-hospital mortality in patients with acute decompensated heart failure requiring intravenous vasoactive medications: an analysis from the Acute Decompensated Heart Failure National Registry（ADHERE）. J Am Coll Cardiol. 2005; 46: 57-64.
7) Felker GM, Benza RL, Chandler AB, et al. OPTIME-CHF Investigators. Heart failure etiology and response to milrinone in decompensated heart failure: results from the OPTIME-CHF study. J Am Coll Cardiol. 2003; 41: 997-1003.
8) Koster G, Bekema HJ, Wetterslev J, et al. Milrinone for cardiac dysfunction in critically ill adult patients: a systematic review of randomised clinical trials with meta-analysis and trial sequential analysis. Intensive Care Med. 2016; 42: 1322-35.
9) Baruch L, Patacsil P, Hameed A, et al. Pharmacodynamic effects of milrinone with and without a bolus loading infusion. Am Heart J. 2001; 141: 266-73.
10) Hasei M, Uchiyama A, Nishimura M, et al. Correlation between plasma milrinone concentration and renal function in patients with cardiac disease. Acta Anaesthesiol Scand. 2008; 52: 991-6.
11) Mathew R, Santo PE, Jung RG, et al. Milrinone as compared with dobutamine in the treatment of cardiogenic shock. N Engl J Med. 2021; 385: 516-25.

12) 花田裕之. 心不全の治療戦略とホスホジエステラーゼ（PDE）Ⅲ阻害薬の役割. Prog Med. 2005; 25: 2808-13.

13) Gilbert EM, Hershberger RE, Wiechmann RJ, et al. Pharmacologic and hemodynamic effects of combined beta-agonist stimulation and phosphodiesterase inhibition in the failing human heart. Chest. 1995; 108: 1524-32.

14) Hirota W, Katsuya K, Nobuhisa H, et al. Acute efficacy of combined PDE Ⅲ-inhibitor and low-dose dobutamine therapy in patients with acute exacerbation of chronic heart failure receiving beta-blocker. J Cardiol Jpn Ed. 2008; 1: 148-54.

15) Hashim T, Sanam K, Revilla-Martinez M, et al. Clinical characteristics and outcomes of intravenous inotropic therapy in advanced heart failure. Circ Heart Fail. 2015; 8: 880-6.

〈近藤 徹〉

Chapter 4-3 強心薬
経口強心薬

Point

- 経口強心薬は慢性心不全の予後を改善しない.
- QOL 改善，静注強心薬からの離脱，β遮断薬の導入時を目的とした使用が考えられる.
- 漫然と使用することを避け，明確な目的を持って使用することが重要である.

A 経口強心薬の作用機序（図1）

　心筋細胞が脱分極することで細胞膜に存在する L 型 Ca チャネルは開口し，細胞内に Ca イオンが流入する．この流入による軽度の Ca イオンの増加によっ

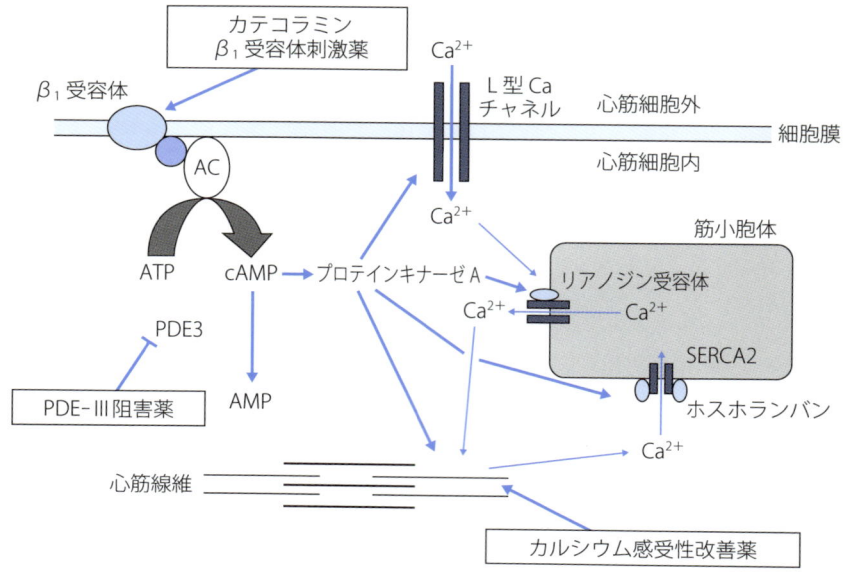

図1 心筋細胞の収縮弛緩と強心薬の作用機序

て，筋小胞体に蓄積している Ca イオンがリアノジン受容体（RyR）を通して急激に心筋細胞内に放出される．Ca イオンがトロポニン C に結合することで心筋細胞は収縮する．

収縮後，筋小胞体に存在する Ca ポンプである SERCA2 によって Ca イオンは再び筋小胞体内に取り込まれ，心筋細胞の弛緩が生じる．このように心筋細胞の収縮・弛緩において Ca イオンが重要な働きをしており，強心薬はこの Ca 動態を修飾することで強心作用を発揮する．

β_1 受容体刺激薬を含むカテコラミンは心筋細胞膜に存在する交感神経 β_1 受容体に作用し，アデニル酸シクラーゼの活性化を通して ATP から cAMP を産生することで，プロテインキナーゼ A（PKA）を活性化する．活性化された PKA は，L 型 Ca チャネルのリン酸化により細胞外からの Ca 流入を増加させ，また RyR のリン酸化により小胞体からの Ca 放出を促進することで心筋細胞の収縮能を亢進する．さらに PKA はホスホランバンのリン酸化により SERCA2 からの Ca 再取込みを促進したり，トロポニン I をリン酸化することでトロポニン C からの Ca イオンの解離を促進したりすることで，心筋細胞の弛緩能も高めている．

また PDE-Ⅲ阻害薬は cAMP を AMP に分解する PDE-Ⅲを阻害し，心筋細胞の cAMP 濃度を維持することで心筋細胞の収縮能，弛緩能を高める．カルシウム感受性増強薬はトロポニンに作用して Ca イオンの反応性を高めるなどの機序で，心筋細胞内の Ca イオン濃度を高めることなく強心作用を発揮している．

B 経口強心薬の使用目的

1980 年代より行われた経口強心薬の大規模臨床試験は予後に対する効果としてはおおむね否定的な結果[1]に終わっており，その使用目的は予後改善ではないことがまず前提となる．そのうえで，以下のような使い方が考慮されている．

1 QOL の改善を目標とした症例

高齢者などにおいて，予後の改善よりも QOL の改善を目指した場合，よい適応となる．内服薬調整では十分なうっ血コントロールが得られず，リハビリが進まないときなどで導入することで息切れ症状が改善することがある．経口 PDE 阻害薬であるベスナリノンの大規模臨床試験である VEST 試験[2]は NYHA Ⅲ〜Ⅳ度，EF≦30％の心不全症例を対象とした試験だが，実薬群でプ

ラセボ群に比して死亡率が増加する傾向にあるものの，早期の段階で有意に QOL の改善を認めた.

2 静注強心薬からの離脱

上記と似たような状況ではあるが，静注強心薬からの離脱が困難となった症例において，年齢や心臓以外の臓器障害，社会的背景などのため心臓移植や補助人工心臓が適応外となることは多い. このような状況では静注強心薬を離脱できるかどうかが患者の慢性期の生活を左右している.「少量の静注強心薬から離脱できない」という場面にもしばしば遭遇する. 静注薬を経口強心薬に置き換えることで離脱できれば慢性期の療養場所の選択肢が増えうる. 自宅退院という選択肢を提示できるようになる.

これらに関しては現行の JCS/JHFS ガイドラインではクラスⅡaの推奨度である. その他，クラスⅡbの推奨度ではあるが以下の使い方がある.

3 β 遮断薬の導入

重症心不全症例では β 遮断薬導入が困難である場面にしばしば遭遇する. この際に経口強心薬を併用することで，β 遮断薬の導入が可能となる可能性がある. Shaker らは NYHA Ⅳ度，平均 EF 17%の症例に経口 PDE 阻害薬であるエノキシモン投与後にメトプロロールの導入を行ったところ，8割の症例で導入可能であったと報告している[3]. また Yoshikawa らは NYHA Ⅲ～Ⅳ度の心不全症例でカルペジロール導入に際してピモベンダン2.5 mgを4週間併用することで12週後にわたり心不全悪化が減少したと報告している[4]. β 遮断薬のように予後を改善する薬剤を導入可能とすることで間接的に経口強心薬が予後を改善させる可能性はある. ただし現時点では β 遮断薬との併用で長期予後に関するエビデンスはないため今後の検証が必要である.

C 経口強心薬のエビデンス

経口強心薬としては心臓 β_1 受容体を刺激するカテコラミン製剤（ドカルパミン，イボパミン），同じ β_1 受容体を刺激するもカテコラミン基をもたないデノパミンやキサモテロール，PDE-Ⅲ阻害薬であるミルリノン，エノキシモン，ベスナリノン，PDE-Ⅲ阻害作用に加えて心筋細胞内で Ca 感受性を増強させるピモベンダンなどがある. 実際に本邦で使用可能であるのは，ピモベンダン（ア

JCOPY 498-13659

カルディ®），ドカルパミン（タナドーパ®），デノパミン（カルグート®）の3
種類である．

1 ピモベンダン

　ピモベンダンは PDE-Ⅲ 阻害作用とともに Ca 感受性増強作用を有する薬剤
である．これは筋原線維のトロポニン C に直接作用し，Ca 結合部位の親和性
を高めることで心筋細胞内の Ca 濃度を上昇させずに心筋収縮力を増加させる．
同程度の強心作用を要する場合，他の経口強心薬と比較して Ca 過負荷を抑え
て強心作用を発揮する分，催不整脈性が減少することが期待される．海外で実
施された慢性心不全に対するピモベンダンの効果を検証した大規模臨床試験
PICO 試験[5]では NYHA Ⅱ〜Ⅲ度，EF 45％以下の心不全症例に対して実薬群
で死亡率増加を認めた一方，本邦で行われた EPOCH 試験[6]では NYHA Ⅱ m〜
Ⅲ度，EF 45％以下の心不全症例に対してピモベンダン 2.5〜5.0 mg（8 割の症
例が 2.5 mg の投与）を用いて，52 週間の観察期間で心不全入院＋心臓死の複
合エンドポイントでプラセボ群に比して約 40％の改善を認めている（有意差は
なし）．また有意に QOL，運動耐容能の改善を認めている．EPOCH 試験と
PICO 試験で結果が異なる一因として PICO 試験では対象患者に虚血性心筋症
が多く含まれていた（PICO 試験: 69％，EPOCH 試験: 34％）こと，心不全治療
として PICO 試験では ACE 阻害薬は必須，逆に β 遮断薬は併用禁止であり，
一方 EPOCH 試験では ACE 阻害薬，β 遮断薬の併用率はそれぞれ 68％，23％
であったことがあげられる．

2 ドカルパミン

　カテコラミン製剤であるドカルパミンはドパミンのプロドラッグであり，内
服後に代謝を受けてドパミンとなり，心臓 β_1 受容体に直接作用し強心作用を発
揮する．同種薬剤であるイボパミンは大規模臨床試験 PRIME Ⅱ[7]において，
NYHA Ⅲ〜Ⅳ度，EF≦35％の心不全症例でプラセボ群に比して平均追跡期間
約 1 年の間で死亡率が 26％増加したと報告されている．

3 デノパミン

　カテコール基を持たないためカテコラミン製剤ではないが，β_1 受容体を刺激
することで強心作用を発揮する．β_1 受容体を選択的に刺激する点ではドブタミ

ンと似る．同種薬としてキサモテロールがあり，短期間の投与で運動耐容能や
QOL，心不全症状の改善を認めるが，NYHA Ⅲ〜Ⅳの心不全に対して100日以
内の観察期間において死亡リスクを2.5倍に増加させたと報告されており[8]，静
注強心薬と同様に可能であれば使用は極力短期間に留めておくべきである．

Ｄ 経口強心薬を使用する際の注意点

　経口強心薬によって症状，QOLや血行動態の改善が得られる一方で，心拍数
増加，心筋酸素需要の増加，細胞内Ca過負荷により惹起される重篤な不整脈
など負の側面もある．そのため予後を改善しないどころか悪化させる可能性の
ある薬剤である，というのが現状の認識である．

　経口強心薬を使用する場合には，使用目的を明確にし，可能な限り短期間の
使用にとどめることが重要であり，次の治療を見据えておくことも必要であ
る．漫然とした長期投与は避けなければならない．

■文献

1) Packer M, Carver JR, Rodeheffer RJ, et al. Effect of milrinone on mortality in severe heart failure. N Eng J Med. 1991; 325: 1468-75.
2) Cohn JN, Goldstein SO, Greenberg BH, et al. A dose-dependent increase in mortality with vesnarinone among patients with severe heart failure. N Engl J Med. 1998; 339: 1810-6.
3) Shaker SF, Abraham WT, Gilbert EM, et al. Combined oral positive inotropic and beta-blocker therapy for treatment of refractory class Ⅳ heart failure. J Am Coll Cardiol. 1998; 31: 1336-40.
4) Yoshikawa T, Baba A, Suzuki M, et al. Effectiveness of carvedilol alone versus carvedilol + pimobendan for sever congestive heart failure. Am J Cardiol. 2000; 85: 1495-7.
5) Lubsen J, Just H, Hjalmarsson AC, et al. Effect of pimobendan on exercise capacity in patients with heart failure: main results from the Pimobendan in Congestive Heart Failure (PICO) trial. Heart. 1996; 76: 223-31.
6) The EPOCH Study Group. Effects of pimobendan on adverse cardiac events and physical activities in patients with mild to moderate chronic heart failure. Circ J. 2002; 66: 149-57.
7) Hampton JR, van Veldhuisen DJ, Kleber FX, et al. Randomised study of effect of ibopamine on survival in patients with advanced severe heart failure. Lancet. 1997; 349; 971-7.
8) The Xamoterol in Severe Heart Failure Study Group. Xamoterol in severe heart failure. Lancet 1990; 336: 1-6.

〈竹内一喬　中本 敬〉

強心薬

その他（ドパミン，ノルアドレナリン，血管収縮薬など）

Point

- ショックを呈する急性心不全において，ドブタミンなどの強心薬のみでは効果不十分な場合に，血管作動薬の併用が考慮される場面がある．
- 血管作動薬として，カテコラミン製剤であるドパミン，ノルアドレナリンがあげられ，その他の薬剤として血管収縮薬であるバゾプレシンがあげられる．
- ショックを呈する急性心不全に対する血管作動薬のなかではノルアドレナリンが第 1 選択である．体血管抵抗の低下などの病態把握をもとに使用することが重要である．

A 作用機序

ドパミン，ノルアドレナリンはともに内因性カテコラミンである．ドパミンはノルアドレナリンの前駆体でもある．ドパミンは用量によって作用発現が異なる．低用量（1〜3 μg/kg/分）ではドパミン受容体（DA1 サブタイプ）を刺激し腎動脈および腸間膜動脈の拡張に伴う血流増加が認められる．中用量（3〜10 μg/kg/分）では β 受容体（$\beta_1 + \beta_2$）刺激作用を示し，陽性変力・変時作用に伴う心拍出量の増加，体血管抵抗の低下が認められる．高用量（>10 μg/kg/分）では α 受容体刺激作用に伴い，体・肺血管抵抗の増大が見られる．昇圧作用としての効果は中用量以上の用量で期待できる．ノルアドレナリンは α 受容体および β 受容体のうち β_1 サブタイプに対する親和性が強い．末梢血管収縮作用とともに陽性変力・変時作用を示し，強力な昇圧作用が期待できる．

バゾプレシンは血管収縮薬の 1 つであるが，生理的には内因性の抗利尿ホルモンである．V_1 受容体は血管平滑筋など，V_2 受容体は腎集合管に分布し，それぞれ末梢血管収縮に伴う昇圧作用，抗利尿作用をきたす．バゾプレシンはノルアドレナリンの血管感受性を高め，併用で昇圧作用を増強することが知られて

いる.

B 使用目的

　ドパミンは中用量以上の用量で強心作用と血管収縮作用を有するため，心拍出量増加と昇圧を期待した使用法が検討される．しかしながら，心拍数増加，不整脈出現などが起こりやすく，急性心不全患者に対する昇圧薬としてはノルアドレナリンが優先的に使用されることが多い．JCS/JHFS ガイドラインの急性心不全における推奨は，尿量増加や腎保護効果を期待しての投与で推奨クラスⅡbである[1]．しかしながら，ROSE AHF 試験をはじめとして低用量ドパミン投与による腎保護効果は否定的なエビデンスが多いことには留意が必要である[2]．ノルアドレナリンはショックに対する血管作動薬として第1選択として用いられることの多い薬剤である．急性心不全患者に対しては，他の強心薬の使用や循環血液量の補正によっても心原性ショックからの離脱が困難な患者に使用を検討する．末梢血管抵抗の増加が認められるため，敗血症性ショックを合併している患者は良い適応である．JCS/JHFS ガイドラインの急性心不全における推奨は，肺うっ血と同時に低血圧を呈する患者へのカテコラミン製剤との併用投与で推奨クラスⅡaである[1]．ESC ガイドラインにおいては，心原性ショックに対する血管作動薬使用は推奨クラスⅡbであり，血管作動薬の中でノルアドレナリンを使用することが好ましいとしている[3]．

　バゾプレシンは昇圧薬としては血管収縮作用による効果のみであるために，急性心不全における使用優先度は他薬剤と比較し低い．一方，ノルアドレナリン抵抗性のショックを有する患者において，内因性バゾプレシンの枯渇が病態形成に関わる可能性が示唆されている[4]．特に敗血症性ショックを合併している，ノルアドレナリン抵抗性のショック患者に対し併用での使用を検討することが，現時点では妥当な使用目的と思われる．敗血症性ショック患者を対象とした VASST 試験ではバゾプレシンの併用により有害事象を増やさずにノルアドレナリン投与量を減少させることが示されている[5]．JCS/JHFS ガイドラインでは急性心不全におけるバゾプレシンの記載は現時点ではない．

C 使い分け

　ショックを呈していない，ポンプ失調を有する急性心不全患者においては，陽性変力作用が最も優先され，ドブタミンや PDE 阻害薬が優先的に使用され

る．血管収縮作用を有する薬剤はかえって心拍出量を低下させ，病態改善に結びつかないことから，本項の薬剤（ドパミン，ノルアドレナリン，バゾプレシン）の適応は低いと考えられる．一方，ショックを呈する患者においては，ドブタミンやPDE阻害薬と併用で血管作動薬の使用を検討する．特に敗血症性ショックを合併した急性心不全患者におけるノルアドレナリン使用は良い適応と考えられる．薬剤選択のうえで最も重要なことは病態の整理である．特に心拍出量と体血管抵抗が個々の患者でどのような状態にあるかを把握し，薬剤選択を行うことが肝要である．実際の臨床において，これらの病態を正しく診断するためのゴールデンスタンダードは肺動脈カテーテル留置と観血的動脈圧測定による心拍出量および体血管抵抗モニタリングである．心不全患者に対するルーチン使用は否定的なエビデンスが存在するが[6]，ショックを呈した急性心不全においては有益な情報源となりうるため[7]，症例によっては肺動脈カテーテルによる病態評価の上での薬剤選択も検討する．動脈圧，中心静脈圧，心拍出量，体血管抵抗の関係は以下の式で表される．

$$平均動脈圧（mmHg）－中心静脈圧（mmHg）＝心拍出量（L/min）×体血管抵抗（Wood単位）$$

　急性心不全患者を対象とした大規模コホートにおいて，強心薬・血管作動薬の使用は，不整脈，心筋虚血，心筋障害をきたし生命予後を悪化させる因子であることが示唆されている[8]．本稿で扱った薬剤群は不必要にまた安易に使用すべきでなく，正しい病態を把握した上で，臨床的ベネフィットを有すると考えられる患者に投与すべきであることは言うまでもない．あらゆるショック患

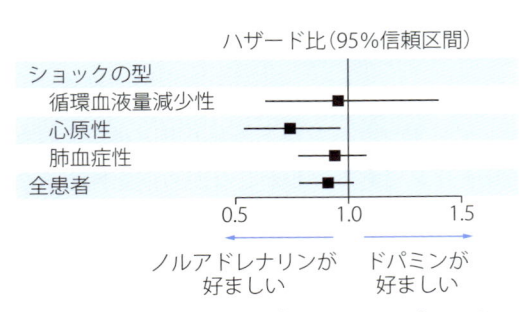

図1 ショックのタイプ別に見たドパミンとノルアドレナリンの有効性の比較

(De Backer D, et al. N Engl J Med. 2010; 362: 779-89)[9]

者を対象としたSOAP II試験では，ドパミンとノルアドレナリンの比較で生命予後の差は見られないものの，ドパミン群では不整脈イベントが多く，心原性ショック患者においてドパミン群はノルアドレナリン群と比較し死亡率が高かった[9]（図1）．前述のごとく，ESCガイドラインにおいては，心原性ショックに対しては，血管作動薬の中でノルアドレナリンを使用することが好ましいとしている[3]．

D 注意点

カテコラミンに共通の副作用として，高用量投与に伴う心拍数上昇や催不整脈作用，血管外漏出に伴う組織壊死があげられ注意が必要である．血管作動薬に共通の副作用として，全身血管の過剰な収縮に伴う臓器灌流障害があげられる．

ドパミンの使用量は目的とする効果により開始用量が異なるが，低用量（1〜3 μg/kg/分）〜中用量（3〜10 μg/kg/分）から開始する．他の強心薬に比べ心拍数上昇や不整脈誘発をきたしやすいことに留意が必要である．ノルアドレナリンは0.03〜0.3 μg/kg/分，バゾプレシンは0.01〜0.04 U/分で持続投与する．血管作動薬投与においては高用量での臓器灌流障害は時に致死的となりうるため，できる限り低用量での投与が望ましい．ショックの原因治療を最優先で行うことはもちろんであるが，血管作動薬の必要量が増えてくるようであれば，必要に応じ機械的循環補助への移行を躊躇せず検討すべきである．機械的循環補助の適切な導入は，血管作動薬の減量，臓器灌流の保持などに寄与し最終的に救命することにつながる場合が存在する．

E 未知

本邦[1]および欧州[3]の心不全ガイドラインにおいて，ショックを合併する急性心不全患者に対して，ドブタミンなどの強心薬と併用すべき血管作動薬の第1選択はノルアドレナリンである．しかしながら，急性心不全において血管作動薬の持つ末梢血管収縮作用は時に心拍出量低下を招き，病態悪化へと繋がりうるため，安易に使用すべきではなく，正しい病態把握特に体血管抵抗の理解が必要である．特に重症例においては，正しい心拍出量と体血管抵抗のモニタリングのために，肺動脈カテーテルなどの使用も検討すべきである．

心不全患者に対する昇圧薬としてのバゾプレシン投与のエビデンスは現時点

では存在しない．バゾプレシンは比較的純粋な血管収縮薬であり心拍出量低下を招き病態悪化の可能性があるため，単剤での心不全診療における役割は少ないと思われる．一方，敗血症性ショック合併時などにノルアドレナリンとの併用でノルアドレナリン必要量を低減できる可能性があり，そのような目的においては，詳細な病態把握を前提として使用を考慮しても良いと思われる．

■文献

1) 日本循環器学会/日本心不全学会合同ガイドライン．急性・慢性心不全診療ガイドライン．（2017年改訂版）．
2) Chen HH, Anstrom KJ, Givertz MM, et al. Low-dose dopamine or low-dose nesiritide in acute heart failure with renal dysfunction: the ROSE acute heart failure randomized trial. JAMA. 2013; 310: 2533-43.
3) McDonagh TA, Metra M, Adamo M, et al. 2021 ESC Guidelines for the diagnosis and treatment of acute and chronic heart failure. Eur Heart J. 2021; 42: 3599-726.
4) Landry DW, Oliver JA. The pathogenesis of vasodilatory shock. N Engl J Med. 2001; 345: 588-95.
5) Russell JA, Walley KR, Singer J, et al. Vasopressin versus norepinephrine infusion in patients with septic shock. N Engl J Med. 2008; 358: 877-87.
6) Binanay C, Califf RM, Hasselblad V, et al. Evaluation study of congestive heart failure and pulmonary artery catheterization effectiveness: the ESCAPE trial. JAMA. 2005; 294: 1625-33.
7) Sotomi Y, Sato N, Kajimoto K, et al. Impact of pulmonary artery catheter on outcome in patients with acute heart failure syndromes with hypotension or receiving inotropes: from the ATTEND Registry. Int J Cardiol. 2014; 172: 165-72.
8) Abraham WT, Adams KF, Fonarow GC, et al. In-hospital mortality in patients with acute decompensated heart failure requiring intravenous vasoactive medications: an analysis from the Acute Decompensated Heart Failure National Registry (ADHERE). J Am Coll Cardiol. 2005; 46: 57-64.
9) De Backer D, Biston P, Devriendt J, et al. Comparison of dopamine and norepinephrine in the treatment of shock. N Engl J Med. 2010; 362: 779-89.

〈池田祐毅〉

強心薬開始の基準，漸減の仕方，その際のチェック項目

Point

- 強心薬が必要な症例を見極め，強心薬を使用する際は組織灌流改善を目的とした限定的な使用とする．低用量から開始し綿密なモニタリングを行う．
- 強心薬開始後は数時間ごとに自覚症状や尿量，心エコー図検査などでの効果判定を行う．
- 強心薬漸減は，自覚症状の改善，血液検査上肝機能・腎機能の改善，胸部 X 線写真での肺うっ血の解除，中心静脈圧＜10 mmHg が得られた時点で考慮する．
- 強心薬漸減後は数日ごとに体重，尿量，CVP，心エコー図検査，胸部 X 線写真などを参考に心不全増悪の有無を検証し，少量ずつ調整を行う．
- 強心薬でも病態改善が得られない場合は，必要に応じて補助循環への移行や，心臓移植登録といった次のステップを検討する．

　近年，心不全に対する新規薬剤の出現に伴い，心不全治療の選択肢が広がっている．しかし実臨床ではこれらの新規薬剤や既存の血管拡張薬，利尿薬で病態改善が得られない症例が存在し，そのような症例に対して強心薬は依然として有用である．2021 年に改訂された ESC ガイドラインでは，収縮期血圧 90 mmHg 以下で標準的治療に反応せず組織低灌流を認める場合に強心薬投与を考慮するとされている（クラス Ⅱb，レベル C）[1]．強心薬は心筋虚血や頻脈，不整脈，死亡率の増加など懸念もあり，ルーチンでの投与は推奨されないが，使用する場合は低用量から開始し，綿密なモニタリング下で慎重に使用する必要がある．長期間使用することは予後不良であるという報告が少なくないことも念頭に置き，強心薬が必要な症例を見極め，あくまで組織灌流改善を目的とした限定的な使用とし，特に高用量での使用期間は短縮するよう心がける[2,3]．

　強心薬は主に心原性ショックや低心拍出量症候群（LOS）により組織低灌流

を認める場合に使用することが多く，身体所見や各種検査から適切に病態を評価する必要がある．Nohria-Stevenson 分類[4]での Cold の所見（小さい脈圧，交互脈，四肢冷感，傾眠，低 Na 血症，腎機能悪化，ACE 阻害薬不耐性）が参考となる．また，尿量減少，食欲不振や全身倦怠感などの自覚症状，血中乳酸値増加（>2 mmol/L，>18 mg/dL）も参考所見となる．

　心エコー図検査はベッドサイドで簡易的に施行可能である．LVOT-VTI は左室流出路の血流速度時間積分値であり，パルスドプラを用いて波形をトレースすることで求められる．左室流出路断面積と掛け合わせることで 1 回拍出量の推定が可能であるが，簡易的に LVOT-VTI を計測，比較することで心拍出量の推定や治療効果判定を行うことができる．一般的に LVOT-VTI 低値は低心拍出状態を示唆し，組織低灌流を示すパラメータの 1 つになる．LVOT-VTI 14 cm 以下で心拍出量低下，10 cm 以下は高度低下を示唆する．ただし，安定した状態でも LVOT-VTI が低値の症例も散見されるため，他の指標との組み合わせや前回の数値との比較といった経時的な評価が必要な場合もある．また，心エコー図検査は収縮能，拡張能，体液量，右心機能などのあらゆる評価が可能であり，血行動態の把握の非侵襲的検査として非常に有用である．

　血行動態の正確な評価には右心カテーテル検査が有用であるが，侵襲的検査であることに加え，明確な予後改善効果や心不全管理に有効かどうかはいまだ認められていない[5]．そのためルーチンでの評価は行わないが，血行動態の理解に難渋する場合や治療効果に乏しく，強心薬を含めた追加治療を検討する場合などには非常に有用である．右心カテーテル検査で計測した心係数が 2.2 L/min/m² 以下や，混合静脈血酸素飽和度（SvO_2）低下（<60％）も強心薬開始の基準となりうる．

　上記のような組織低灌流を示唆する症状や所見があり，各種検査で低拍出が疑われる場合は強心薬投与を検討するが，1 つの指標のみで投与の有無を判断するのではなく，複数の所見を用いて総合的に評価する必要がある．

　我々の施設では，心不全患者に対し強心薬を使用する際ミルリノンは血圧低下や腎機能低下例では使用しにくいといった懸念から第 1 選択としてドブタミンを 1〜2 μg/kg/min の低用量より開始している．特に病歴が長い重症心不全においてはドブタミンの投与量は 1 μg/kg/min でも有効な例が多く，また漸減にかかる時間を考慮し低用量から開始している．ドブタミンは高用量になると

末梢血管抵抗が大きくなり，心拍数の増加，心筋酸素消費量の増大を招く可能性があるため増量しても 4 μg/kg/min 程度に留める．ただし，感染症合併やショックの場合はさらに高用量投与せざるを得ない場合があり，画一的ではなく症例ごとに投与量を調整する必要がある．

ミルリノンはドブタミンと異なる作用機序であり，β 受容体を介さずに強心作用，血管拡張作用を発揮する．そのため，β 遮断薬投与中の症例や，肺高血圧があり肺血管拡張作用を期待したい場合はミルリノンを第 1 選択とすることもある．しかし，収縮期血圧 90 mmHg 以下の低血圧症例や，臓器障害が進行し強心薬開始時にすでに腎機能障害を認めるケースも散見されるため，個々の状態や経過に応じて使い分けるのが現実的である．

強心薬開始後は数時間の間隔で自覚症状やバイタルサイン，尿量，心エコー図検査の各種パラメータを用いて治療効果判定を行うとともに，催不整脈作用による不整脈出現に注意する．また，ドブタミン投与中は心筋や血中の好酸球上昇を認めることがあり，薬剤に対する過敏反応を反映している可能性がある．その場合ドブタミンの減量/中止，ドパミンなど他剤への変更を検討する．

ドブタミン 2 μg/kg/min 程度で，前述した組織低灌流を示唆する症状や，検査所見の改善が得られない症例は早期からミルリノンの併用を考慮する．開始する際は収縮期血圧 90 mmHg 以上（可能なら 100 mmHg 以上）が望ましい．腎機能正常症例では 0.1 μg/kg/min 程度から開始し，0.05 μg/kg/min ずつ増量するが，ミルリノンは低血圧や不整脈増加リスクがあるため増量しても 0.3 μg/kg/min 程度に留める．Cre は 2 mg/dL 以下が望ましいが，Cre 1〜2 mg/dL 程度の軽度腎機能低下例でも重篤な不整脈発生リスクはあるため，腎機能障害を有する症例では投与の有無，投与量，増量タイミングをより慎重に判断する．有害事象発生時は薬剤の減量または中止を検討する．

ドパミンに関しては本邦の JCS/JHFS ガイドライン（2017 年改訂版）では尿量増加や腎保護効果を期待しての投与が class Ⅱb となっているが，尿量や腎保護効果に関する報告は様々である[6]．また心原性ショック時にドパミン使用群では，ノルアドレナリン使用群よりも有害事象の増加や死亡率上昇と関連があるといった報告[7]もあるため，昇圧目的ではノルアドレナリンを使用することが多い．心不全治療でドパミンを使用する場合は 1.5 μg/kg/min または 2 μg/kg/min 程度の低用量から開始し，最大投与量は催不整脈作用などを考慮し 4 μg/kg/min 程度に留める．4 μg/kg/min 以上必要な場合はノルアドレナリンの

使用を考慮する.

　強心薬開始時の急性期に溢水状態であれば，強心薬使用により心拍出量を増加させながら利尿薬の併用により体液量の調整を行う．フォローアップとして血液検査，胸部 X 線写真，尿量や体重の推移，心エコー図検査，中心静脈圧（CVP）を適宜確認し，これらの検査で肝機能，腎機能の改善や肺うっ血の解除，中心静脈圧（CVP）<10 mmHg が得られた時点で強心薬の漸減を開始する．ドブタミンであれば0.3〜0.5 μg/kg/min ずつ，ミルリノンは0.03〜0.05 μg/kg/min ずつの低用量で病態に応じて調節していく．ドブタミンとミルリノンを併用している症例，β 遮断薬の増量を考慮している症例は β 遮断薬との効果が相反するドブタミンから減量することが多い．重症症例であるほど減量とフォローアップのタイミングは慎重かつ綿密に行う必要があり，先述したパラメータや自覚症状に増悪がなければ，上記減量速度に従い減量し，数日後に再評価を繰り返し減量していく．強心薬減量後に体重増加（減量時から 1 kg 程度の増加），尿量低下（減量時から 30% 以上の低下），CVP 上昇（10 mmHg 以上への上昇），心エコー図検査での悪化所見（LVOT-VTI の 20% 以上の低下，三尖弁逆流圧較差 10 mmHg 以上の上昇，僧帽弁逆流の増大），胸部 X 線写真での肺うっ血の増強，腎機能，肝機能の悪化などを認める場合は，強心薬の投与量を心不全が増悪する前までに戻したうえで利尿薬調整など他の治療による介入を行うか，もしくは再増量せずに他の治療による介入を行う．その後再び同項目を再評価し，強心薬のこれ以上の減量が困難な場合には，必要に応じて機械的補助循環（MCS）を検討する．年齢や併存疾患など様々な要因で侵襲的治療へ移行できない場合は，経口強心薬を開始し静注強心薬離脱を試みることもある．その際も急激に静注強心薬を減量中止するのではなく，経口強心薬と併用しながら上記所見をこまめに確認し漸減中止を行う.

　最後に，強心薬が開始になるということは，心不全 Stage C から D へ移行途中である可能性も否定できない．強心薬を離脱できたとしても，退院後すぐに心不全増悪で再入院をきたす症例をしばし経験する．また，長期間強心薬でねばり続けた結果，肝臓・腎臓などの臓器障害が進行してしまう可能性があり，その場合臓器障害の程度によっては MCS への移行や心臓移植など次の治療への障害となり得る．強心薬投与が必要な症例では適切な血行動態評価に加え，治療の次のステップへのタイミングを見逃さないこと，症例によっては特に心

臓移植登録への移行も念頭に置く必要があり，連携施設との情報共有や患者の意思決定支援も重要となる．

■文献

1) McDonagh TA, Metra M, Adamo M, et al. 2021 ESC Guidelines for the diagnosis and treatment of acute and chronic heart failure. Eur Heart J. 2021; 42: 3599-726.
2) Silver MA, Horton DP, Ghali JK, et al. Effect of nesiritide versus dobutamine on short-term outcomes in the treatment of patients with acutely decompensated heart failure. J Am Coll Cardiol. 2002; 39: 798-803.
3) O'Connor CM, Gattis WA, Uretsky BF, et al. Continuous intravenous dobutamine is associated with an increased risk of death in patients with advanced heart failure: insights from the Flolan International Randomized Survival Trial (FIRST). Am Heart J. 1999; 138: 78-86.
4) Nohria A, Tsang SW, Fang JC, et al. Clinical assessment identifies hemodynamic profiles that predict outcomes in patients admitted with heart failure. J Am Coll Cardiol. 2003; 41: 1797-804.
5) Shah MR, Hasselblad V, Stevenson LW, et al. Impact of the pulmonary artery catheter in critically ill patients: meta-analysis of randomized clinical trials. JAMA. 2005; 294: 1664-70.
6) 日本循環器学会/日本心不全学会合同ガイドライン．急性・慢性心不全診療ガイドライン（2017 年改訂版）．
7) De Backer D, Biston P, Devriendt J, et al. Comparison of dopamine and norepinephrine in the treatment of shock. N Engl J Med. 2010; 362: 779-89.

〈永田春乃　千村美里〉

移植申請のタイミング，機械的補助循環（MCS）と薬剤併用

Point

- 心臓移植申請は，治療を最適化しても 1 年に 2 回以上の心不全入院を繰り返すようになった時点が目安となる．
- 心原性ショックにまで至ってしまった場合は，補助循環によって循環動態の安定をはかりつつ，移植申請を行う．
- 補助循環の特徴を理解し，病状に応じた補助循環を選択し，補助循環の弱点を薬剤によってカバーすることが，適切な治療につながる．
- 補助循環導入後の出口戦略を意識し，地域一体となった重症心不全治療を行うことで救命率向上につながる．

　心臓移植が可能な施設は日本国内でも限られているが，末期心不全に対する選択肢としては，各種ガイドラインにも明記された治療法である．そのため，心不全診療に携わる医師は，心臓移植の適応の可能性がある症例は，申請に適切な時期を逸しないように，移植判定が可能な施設と連携することが求められる．心臓移植の適応としては，2023 年現在のわが国では，「65 歳未満で，心不全に対して適応し得るすべての標準的な治療を行った上でも，重症心不全の状態を脱することができない状態」であることが参考になる．また，2021 年に植込み型左室補助人工心臓（left ventricular assist device: LVAD）の長期在宅治療（destination therapy: DT）への適応が保険収載され，重症心不全に対する治療の選択肢が広がった．

　重症心不全の分類としては，INTERMACS Profiles[1]がよく用いられる（**表1**）．移植申請を考慮すべき時期として Profile 3〜4 が目安となる．1 年に 2 回以上の心不全入院歴がある場合は，Profile 4 と考えられる．しかしなかには Profile 1〜2 に至ってしまうこともあり，このような症例では機械的補助循環（mechanical circulatory support: MCS）を用いて病状を安定化させる必要がある．

表1 INTERMACS Profiles

Profile	状態
1	心原性ショック
2	カテコラミン使用下でも進行性増悪
3	カテコラミン使用下で安定
4	繰り返しの心不全入院
5	安静時・日常生活動作での心不全症状
6	安静時症状はないが, 労作は制限
7	NYHA Ⅳに近い NYHA Ⅲ

(Stevenson LW, et al. J Heart Lung Transplant. 2009; 28: 535-41[1])より改変)

　移植適応承認が得られている症例や, その見込みが相当高い症例, DT 適応の症例では長期管理に適した植込み型LVADが選択できるものの, 多くの場合は, 移植適応が判然とせず, 適応判定までの橋渡しが必要になる. そのような場合には, 大動脈内バルーンパンピング (intra-aortic balloon pumping: IABP), 静脈脱血・動脈送血膜型人工肺による循環補助(venous arterial extra-corporeal membrane oxygenation: VA-ECMO), IMPELLA などの MCS を使用する.

A MCS の種類と特徴

1 IABP

　IABP は心臓の拡張期にバルーンが拡張させ, 後負荷が軽減することで心筋酸素消費量を低下させ, 冠血流が増加することで酸素の需要供給のバランスを改善させることで心拍出量を増加させる. しかし, 補助流量は 0.3〜0.5 L/min と少なく[2], 重症の心原性ショックに対し, IABP 単独では循環補助としては不十分である.

2 VA-ECMO

　VA-ECMO は INTERMACS Profile 1 の症例に対して使用され, 循環血液を右房から大動脈へバイパスする. 単独で十分な補助流量を確保できる一方で,

脱血による左室前負荷の減少と，送血による左室後負荷の増加はともに左室の心拍出量を減少させる．とりわけ，後負荷増加の作用が顕著となると，大動脈弁の開放制限や，持続的な閉鎖を引き起こし，左室拡張末期圧の上昇によって肺うっ血を増悪させる．また，左室内に血液が滞留することによって左室内血栓を合併する原因にもなり得る．VA-ECMO 管理において，大動脈弁の安定的な開放は，安定した全身管理を行う上で最も重要な指標の1つである．

　大動脈弁を安定的に開放するために，補助流量（ポンプ回転数）を低減するという方法もあるが，前負荷増加（脱血量減少）に伴う肺うっ血の増悪と，補助流量低下に伴う組織低灌流を誘発するリスクを伴う．そのため，我々の施設では，VA-ECMO のみで 2.2 L/min/m^2 以上の十分な補助流量を確保できるよう，必要であれば送脱血管のサイズアップを行い，IABP，強心薬，血管拡張薬を併用して大動脈弁を安定的に開放する方法をトライしてきた．とりわけ，血管拡張薬によって平均血圧 60〜70 mmHg を目指して降圧し，後負荷の軽減を目指す "high-flow/vasodilation method"[3] と呼ばれる方法により，比較的長期間の VA-ECMO の管理が可能となった．しかし，これらの方法を用いても，大動脈弁の開放が維持できない場合や，肺うっ血が進行する症例については救命のために体外設置型 VAD の装着が必要であった．しかし，IMPELLA の登場により MCS を要する重症心不全治療は大きく変化した．

3 IMPELLA

　詳細は他項に譲るが，IMPELLA は左室から脱血し上行大動脈に送血する経皮的 VAD であり，本邦では 2016 年に IMPELLA 2.5（最大補助流量 2.5 L/min）および IMPELLA 5.0（最大補助流量 5.0 L/min）が薬事承認され，2023 年現在，IMPELLA CP SmartAssist（最大補助流量 3.7 L/min），IMPELLA 5.5 SmartAssist（最大補助流量 5.5 L/min）が主に使用されている．左室 unloading をしながら十分な補助流量を確保できる点が他の経皮的 MCS に優れるポイントであり，腋窩動脈アプローチからアプローチすることで，座位や立位，症例によっては歩行訓練も可能であり，日常生活動作を落とさずに管理ができる点が強みである．

　また，前述の VA-ECMO 挿入後に生じる大動脈弁の開放制限や肺うっ血の進行といった問題点は IMPELLA を併用（ECPELLA）することで解消できる．体外設置型 VAD は，移植施設など一部の経験豊富な施設を除いてはハードル

が高い選択肢であったが，IMPELLA 実施施設は 2023 年 4 月現在，250 施設にまで増加し，47 都道府県すべてに存在するため[3]，非 IMPELLA 実施施設において VA-ECMO が導入された場合，近隣の IMPELLA 実施施設と連携することで救命可能な症例が増加することが期待される．

B MCS サポート下での薬剤使用

1 強心薬

　VA-ECMO，ECPELLA の維持管理中は，全身の血流は VA-ECMO に依存するため，組織灌流量を増やす目的での強心薬は不要である．不用意な強心薬の長期使用は，心筋における作用減弱を引き起こし，本当に強心作用を得たい時期に，強心作用が得られなくなるという懸念があるため避けるべきである．しかし，IMPELLA 単独で管理を行う場合，右心不全が強い症例においては右室から左室への灌流が少なく，IMPELLA の補助レベルを上げられない場合がある．我々はドブタミンや PDE-Ⅲ阻害薬，もしくはその併用を行うが，腎不全がある場合には薬剤蓄積による催不整脈作用を考慮して PDE-Ⅲ阻害薬は積極的には選択せず，使用する場合でも少量で慎重に行う．強心薬使用によっても循環維持が困難な場合には，VA-ECMO の追加を考慮する．

2 血管拡張薬

　VA-ECMO（±IABP）の管理では，前述の "high-flow/vasodilation method" を行っており，積極的に血管拡張薬を使用してきた．具体的な薬剤に関しては，反応の迅速性・調節性からニトログリセリンを使用し，利尿も得たい場合にはカルペリチドを用いることもある．ニカルジピンを使用することもあるが，心臓に対して陰性変力作用を持つことから，使用に際しては慎重な判断が必要となる．

　ECPELLA の管理では，後負荷の増大による大動脈弁の開放制限や肺うっ血の懸念が解放されるため積極的な血管拡張薬の使用は行っていないが，血圧上昇による脳出血リスクを低減させるため，平均血圧 85 mmHg 以下となるように血管拡張薬を使用している．

C MCS 導入後のストラテジー

　MCS 導入後，特に心原性ショックにより VA-ECMO または ECPELLA が導入された場合には出血や塞栓症，感染症など合併症との戦いとなる．治療が長期化する場合には覚醒下で管理ができ，座位や歩行訓練などのリハビリテーションが可能となる IMPELLA 5.5 SmartAssist や体外設置型 VAD への交換を検討する．IMPELLA 5.5 SmartAssist や体外設置型 VAD は，十分な補助流量を確保できる一方で，MCS に依存状態となってしまう可能性もあるため，出口戦略を用意した上で導入することが重要である．具体的には，心機能を回復させ，MCS から離脱する方法があるか（薬物治療の強化，血行再建，弁膜症治療など）（bridge to recovery: BTR），植込み型 LVAD の適応となる心臓移植の適応（bridge to transplantation: BTT）や DT の適応があるかを確認する．前者の場合には MCS サポート下に早急に治療介入を行い，後者の場合には移植施設や植込み型補助人工心臓実施施設との連携が必要である．

D MCS からの離脱

1 VA-ECMO

　VA-ECMO が適切に管理されていれば維持期に右心不全が問題となることはほとんどない．これは，VA-ECMO が右心不全をマスクしているということであり，離脱期には右心不全が顕在化することがあり得る．体液量が過少であれば補液を行い，加えて右心不全サポートの意味でドブタミンや PDE-Ⅲ阻害薬などを使用する．それでも右心系から左心系への灌流が悪く，自己心拍出低下のために血圧が維持できない場合は，一酸化窒素（NO）吸入を試みることもある．体血圧をみながら，10～40 ppm 程度で使用する（ただし，NO 吸入は新生児や心臓手術後肺高血圧にのみ保険収載されている）．

2 IMPELLA

　IMPELLA は強力な左室補助デバイスであり，十分な左室機能の改善が得られていない症例については左心不全サポートの意味でドブタミンや PDE-Ⅲ阻害薬などを使用しながら補助レベルを P2 まで下げ，尿量，肺動脈楔入圧，cardiac power output（平均大動脈圧×心拍出量/451），血液検査データ（腎機能，

肝機能悪化の有無）などを参考に IMPELLA 離脱可能か判断する.

3 ECPELLA

　原則として VA-ECMO，IMPELLA の順にウィニングを行うが，高度の右心不全症例においては，IMPELLA からウィニングを開始する場合もある.

　以上，著者らが行っている MCS 下での薬剤管理の考え方を紹介した. MCS が適応される症例の病状は重篤で，病態が多岐にわたることから，確立した管理方法はない. よって，症例毎にベッドサイドで，MCS の特徴を知り，血行動態の把握を十分に行ことが適切な治療に繋がる. 本稿では，主に移植申請が必要な最重症の心不全症例を念頭に我々の管理方法を紹介した.

■文献

1) Stevenson LW, Pagani FD, Young JB, et al. INTERMACS Profiles of advanced heart failure: The current picture. J Heart Lung Transplant. 2009; 28: 535-41.
2) 補助人工心臓治療関連学会協議会 インペラ部会　https://j-pvad.jp/facility/
3) Kondo T, Sawamura A, Okumura T, et al. Promising method for management of venoarterial extracorporeal membrane oxygenation: A case of severe heart failure successfully stabilized by "high-flow/vasodilation method". J Cardiol Cases. 2018; 18: 81-4.

〈大石英生　澤村昭典〉

5. 海外留学ってお勧め？ ヨーロッパ編①

1. 海外留学へは行くべきか？

　留学をしてみて海外留学ってどうですか？　やっぱり行ったほうがいいですか？　という質問をされることが増えてきた．これに対する私の答えは"yes"であり，周りの留学経験者に聞いてもそう返ってくることが多いように思える．ただし，以前に比べた時にとりあえず行ってみるか!!　というにはハードルが高くなっているのは事実である．欧米は新型コロナウイルスによる渡航制限や生活の制限はほぼなくなっているが，昨今の円安，インフレに伴う経済的な負担は無視できないものである．海外留学にはそれなりの時間・コストがかかるのだから，ありきたりかもしれないが，何のために行きたいかは考えておくことが重要である．

　私は自分が日本で行っていた心臓画像の研究を，世界的な施設で行いその手法を学ぶことを目標にオランダ・ライデン大学へ留学をした．行っている研究自体は，心エコーやCTなどの画像検査を解析し，臨床データとの関連を見るものである．これは正直なところ日本で行っていることと劇的に違うわけではないが，データベースの量や質や使える画像解析ソフトウェアの豊富さなど研究のシステム自体に大きな差を感じた．何よりその分野のトップランナーから直接指導を受けることは，オンライン会議が当たり前になった今でも留学をしなければ難しいだろう．特に研究のミーティングだけでなく，コーヒーを飲みながらのちょっとした雑談からも，考え方や信念を知ることができた．研究の内容も大事だが，こういうところが実は留学して本当に良かったと思うところである．

　私は運良く自身の希望する施設へ行くことができたが，上司からの流れであったり，コネクションがなかったりなどでなかなか理想の施設に行くことができないこともあるだろう．そういう時には候補となっている施設でできそうなことは何か，自分がそこに行ったら何をやれそうかというように考えればいいと思う．

海外留学のチャンスは多くはない．どうしようかなと悩んでいるうちに結局行けなくなった人も多く見てきた．目的が〜〜とは書いたが，実際のところ最後は勢いで行くみたいなところもあるので，チャンスが巡ってきたら飛び込んでみるのも悪くないと思っている．自分の思い描いたようにいかない時はおそらくどうしても出てくるが，それでも日本を離れ世界に触れ，日本を俯瞰的に見るというのは得難い経験であり，それはオンラインでの交流が進んだ今でも変わることはない．

2. 留学先としてのヨーロッパ

　私は先述のようにオランダに2年間留学をしている．ご存知のようにヨーロッパは多くの国がありながら，EUとして1つの集合体を形成している．そのためEU内での国を跨いだ人の行き来は日本でいうところの他の県に行くくらいの感覚である．よって日本の国内留学に近い形で母国以外から研究に来るフェローも多く，必然的に様々なバックグラウンドを持つ人々が集まる．この背景から多様性を受け入れる土壌ができており，あなたが留学に行った際にも研究チームはもちろん日常生活にも溶け込みやすいと思う．またバックグラウンドの違う人同士で話すことは，各国の医療体制の違いや文化の違いを知ることができるのでとても楽しいし世界が広がる瞬間である．

　留学の1つのハードルとなる言語だが，私の印象では多くの人がノンネイティブであることから仕事での英語の要求水準はアメリカに比べると低いように思う．これはメリットだと思うが，一方でもし留学で臨床を行う場合や日常生活においては各国の母国語が使えないと厳しい場面が出てくる可能性があるというデメリットもある．

　留学におけるもう1つの障害であるビザの取得に関しては，各国で難しさが異なるので一般化はできない．ただアメリカの留学経験者と話しているとアメリカよりは容易なことが多い印象を受ける．EUは1つの集合体と言ってもビザ，生活面は各国で違う部分が出てくるので，候補となる留学先の留学経験者に話を聞くことをお勧めする．

　オランダの場合を話しておくと，オランダ人は多くの人が英語を使うことができるので日常生活は英語のみで十分対応できる．またビザに関しても受け入れ先の大学が対応してくれ，必要な金額水準も高くないので，ヨーロッパのなかでも留学しやすい国であると思う．私もそうなのだがオランダへの研究留学

の場合，PhDコースに入り学位取得を目指す流れになることが多いように思う．これは特に PhD 未取得者において魅力的なオプションである．

　個人的にヨーロッパの生活はとても楽しく，日本とは異なる歴史ある街並みを見ながら生活することができるし，少し足を伸ばせば別の国にも行ける．1人でも楽しいと思うが，家族がいるとその楽しさは何倍にもなる．ぜひこのコラムが未来に留学を志す人の役に立てば嬉しい限りである．

〈鍋田　健〉

6. 海外留学っておすすめ？
ヨーロッパ編②

1. 海外留学した方がよい？

　私は，執筆段階では1年半英国で過ごしているが，私自身は，現時点では留学して本当に良かったといえる．もし，"留学っておすすめですか？"と聞かれたら，"おすすめですよ"と答えるだろう．

　海外留学すべきかどうかは，考えている留学後のキャリアに大きく依存するだろう．日本が先行している領域もあるが，海外で時代の先端を学ぶことはそれ自体が非常に魅力的である．そして，その研究・臨床を行うこと自体がその領域の大きな貢献となる．さらに，その知識が留学後に生かされるものならば，日本への大きな貢献となるだろう．もちろん，留学後のキャリアが現時点ではイメージが難しい場合もあるし，将来的に海外留学とは関係ないことを考えている場合もあるだろう．しかし，だからといって海外留学が無駄になるというわけではない．私自身は昔から漠然とした海外留学に対する憧れを持っていたために，キャリアと切り離しても，人生のよい経験になっていると感じている．海外留学を通じて新たなキャリアが開けることもある．また，海外留学を通じて，より客観的に，自分や日本の行ってきたこと・行っていること・今後行うべきことを見つめなおす良い機会になると考える．

2. いつ留学する？

　日本から医師が留学する場合は，多くの場合は大学院を卒業した後の post doctoral fellow（臨床・基礎研究）や，何らかの臨床経験を積んだ後にさらに specialty を磨くための臨床留学が多い印象がある．ただ，海外では初期・後期研修医にあたる時期を終えた直後もしくは終える前の，比較的キャリアの早期に留学に来るケースも多い．いずれの時期に留学するかは留学の目的によるが，キャリアのいずれの時期であっても留学もしくは海外での活動というのは常に選択肢にして考えてよいと思う．

3. どこに留学する？

　もちろん，自分が一番興味のあることを行っている留学先に留学するのが一

番良いであろう．現時点で歩んでいることと違う内容を行っている留学先であっても，新たな分野の見識を広げることは可能なので問題ないと思う．

　しかし，海外というざっくりした枠組みでは膨大な選択肢があり，どうやって留学先を決めるかに迷うことが多いであろう．世界的な Big name のボスである留学先が，本当にその人にとってベストかどうかはわからない．おすすめの考え方があるとすると，同じような状況で留学していた人もしくは現地の人が，留学先で自分の行いたいような活動ができているか？　という基準である．自分が留学した際にも同じように活動できる可能性が高いからである．

4. 留学って，何が大変？

　困難性だけによってどう行動するかを決めるべきではないと思うが，留学する上で何が大変かを知っておくことで留学のイメージがつき，事前に対処可能なことも多いと思う．

　一番重要な点は，家族と生活の問題である．この記事を読んでいて留学について考えている読者は，留学すると決めた時には覚悟を決めていくと決めたということになると思うが，家族は必ずしもそうではない．家族は行かなくてもいいなら行きたくないと考えていることも多いと思うし，パートナーの仕事の問題もある．留学先で給与が出る場合もあるが，そうでない場合は何らかの Grant を取得したり貯金を使って生活をすることになり，安定した金銭状況ではなくなる．どうするべきかという答えはないが，少なくともかなり事前からしっかりと相談しておくのが本当に重要である．ただ一方，私の場合は国内にいる時より家族と過ごす時間はかなり多くなり，留学先から容易には行けない各地を訪れることが可能になり，それは海外留学することによって得られた大きなメリットであったと感じている．

　また，所属先との相談，留学先の決定，Grant の取得，ビザ取得，現地での生活のセットアップなど，留学に関する各ステップのハードルを想像しただけで及び腰になってしまうほどかもしれない．しかし，留学を経験した先人たちも多くの苦労を同じようなサポートで乗り越えてきたからだと思うが，いざ留学すると決めた際には無償のそして思わぬ形で多くの手が差し伸べられることがあることを知ってもらいたい．したがって，留学を少しでも考えている先生は，まずはその経験のある先生に相談するところから始めると，意外とその道が開けることがあると思う．

〈近藤　徹〉

硝酸薬とCa拮抗薬の違いと使い分け

Point

- 硝酸薬は静脈系優位の血管拡張作用を有し前負荷軽減を目的として使用され，血圧の保たれた肺うっ血症例に有効である．
- 硝酸薬は頭痛，耐性の問題がある．
- ジヒドロピリジン系Ca拮抗薬は動脈系優位の血管拡張作用を有し後負荷軽減を目的として使用する．
- 非ジヒドロピリジン系Ca拮抗薬は主に心房細動（粗動）での心拍数コントロールに用いられるが，心機能低下例では禁忌である．

A 硝酸薬

- 硝酸イソソルビド（ISDN，ニトロール®）
- ニトログリセリン（ミリスロール®，ミオコール®，ミオコールスプレー®）

1 作用機序

　細胞内で一酸化窒素（NO）を発生し，グアニル酸シクラーゼを活性化することによりサイクリックGMPの産生を増大させ，細胞内Ca^{2+}濃度を減少させる．その結果，血管（冠血管，動脈，静脈系）拡張作用を示す．低用量では静脈系を優位に拡張し，高用量になるにつれ動脈系も拡張すると考えられている[1]．

2 心不全患者に使用する目的

　心不全において血管拡張薬を使用する際，静脈系拡張による前負荷，肺うっ血軽減を期待して硝酸薬が1st choiceとして用いられることが多い．CS（クリニカルシナリオ）1と呼ばれるような入院時血圧上昇（SBP＞140 mmHg）[2]を呈するような心不全症例がよい適応となる．SBP＞110 mmHgであれば硝酸薬を使用することを考慮すべきである[3]．また冠血管拡張作用があるため，虚血性心疾患合併の心不全にもよい適応となる．効果の発現は速やかであり，心不

全の超急性期に速やかな降圧，肺うっ血の軽減に効果がある．特に高血圧性緊急症と呼ばれるような高度の血圧上昇をきたした病態では初期対応は一刻を争う．例えばニトログリセリンであればボーラスで1〜2 mgを投与することができる．速やかに末梢ルートが確保できない場合はニトログリセリンスプレーを1〜2プッシュを目安に舌下に噴霧する．降圧不十分の際にはCa拮抗薬の追加を検討する．

3 心不全患者における有用性を示すエビデンス

血圧の保たれた（≧110/70 mmHg）急性期心不全患者においてISDN主体の治療ストラテジーと利尿薬（フロセミド）主体の治療ストラテジーを比較した無作為化割付け試験では前者の方が酸素飽和度の改善，脈拍数や呼吸数の減少が速やかで，その後の人工呼吸器装着や心筋梗塞などのイベント発生が低率であったことが示されている[4]．JCS/JHFSガイドラインでは急性心不全や慢性心不全の急性増悪時の肺うっ血に対する硝酸薬の投与はクラスI適応とされている[5]．急性期ではこのような血行動態改善効果は期待できるが慢性期の運動耐容能や予後改善には明確なエビデンスは証明されていないことにも留意が必要である．JCS/JHFSガイドラインでも活動度向上や予後改善を目的とした硝酸薬投与は推奨されていない[5]．2022年のAHA/ACC/HFSAガイドラインにおいても硝酸薬をはじめとした血管拡張薬は呼吸困難の緩和や肺うっ血の解消は期待できるが，再入院や死亡率の改善などの持続的な効果は示されていないと言及されている[6]．

4 使用する際の注意点（副作用，漸増の仕方，中止の判断など）

ボーラス投与，ないしは持続投与で少量より開始し血圧を見ながら適宜漸増，調節する（ニトログリセリン0.5〜10 μg/kg/min，ISDN 1〜8 mg/h）．副作用の1つとして頭蓋内の血管拡張によるとされる頭痛が出ることがある．また肺内シャント増加に由来する動脈血酸素飽和度の低下が起こりうるとされる．また継続投与していると2〜3日で耐性が出現し，効果が減弱するため，減量中止，ないしは他剤への変更を検討する．なお耐性の出現時間はニトログリセリンでは12〜24時間，ISDNでは48〜96時間という文献もある[7]．また耐性は8〜12時間の硝酸薬中止によって予防もしくは回復するとも言われている[8]．血圧降下作用に対してはこのような耐性が出現する一方で，抗狭心作用につい

表1　各薬剤の効果の目安

種類		一般名	商品名	降圧	心抑制	徐拍化	主な用途	注意点
硝酸薬		硝酸イソソルビド（ISDN）	ニトロール®	+	−	−	静脈系拡張による肺うっ血軽減	継続投与で耐性が出現
		ニトログリセリン	ミリスロール® ミオコール®	++	−	−		
Ca拮抗薬	ジヒドロピリジン系	ニカルジピン	ペルジピン®	++	−	−	動脈系拡張による後負荷軽減	静脈炎に注意
	非ジヒドロピリジン系	ジルチアゼム	ヘルベッサー®	+	+	+	心房細動の心拍数コントロール	心抑制作用による心不全悪化に注意
		ベラパミル	ワソラン®	±	+	+		

ては持続するという報告もある[9]．閉塞性肥大型心筋症や大動脈弁狭窄症などを併存している場合圧較差を増大する恐れがあり注意が必要である．肺高血圧治療薬である PDE-V 阻害薬（バイアグラ®，レバチオ® など），グアニル酸シクラーゼ刺激薬（アデムパス®）とは併用禁忌であるため注意が必要である．また右室硬塞などの前負荷に依存している右心機能低下例においても硝酸薬は急激な血圧低下をきたすことがあるため使用するのは危険である．

5 同系薬剤の使い分けについて

　ニトログリセリンの方が ISDN より血管拡張作用は強い（表1）．より強力な血管拡張，降圧が必要となる際はニトログリセリンを使用するとよい．ISDNで効果不十分な際はニトログリセリンへの変更，ないしは後述のニカルジピン追加を考慮する．また前述のようにニトログリセリンより ISDN の方が耐性が現れるまでの時間が長いという報告もある．ニコランジル（シグマート®）はNO を遊離することで硝酸薬様作用を示す薬剤であるが，別章（5-3）で詳しく解説されているためそちらを参照されたい．

B 静注 Ca 拮抗薬

- ジヒドロピリジン系: ニカルジピン（ペルジピン®）
- 非ジヒドロピリジン系: ベラパミル（ワソラン®），ジルチアゼム（ヘルベッサー®）

1 作用機序

血管平滑筋細胞膜のL型Caチャネルに作用して細胞外から細胞内へのCaの流入を阻害することにより細胞内Ca濃度の上昇を抑え，血管拡張から降圧効果を示す．静脈系よりも動脈系の血管平滑筋に対して感受性が高く，末梢血管抵抗を下げる．ジヒドロピリジン系薬剤では陰性変時作用（房室結節への作用），陰性変力作用（心筋への作用）はほとんどないが，非ジヒドロピリジン系薬は同作用を有する（表1）.

2 心不全患者に使用する目的

ジヒドロピリジン系薬剤は動脈系拡張による降圧，後負荷軽減を目的として使用する．主に硝酸薬で降圧不十分な際に用いられることが多い．非ジヒドロピリジン系薬剤は主に頻脈性心房細動（粗動）合併心不全における心拍数コントロールに用いられるが，JCS/JHFSガイドラインでは心機能低下例（特に左室駆出率＜40％）に対しての心拍数コントロール目的の使用は陰性変力作用による心不全悪化のリスクがあり class Ⅲ（Harm）として記載されている[10].

なお非心不全で心機能が保たれている頻脈性心房細動に対する心拍数コントロール目的の使用は有用である．

3 心不全患者における有用性を示すエビデンス

急性期心不全に関するエビデンスは皆無と言ってよい．内服Ca拮抗薬に関しては下記を参照されたい．

4 使用する際の注意点（副作用，漸増の仕方，中止の判断など）

ジヒドロピリジン系薬剤は持続静注で用いるが，少量より開始し血圧を見ながら漸増，調節する（1～6 μg/kg/min）．硝酸薬同様，閉塞性肥大型心筋症や大動脈弁狭窄症などを併存している場合圧較差を増大する恐れがあり注意が必要である．静脈炎を起こしやすい薬剤とされ，末梢ルートより投与する際は注意が必要である．

非ジヒドロピリジン系薬は，通常ベラパミルは1A（5 mg）を緩徐に静注する．心機能低下例では血圧低下，心不全増悪に注意が必要である．非代償性心不全において同薬の投与はJCS/JHFSガイドライン上クラスⅢとなっている．

ジルチアゼムは単回静注，もしくは持続静注で使用する．陰性変力作用により心拍出量が低下する恐れがあり，単回投与の場合5 mgを緩徐に静注，持続投与では1〜5 μg/kg/min程度と少量にとどめる．また特にジルチアゼムでは血管拡張作用も相まって低血圧となる恐れがある．特に低心機能の非代償性心不全症例においては非ジヒドロピリジン系の出番は多くないと考えて良いであろう．

5 同系薬剤の使い分けについて

ジヒドロピリジン系薬剤は降圧，非ジヒドロピリジン系薬剤は心拍数コントロールとその用途は明確に分かれる．ベラパミルと比べジルチアゼムは末梢血管の拡張作用もあり一般に高血圧症にも使用されるが，陰性変力作用があるため心不全における血圧コントロール目的には通常使用されない（表1）．他に心拍数コントロールに使用される薬剤としてはジゴキシン，ランジオロール（オノアクト®）がある．

なお，蛇足であるが内服Ca拮抗薬については左室駆出率の低下した心不全（HFrEF）患者に対するアムロジピンの有効性を検証したランダム化比較試験であるPRAISE trial[11]でアムロジピンは全死亡＋心血管疾患による入院を減少させたが統計学的に有意ではなく，さらにその後行われたPRAISE 2 trialではこれが否定された．しかし，HFrEF患者においても体液過剰の徴候がなく，さらに血圧を下げる必要がある場合，ジヒドロピリジン系薬剤は安全に使用できると考えて良いであろう．また内服ジルチアゼムの効果については心筋梗塞後左室収縮障害（LVEF＜40％）の患者で心不全発症を増加させたという報告[12]や拡張型心筋症患者においてプラセボと比較して生存率の改善を認めなかったという報告があり[13]，推奨されない．

■文献

1) Abrams J. Hemodynamic effects of nitroglycerin and long-acting nitrates. Am Heart J. 1985; 110 (1 Pt 2): 216-24.
2) Mebazaa A, Gheorghiade M, Piña IL, et al. Practical recommendations for prehospital and early in-hospital management of patients presenting with acute heart failure syndromes. Crit Care Med. 2008; 36 (1 Suppl): S129-39.
3) McDonagh TA, Metra M, Adamo M, et al. 2021 ESC Guidelines for the diagnosis and

treatment of acute and chronic heart failure: Developed by the Task Force for the diagnosis and treatment of acute and chronic heart failure of the European Society of Cardiology（ESC）with the special contribution of the Heart Failure Association （HFA）of the ESC. Eur Heart J. 2021; 42: 3599-726.

4）Cotter G, Metzkor E, Kaluski E, et al. Randomised trial of high-dose isosorbide dinitrate plus low-dose furosemide versus high-dose furosemide plus low-dose isosorbide dinitrate in severe pulmonary oedema. Lancet. 1998; 351: 389-93.

5）日本循環器学会/日本心不全学会合同ガイドライン．急性・慢性心不全診療ガイドライン（2017 年改訂版）．Circulation Journal. 2018; http://www.j-circ.or.jp/guideline/pdf/JCS2017_tsutsui_h.pdf

6）Heidenreich PA, Bozkurt B, Aguilar D, et al. 2022 AHA/ACC/HFSA Guideline for the Management of Heart Failure: A Report of the American College of Cardiology/ American Heart Association Joint Committee on Clinical Practice Guidelines. Circulation. 2022; 145: e895-e1032.

7）Cintron GB, Glasser SP, Weston BA, et al. Effect of intravenous isosorbide dinitrate versus nitroglycerin on elevated pulmonary arterial wedge pressure during acute myocardial infarction. Am J Cardiol. 1988; 61: 21-5.

8）Mangione NJ, Glasser SP. Phenomenon of nitrate tolerance. Am Heart J. 1994; 128: 137-46.

9）Danahy DT, Aronow WS. Hemodynamics and antianginal effects of high dose oral isosorbide dinitrate after chronic use. Circulation. 1977; 56: 205-12.

10）日本循環器学会/日本心不全学会合同ガイドライン．フォーカスアップデート版 急性・慢性心不全診療ガイドライン（2021 年）．Circulation Journal. 2021; https://www.j-circ.or.jp/cms/wp-content/uploads/2021/03/JCS2021_Tsutsui.pdf

11）Packer M, O'Connor CM, Ghali JK, et al. Effect of amlodipine on morbidity and mortality in severe chronic heart failure. Prospective Randomized Amlodipine Survival Evaluation Study Group. N Engl J Med. 1996; 335: 1107-14.

12）Goldstein RE, Boccuzzi SJ, Cruess D, et al. Diltiazem increases late-onset congestive heart failure in postinfarction patients with early reduction in ejection fraction. The Adverse Experience Committee; and the Multicenter Diltiazem Postinfarction Research Group. Circulation. 1991; 83: 52-60.

13）Figulla HR, Gietzen F, Zeymer U, et al. Diltiazem improves cardiac function and exercise capacity in patients with idiopathic dilated cardiomyopathy. Results of the Diltiazem in Dilated Cardiomyopathy Trial. Circulation. 1996; 94: 346-52.

〈鈴木利章　長友祐司〉

血管拡張薬

カルペリチド

Point

- カルペリチド（ハンプ®）は急性心不全治療に用いる静注薬で，心房から分泌されるホルモンである心房性 Na 利尿ペプチド（ANP）をもとにした薬剤である．本邦でのみ使用可能となっている．
- ガイドラインでは「非代償性心不全患者での肺うっ血に対する投与」，ならびに「難治性心不全患者での強心薬との併用投与」がクラスⅡa で推奨されているが，この推奨に見合うエビデンスがあるとは言い難い．
- 使用する際は 0.0125〜0.025 μg/kg/min の少量から開始し，投与中の過度な血圧低下には特に注意する．

A 作用機序

　カルペリチドは ANP をもとにした静注薬で，投与後は A 型 Na 利尿ペプチド受容体（NPR-A）に結合した後，環状グアノシン一リン酸（cGMP）をセカンドメッセンジャーとして肺血管や末梢血管，腎臓などに作用することで肺血管拡張作用，静脈系優位の末梢血管拡張作用，そして Na 利尿作用を示す．心不全患者において亢進している代表的な神経体液性因子である，レニン-アンジオテンシン-アルドステロン系や交感神経系に対する抑制効果もあるとされている（図 1）[1]．

　ちなみに，主に心室から分泌されている B 型 Na 利尿ペプチド（BNP）とは受容体である NPR-A を共有しているため，基本的に ANP と BNP は同様の作用機序から心不全発症に対して抑制的に働く．また，心負荷が増大した際に ANP や BNP は心臓から冠静脈へと分泌され，右心房と右心室を通過した後，最初に肺血管へと辿り着く．作用起点となる NPR-A は肺血管に最も多く存在していることから，まず肺血管拡張作用が示され肺動脈楔入圧の上昇を防ぐことで心不全発症に拮抗的に働いている．大変理にかなった構造である．

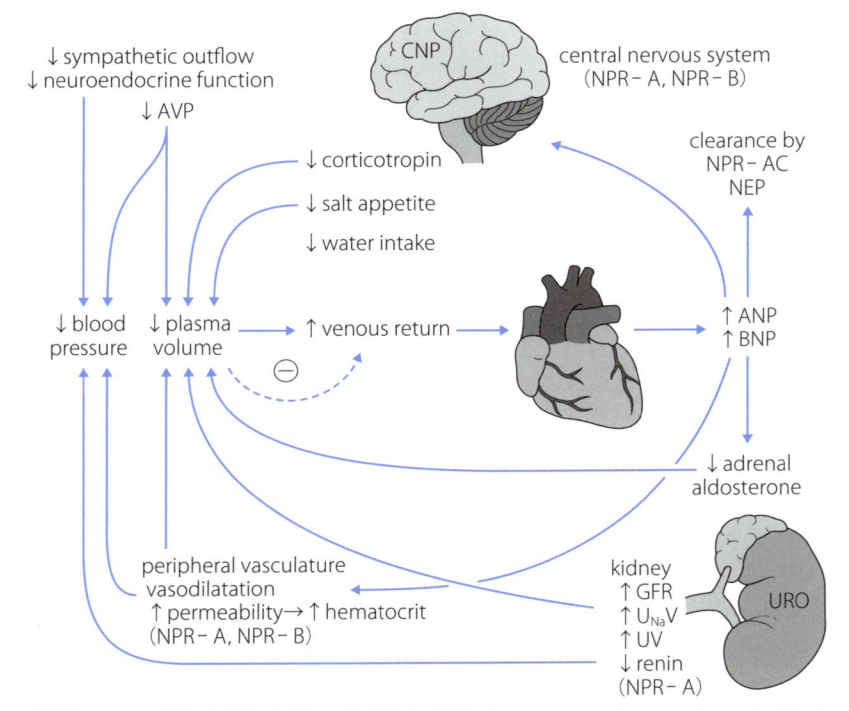

図1 カルペリチドの非常に多面的な効果 （Levin ER. et al. N Engl J Med. 1998; 339: 321-8）[1)]

B 心不全患者に投与する目的

　臨床上期待される主な作用は肺血管拡張作用，静脈系優位の血管拡張作用，そして Na 利尿作用であるため，カルペリチドは急性心不全の肺うっ血解除を主な目的として使用される．本邦のみで承認されている薬であるため他国のデータはほぼ存在しないが，レジストリ研究の結果から過去には本邦の急性心不全治療の約 40％に使用されていた[2)]．近年は使用頻度が減少傾向にあると考えられる．

C 有用性を示すエビデンス

　急性心不全を対象にわが国で行われたカルペリチドのランダム化比較試験では，18 カ月間の観察期間における死亡率あるいは心不全再入院率はカルペリチド投与群で低かったと報告されている[3)]．しかし，これらの心不全患者を対象

とした予後に関するエビデンスは症例数の少ない研究でしか検証されておらず，その再現性も不明であり，現在の JCS/JHFS ガイドラインでも確立されたエビデンスとは捉えられていない．

　また，急性心不全患者を対象とした後ろ向き研究のなかには，カルペリチドが使用された患者で院内死亡率が高かったという結果を報告したものがある[4,5]．一方，他の研究からは，少量のカルペリチドが使用された患者では，カルペリチドの使用がない患者，もしくは高用量のカルペリチドが使用された患者と比較して予後が良好であったという報告もあがっている[6]．このような例からもわかるように，そもそも観察研究による検証では，原則としてカルペリチドと予後の因果関係を正確に評価することはできず，あくまで，その個々の研究に組み込まれた患者のうち，カルペリチドを投与されていた患者の予後が，投与されていなかった患者と比較してどうであったか，ということを述べているに過ぎない．つまり，研究毎（施設毎）で大きく異なる恣意的な治療対象の選択と，それにより発生する様々なバイアス・患者背景の違い，そして既知・未知の交絡は決して補正しきれるものではなく，薬剤の効果については，観察研究から結論を付けることができないということが理解できる（Association is not causation）[7]．少なくとも上記の相反する結果は，慎重な患者選択なしに本薬剤の投与を開始すべきではない，という重要なメッセージを与えてくれるが（筆者も，後述するような様々な考察をもとに，年に数回使用する程度である），カルペリチドに限らず，ランダム化比較試験や観察研究それぞれの特性をしっかりと理解した上で，データと向き合い臨床に落とし込むための解釈をしていく必要がある．

　このような背景があるが，本邦のガイドラインでは「非代償性心不全患者の肺うっ血に対する投与」，ならびに「難治性心不全患者での強心薬との併用投与」はそれぞれクラスⅡa，エビデンスレベル B での推奨となっている．

D 使用する際の注意点（初期投与量，副作用，終了判断など）

　初期投与量は添付文書上で発売当初の 20 年前から変更されておらず，0.1 μg/kg/min での投与スタートと記載されている．しかし，0.1 μg/kg/min と比較的高用量の使用では血圧低下の副作用が多かったことから，現在の JCS/JHFS ガイドラインでは低用量の 0.0125〜0.05 μg/kg/min で，患者の状態に合わせた投与量を選択するよう記載されている．

副作用で最も多いものは上記の通り血圧低下である．これはカルペリチドを用いた臨床試験のほとんどで，一定数起こり得る副作用として観察されている．そのため，重篤な低血圧や心原性ショック，急性右室梗塞患者，脱水症などでは使用禁忌とされる．同様に血管拡張により過度な血圧低下が出現しやすい重症大動脈弁狭窄症や，血管内容量がそこまで増加していないことが疑われる心不全（超音波検査で下大静脈の呼吸性変動があるなど）なども注意が必要と考えられる．

　また，カルペリチドは持続投与を行う薬であるが，投与終了のタイミングに関しては一定の見解が示されていない．そのため現状では各臨床医の判断に委ねられている．しかし，漫然と投与が継続され，体液量がある程度減少してきたタイミングで血圧低下が起こり，慌てて投与が中止されるというケースも現場ではしばしば目にするため，少なくとも漫然とした投与継続は避けるべきである．薬剤の開始時には必ず目的（エンドポイント）を決め，それが達成された段階で速やかに薬剤の中止を検討すべきである．

E　同系薬剤の使い分けについて

　ANP をもとにした薬がカルペリチドであるが，BNP をもとにした薬ではネチリシドという薬がある．上記の通り ANP と BNP は同様の受容体を介して身体に働きかけるため，カルペリチドとネシリチドでは同様の効果が期待される．しかし，これはアメリカでのみ承認された薬で本邦では使用できないため，使い分けに関しては不明である．

F　カルペリチドに関する未知

　まず，血管拡張薬として JCS/JHFS ガイドラインでは記載されている薬であるが，腎臓の受容体に作用することで Na 利尿作用があることは数多くの動物・ヒトを対象とした実験で示されてきた．しかし，実臨床では患者毎に利尿効果の違いが大きく，どのような患者でカルペリチドの利尿効果が得られるのかという点は不明であった．この問いに対して，我々は"ANP が相対的に枯渇している患者に対し外因性の ANP 補充療法を行う"というコンセプトのもと前向き多施設共同研究を行った（ステロイドや甲状腺ホルモンの補充を行う際と同様のコンセプト）．その結果，本来なら ANP，BNP ともに血中濃度が上昇しているべき急性心不全において，入院時の ANP 血中濃度が低い患者群では，

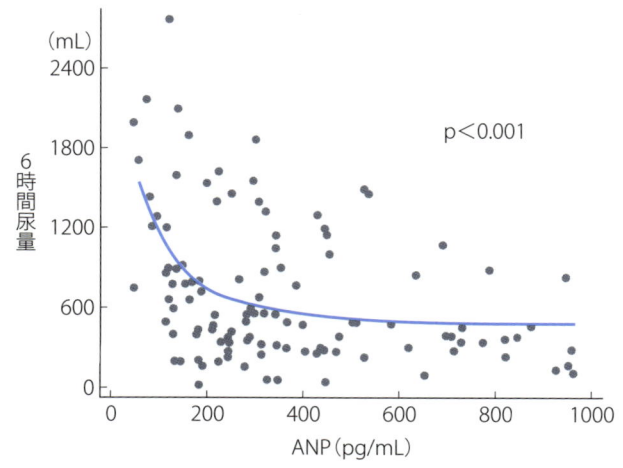

図2 ANP 血中濃度とカルペリチドによる利尿効果の関係
(Matsumoto S. et al. ESC Heart Fail. 2020; 7: 4172–81)[8]

カルペリチド（外因性 ANP）による利尿効果が大きいことが示された（**図2**）[8]．このように，そもそも本剤では，主な効果である Na 利尿作用がどのような患者に起きやすいのかという基本的な部分すら不透明である．そのため，カルペリチドに限った話ではないが，「そもそも我々が患者の病態，そして薬剤の特性をしっかりと理解した上で，この薬を使えているのか？」という点は常に鑑みていく必要がある．そうすれば，以前より使用する場面は限定されてくるはずである．

そして，もう1つ重要な点は「カルペリチドは急性心不全に対して安全で有効な薬剤なのか？」という問いに対して明確な答えが示されていないことである．米国において一時期広く使用されていたネシリチド（BNP 製剤）も同様に，腎機能悪化や短期予後の悪化が市販後のいくつかの後ろ向き研究によって示唆されていたが，ASCEND-HF 試験によりそのようなネガティブな結果は否定された（ただ，明確な予後改善効果も示されなかった）[9]．この点に関しても，カルペリチドでは大規模な臨床試験による検証がなされていないため答えは不明である．カルペリチドに関しては本邦の使用頻度が依然として高い点などを踏まえると，早急な解決が望まれる．

■文献

1) Levin ER, Gardner DG, Samson WK. Natriuretic peptides. N Engl J Med. 1998; 339: 321-8.

2) Kuroda S, Damman K, Ter Maaten JM, et al. Very early diuretic response after admission for acute heart failure. J Card Fail. 2019; 25: 12-9.

3) Hata N, Seino Y, Tsutamoto T, et al. Effects of carperitide on the long-term prognosis of patients with acute decompensated chronic heart failure: the PROTECT multicenter randomized controlled study. Circ J. 2008; 72: 1787-93.

4) Matsue Y, Kagiyama N, Yoshida K, et al. Carperitide is associated with increased in-hospital mortality in acute heart failure: A propensity score-matched analysis. J Card Fail. 2015; 21: 859-64.

5) Nagai T, Iwakami N, Nakai M, et al. and investigators J-D. Effect of intravenous carperitide versus nitrates as first-line vasodilators on in-hospital outcomes in hospitalized patients with acute heart failure: Insight from a nationwide claim-based database. Int J Cardiol. 2019; 280: 104-9.

6) Nogi K, Ueda T, Matsue Y, et al. Effect of carperitide on the 1 year prognosis of patients with acute decompensated heart failure. ESC Heart Fail. 2022; 9: 1061-70.

7) Rush CJ, Campbell RT, Jhund PS, et al. Association is not causation: treatment effects cannot be estimated from observational data in heart failure. Eur Heart J. 2018; 39: 3417-38.

8) Matsumoto S, Nakazawa G, Ohno Y, et al. Efficacy of exogenous atrial natriuretic peptide in patients with heart failure with preserved ejection fraction: deficiency of atrial natriuretic peptide and replacement therapy. ESC Heart Fail. 2020; 7: 4172-81.

9) O'Connor CM, Starling RC, Hernandez AF, et al. Effect of nesiritide in patients with acute decompensated heart failure. N Engl J Med. 2011; 365: 32-43.

〈松本新吾〉

5-3 血管拡張薬
ニコランジル

　ニコランジルは日本で開発された血管拡張薬であり，バランスよく動脈・静脈を拡張する作用を併せ持つため心不全治療薬としても使用可能である．しかし虚血性心疾患に対するニコランジルの効果はある程度担保されている一方，心不全に対するエビデンスは少なく，現状では作用機序をもとに症例毎に有用性を検討していく必要がある．2019 年の本稿の初版から，ニコランジルに関しては中国から 1 本の急性心不全に関する RCT が出版され，非常に良い効果を示した．しかしながら，同論文には注意して解釈すべき点もあり，本稿では，エビデンスの説明とともに，作用機序の面からも考えた他の薬剤との使い分けおよび注意点などをまとめる．

A　ニコランジルの作用機序および虚血性心疾患への適応

　ニコランジルはニトロ基により硝酸薬としての側面を持つと同時に，ベンズアミド類似構造をもち K_{ATP} チャネル開口作用を有する（図 1）．硝酸薬様の作用として，NO が産生され cGMP を経て平滑筋弛緩作用をもたらし，静脈優位の末梢血管および冠動脈拡張を促す[1,2]．また，K_{ATP} チャネル開口により，細胞膜の過分極に基づく動脈壁平滑筋弛緩作用[3]，虚血プレコンディショニング[4]，冠微小循環改善[5]，心筋保護作用[6] などの多様な作用を持ち，結果としてバランスよく動静脈を拡張すると同時に虚血性心疾患に対する効能を持つ．

　臨床的には冠動脈拡張作用，冠微小循環改善作用，虚血プレコンディショニ

図1 ニコランジルの構造式
ニコランジルはニトロ基により硝酸薬としての側面を持つと同時に，ベンズアミド類似構造をもち K_{ATP} チャネル開口作用を有する．

ングを期待して，主に虚血性心疾患の治療に使用されることが多い．虚血性心疾患に対するニコランジルの使用はいくつかの小規模ランダム化比較試験でイベント抑制効果が見られたほか[7]，5,000例以上を登録した大規模ランダム化比較試験であるIONA試験でも高リスクの狭心症症例に対して冠動脈疾患イベント抑制効果を認めた[8]．ニコランジルはヨーロッパおよびアジア諸国でセカンドラインの狭心症治療薬として使用されている．

B 心不全患者に対する使用目的およびそのエビデンス

　心不全に関して，ニコランジルは血管拡張薬の一種として，前述の前負荷・後負荷軽減作用による急性期の血行動態改善を期待して静脈内投与（0.05〜0.20 mg/kg/h）で用いられる．Tanakaらの報告によると，肺動脈楔入圧18 mmHg以上のニコランジルを使用した急性心不全症例において，15分以内に速やかに肺動脈楔入圧の低下，心拍出量の増加を認めた（図2）[9]．またベースラインの血圧が低めの症例において，ニコランジルを使用しても血圧低下が少ないとも報告されており（図3）[9,10]，安全に使用できる可能性がある．これらの研究では対照群が設置されていないことをよく注意すべきである．

　予後への影響に関して，Ishiharaらは402例の急性心不全患者を後ろ向きに解析し，ニコランジルを救急外来から3日目まで継続投与した群は，多変量解析およびプロペンシティスコアマッチを用いて交絡を調整しても有意に死亡や再入院が少ないと報告した[11]．Yoshihisaらの報告でもニコランジルを用いて治療された虚血性心不全症例はニコランジルを用いずに治療を行った症例よりも長期予後が良好だった[12]．ただし，本研究は観察研究であるが交絡因子の調整を行っていない．Zhaoらは2017年にメタアナリシスを行い，5つのランダム化比較試験の結果からニコランジル使用により心不全の全死亡率および再入院率が著明に減少した（ハザード比0.35，95%信頼区間 0.16-0.54）ことを報告した[13]．しかし，このメタアナリシスでは経口薬と静注薬を区別していない，慢性心不全と急性心不全が混在している，5つの試験のうち3つは論文化され

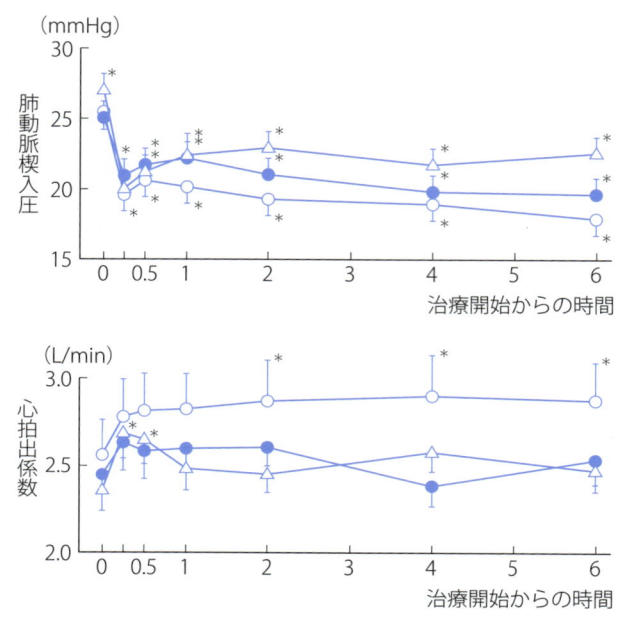

ニコランジルを使用した急性心不全症例において肺動脈楔入圧は速やかに低下し（上段），心拍出量が増加した（下段）．本研究は対照群が設置されていないことによく注意すべきである．
△: 0.2 mg/kg/5 min＋0.05 mg/kg/h, ●: 0.2 mg/kg/5 min＋0.10 mg/kg/h, ○: 0.2 mg/kg/5 min＋0.20 mg/kg/h. *p＜0.05 vs pre-value (repeated measures ANOVA and LSMeans Tukey HSD test).
（Tanaka K, et al. J Cardiol. 2010; 56: 291-9[9]）より改変）

ていない（学会発表のみ），などの問題点があり，結果をそのまま受け止めるのは難しい．

　2022年には，新しいエビデンスとして，中国から血圧の高くない急性心不全におけるニコランジルのRCTが発表された[14]．この研究では147人の収縮期血圧の低い（90〜110 mmHg）急性心不全患者を来院から1時間以内にニコランジル群（0.2 mg/kg/hr 24時間投与）と通常治療群に振り分けた．結果として，患者背景には差がなかったが，ニコランジル群では症状の改善が早く，E/e'が速やかに改善し，入院期間が短く（5.9 vs 7.6日），退院時のNT-proBNPや退院時・3カ月後のLVEFが高く，さらに3カ月以内の再入院が圧倒的に少

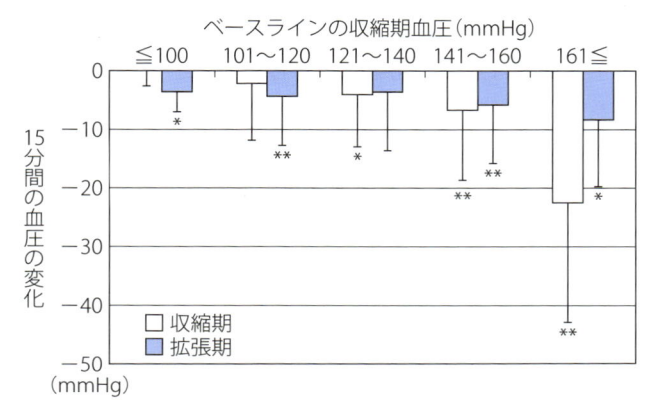

ベースラインの収縮期血圧（mmHg）

図3 ニコランジルを使用した急性心不全症例の血圧の変化

入院時から15分後への血圧変動をベースラインの血圧ごとに棒グラフで示している．ベースラインの血圧が高い群では治療開始15分後に血圧が下がっており，血圧の低い群では低下が少ない．

(Tanaka K, et al. J Cardiol. 2010; 56: 291-9[9])より改変)

表1 急性心不全における24時間の静注ニコランジル群と対照群のアウトカム

Variables	Intervention Group (n=74)	Control Group (n=73)	P-value
Primary endpoints			
3-mo readmission rate	3 (4.1%)	10 (13.7%)	0.04[a]
Incidence of MACCE	2 (2.7%)	6 (8.2%)	0.27
Secondary endpoints			
During hospitalisation			
Side effects and AEs	3 (4%)	1 (1.4%)	0.62
LVEF before discharge	48.7±12.8	43.6±11.5	0.01[a]
NT-proBNP before discharge (pg/mL)	1,760±934	2,279±1,085	<0.01[a]
Average length of hospitalisation (d)	5.9±2.3	7.6±3.8	<0.01[a]
3 mo post-discharge			
LVEF (%)	45.1±11.8	40.7±12.5	0.03[a]
sST2 (pg/mL)	136±10	141±13	0.01[a]

ない（4.1% vs 13.7%）という驚くべき結果であった（**表1**）．症候性低血圧の頻度は記されていない．本研究では心筋虚血（評価方法は不詳）の患者は3割強であり，本研究結果をそのまま受け止めると，血圧の低い急性心不全にはニコランジルを試す価値がありそうだと結論される．しかしながら本研究は二重

盲検ではないため，入院などのソフトエンドポイントには大きな制約がある．またコントロール群では血圧に配慮しながら硝酸薬が使われているが，これが低血圧を助長した可能性もある．何より，24 時間のみのニコランジルの投与により，3 カ月以上も続くような大きな臨床的改善が得られるとはにわかに鵜呑みにはしづらく，このエビデンスは知りつつ，実臨床では注意をして試してみることが必要だと考えられる．今後のさらなる研究で，このような結果が再現されるか，検証が望まれる．

C 心不全に使用する際の注意点

　前述のように低血圧症例に対して比較的血圧低下作用が生じにくく，また血圧の低い急性心不全に対して良い効果を示した研究も示されているが，やはり血管内ボリュームが少ない場合には強い血圧低下を生じる場合がある．特に末梢血管を強く締めることで何とか血圧を保っているような，ボリュームの多くない心機能の悪い心不全症例には注意が必要であろう．また静注投与により頭痛を訴える症例もある．ニコランジルは硝酸薬と異なり耐性が生じづらい[15]ため，特に虚血性心疾患において長期投与されることがあるが，近年注目されている副作用として潰瘍形成の可能性がある．口腔内潰瘍，肛門潰瘍などがそれぞれ 0.2〜5％，0.07〜0.4％程度で出現したと報告されており，用量依存的に頻度が上がると考えられている[16]．急性期の使用において大きな目に見える副作用が比較的少ない薬ではあるが，最大の注意点は漫然と使用しないことと言えるかもしれない．特別な狙いなくルーチンのように使用されることをまれにみかけるが，その効果は前述のように十分に証明されてはおらず，1 例ずつ生理学的な背景を考慮して使用すべきである．

D 硝酸薬との使い分け

　基本的にニコランジルをどのような場面で第 1 選択とするかに関して定まった意見はないが，前述の RCT の結果を考えると，血圧の低い急性心不全においては他の硝酸薬より優先的に試してみる価値はあるかもしれない．特に，①血圧が高くないが，末梢が締まっており後負荷をとることで心拍出量を増やしたい症例などは作用機序を考えても有効である可能性がある．また，他の硝酸薬と比較した薬理的なニコランジルの特徴，つまり心筋プレコンディショニング作用，冠微小循環改善作用，耐性が生じにくいことなどを考えると，②冠動

脈疾患を合併している例，特に冠微小循環が障害されていると考えらえる例，
③中長期に血管拡張作用が必要となると考えられる症例，もしくは，④急性期
に硝酸薬を用いていたが耐性が生じてきた場合のスイッチとしての使用，など
が考えられる．

E ニコランジルに関する未知

　心不全に対するニコランジルに関してはまだ未知が多く残されている．保険
適応として0.2 mg/kgを5分間でボーラス投与してから0.05〜0.2 mg/kg/hで
使用することとなっているが，ボーラス投与ではときに急な血圧低下や，逆に
血圧が下がり足りないことがある．またニコランジルの使用背景を考えると，
心筋プレコンディショニングや冠微小循環改善を期待したいが，心不全に対し
てどの程度の用量でこれらの効果が生じるのかも不明である．臨床研究ではニ
コランジルの使用が退院後の予後を改善する可能性が示唆されているが，どの
程度の量をどの程度の期間使用すればいいか，どの指標をもとに十分な治療を
したと判定するかなど効果の判定方法も今後検討の必要がある．ニコランジル
は世界で最も臨床研究の盛んな米国で承認されていないため，エビデンス創出
において日本の期待される役割は非常に大きいが，近年は中国などむしろアジ
アからのエビデンスが増えている．日本で開発された経緯を考えると，今後も
可能であれば本邦から臨床のデータが示されることが望まれる．

■文献

1) Kukovetz WR, Holzmann S, Pöch G. Molecular mechanism of action of nicorandil. J Cardiovasc Pharmacol. 1992; 20: S1-7.
2) Gustafsson D. Microvascular mechanisms involved in calcium antagonist edema formation. J Cardiovasc Pharmacol. 1987; 10 Suppl 1: S121-31.
3) Brayden JE. Functional roles of KATP channels in vascular smooth muscle. Clin Exp Pharmacol Physiol. 2002; 29: 312-6.
4) Matsubara T, Minatoguchi S, Matsuo H, et al. Three minute, but not one minute, ischemia and nicorandil have a preconditioning effect in patients with coronary artery disease. J Am Coll Cardiol. 2000; 35: 345-51.
5) Hongo M, Takenaka H, Uchikawa S, et al. Coronary microvascular response to intracoronary administration of nicorandil. Am J Cardiol. 1995; 75: 246-50.
6) Niwano S, Hirasawa S, Niwano H, et al. Cardioprotective effects of sarcolemmal and mitochondrial K-ATP channel openers in an experimental model of autoimmune myocarditis. Role of the reduction in calcium overload during acute heart failure. Int

Heart J. 2012; 53: 139-45.

7) Luo B, Wu P, Bu T, et al. All-cause mortality and cardiovascular events with nicorandil in patients with IHD: systematic review and meta-analysis of the literature. Int J Cardiol. 2014; 176: 661-9.

8) IONA study group. Effect of nicorandil on coronary events in patients with stable angina: the Impact Of Nicorandil in Angina (IONA) randomised trial. Lancet. 2002; 359: 1269-75.

9) Tanaka K, Kato K, Takano T, et al. Acute effects of intravenous nicorandil on hemodynamics in patients hospitalized with acute decompensated heart failure. J Cardiol. 2010; 56: 291-9.

10) Minami Y, Nagashima M, Kajimoto K, et al. Acute efficacy and safety of intravenous administration of nicorandil in patients with acute heart failure syndromes: usefulness of noninvasive echocardiographic hemodynamic evaluation. J Cardiovasc Pharmacol. 2009; 54: 335-40.

11) Ishihara S, Koga T, Kaseda S, et al. Effects of intravenous nicorandil on the mid-term prognosis of patients with acute heart failure syndrome. Circ J. 2012; 76: 1169-76.

12) Yoshihisa A, Sato Y, Watanabe S, et al. Decreased cardiac mortality with nicorandil in patients with ischemic heart failure. BMC Cardiovasc Disord. 2017; 17: 141.

13) Zhao F, Chaugai S, Chen P, et al. Effect of nicorandil in patients with heart failure: a systematic review and meta-analysis. Cardiovasc Ther. 2014; 32: 283-96.

14) Zhant Y, Cai Z, Ke X, et al. Effectiveness and safety of intravenous nicorandil application in patients with acute heart failure with low baseline blood pressure. Heart Lung Circ. 2022; 31: 95-100

15) Tsutamoto T, Kinoshita M, Hisanaga T, et al. Comparison of hemodynamic effects and plasma cyclic guanosine monophosphate of nicorandil and nitroglycerin in patients with congestive heart failure. Am J Cardiol. 1995; 75: 1162-5.

16) Watson A, Ozairi OA, Fraser A, et al. Nicorandil associated anal ulceration. Lancet. 2002; 360: 546-7.

〈鍵山暢之〉

Point

- 本邦では，血管拡張薬は急性非代償性心不全患者に高頻度に使われている．
- 硝酸薬やカルペリチドは，前負荷と後負荷を軽減させることで心不全に対して効果を発揮する．
- 急性心不全に対する血管拡張薬の効果，特に予後改善効果に関するエビデンスは限られている．

　血管拡張薬は循環器診療において，欠くことのできない薬剤の1つである．心不全診療においては，血管拡張薬は急性非代償性心不全患者の治療で主役となる．本邦では，血管拡張薬は急性心不全患者に対して利尿薬と並んで高頻度に投与されている．しかし，血管拡張薬の短期的・長期的な予後改善効果に関するエビデンスは確立されていない．本稿では，急性心不全における血管拡張薬の controversy について解説したい．

A 急性心不全患者における血管拡張薬使用の現状

　本邦では，急性心不全患者に対する血管拡張薬の使用頻度が非常に多いことが知られている．ATTEND のデータでは，急性心不全患者の78％で血管拡張薬〔硝酸薬，カルペリチド（ハンプ®），ニコランジル（シグマート®）〕が使用されており，利尿薬の投与頻度（76％）よりも多いほどであった[1]．この血管拡張薬の使用率は，欧米諸国と比べると際立って高く（39％ EuroHeart Failure Survey II，9％ ADHERE，41％ ALARM-HF）[2-4]，その多くをカルペリチドが占めているのも特徴である（58％）[1]．一方で，カルペリチドを含め血管拡張薬の急性心不全患者に対する予後改善効果に関するエビデンスは乏しく，本邦の血管拡張薬の使用頻度の高さは，血管拡張薬がときにはルーチンとして漫然と投与されている可能性すら示唆する．このため，血管拡張薬を何の目的で，もしくは何を期待して急性心不全患者に投与しているかをもう一度考え直す必

要がある.

B 血管拡張薬の血行動態への影響を考える

　硝酸薬やカルペリチドは cyclic guanosine monophosphate（cGMP）の産生促進を介して血管拡張を引き起こす（各血管拡張薬の詳細な薬理作用については前章を参照）．静脈系容量血管を拡張させることで前負荷を軽減させ，動脈拡張によって後負荷を低下させる．このため，薬理作用の点から血管拡張薬が効果的だと考えられる症例は，体血圧上昇（後負荷上昇）に起因した急性心不全や，静脈系容量血管の収縮に伴う血液シフト（前負荷上昇）が関連した心不全だといえよう．実際に，硝酸薬の投与によって体血圧（後負荷）の低下とともに左室充満圧は低下し，1回心拍出量も増加しうる（図1, 2）[5]．また，交感神経の活性化は内臓静脈の収縮を介して，静脈系容量血管中の血液を有効循環血中へとシフトさせる．この結果，静脈還流・前負荷が増加し左室充満圧が上昇することが知られている[6]．ニトログリセリンはこの静脈系容量血管を拡張させることで，心不全増悪時に上昇した左室充満圧を低下させることが報告されている[7]．また，硝酸薬は冠動脈の拡張作用を有し，一方でカルペリチドは Na 利尿作用をもつことから，硝酸薬は虚血性心疾患が関与した急性心不全，カル

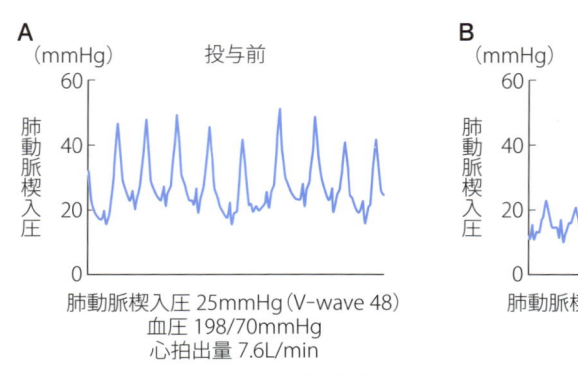
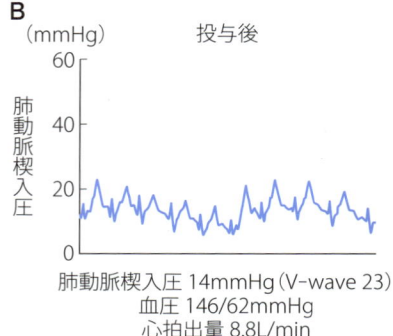

A （mmHg）　投与前

肺動脈楔入圧 25mmHg（V-wave 48）
血圧 198/70mmHg
心拍出量 7.6L/min

B （mmHg）　投与後

肺動脈楔入圧 14mmHg（V-wave 23）
血圧 146/62mmHg
心拍出量 8.8L/min

図 1　硝酸薬投与による血行動態変化の一例

呼吸困難を訴える 83 歳男性

A: 著明な高血圧と V 波の増高を伴う肺動脈楔入圧（pulmonary capillary wedge pressure: PCWP）の上昇を認めた．心エコー図では左室駆出率は 63％で，両心房の拡大と高度の機能性僧帽弁逆流・三尖弁逆流を認めた.

B: 硝酸薬の投与によって，体血圧は 146/62 mmHg まで低下し，心拍出量（cardiac output: CO）は増加．PCWP は 14 mmHg まで低下し，自覚症状も改善した.

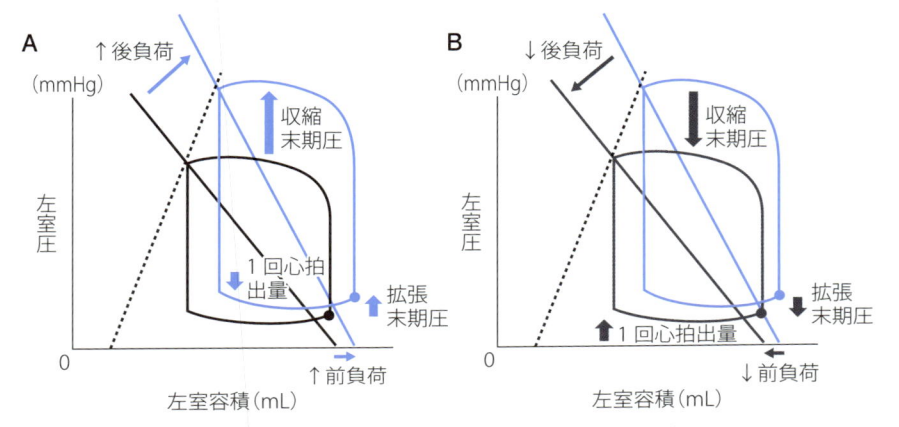

図2 圧–容積曲線から考えた血管拡張薬による血行動態の変化

A: 後負荷の上昇は，体血圧〔圧–容積曲線上では収縮末期血圧 end-systolic pressure（ESP）〕を上昇させ，1回心拍出量（stroke volume: SV）を低下させる．また，左室弛緩を悪化させ，左室拡張末期圧（end-diastolic pressure: EDP）を上昇させる．一方，前負荷の増加によって，圧–容積曲線は右にシフトし EDP が上昇する．黒破線: 収縮末期エラスタンス，黒実線: 動脈エラスタンス

B: 血管拡張薬の投与によって，後負荷・前負荷ともに低下し，EDP と体血圧が低下，SV が上昇しうる．血管拡張薬の種類や用量によって，静脈系もしくは動脈系への作用の仕方が異なる．

ペリチドは体液貯留を伴った心不全に有効であろうことも理解できる．

C 血管拡張薬のエビデンス

　上述した作用機序によって，血管拡張薬は急性心不全患者の左室充満圧を低下させ，症状（主に呼吸困難）を軽減し，ひいては生命予後を改善させる可能性が考えられる．しかし，これらの期待される効果を示すエビデンスは限られている．高用量フロセミド（ラシックス®）と低用量硝酸薬持続静注の併用療法に比べて，高用量硝酸薬反復静注と低用量フロセミドの併用は，高度の肺水腫患者において呼吸状態の改善を早め，人工呼吸器の導入頻度も低下させた[8]．また，急性心不全患者への高用量硝酸薬の投与は標準治療に比べて，BNP を早期に低下させ，ICU 入室率も低下させる傾向にあった[9]．最近のメタアナリシスでは，血管拡張薬の使用によって急性心不全患者の症状の改善と関連することが示されている[10]．これらの結果から，血管拡張薬が肺うっ血や呼吸状態，呼吸困難を早期に改善させる可能性が示唆される．しかしながら，前述したメ

タアナリシスでは，血管拡張薬が長期的な予後を改善させるデータを示すことはできず，433例の急性心不全患者の*post hoc*解析でも血管拡張薬と6カ月後の全死亡，もしくは全死亡と再入院の複合エンドポイントに有意な関連はなかった[11]．また，7,141例の急性非代償性心不全患者へのヒトBNPの持続投与の効果を調べたASCEND-HFでは，ネシリチドは急性期の呼吸困難をわずかに改善させたが，30日間の全死亡もしくは心不全再入院は改善させなかった[12]．

本邦で頻用されているカルペリチドについては，少数例のランダム化比較試験で，標準治療群に対してカルペリチド投与群で18カ月間における死亡と再入院の複合エンドポイントの発生が有意に少なかった[13]．しかし，急性心不全患者を対象とした後ろ向き研究では，カルペリチドの投与が院内死亡率の上昇と関連し，特に高齢者でより有害であったと報告されている[14]．また，DPCデータを利用した検討でも，カルペリチド投与群で院内死亡率が多く，入院医療費の増加とも関連していた[15]．カルペリチドがより重症症例に使われている可能性は考えられるが，他の血管拡張薬と同様に，急性心不全におけるカルペリチドのアウトカムに対する効果については確立されていないのが現状であろう．

D 急性心不全患者に対する血管拡張薬投与の実際

前述したとおり，急性心不全に対する血管拡張薬の予後改善効果についてのエビデンスは乏しい．このため，現時点では血管拡張薬をうっ血の解除と呼吸困難の改善を目的に投与する．ESCガイドラインでは収縮期血圧が110 mmHgより高い急性心不全患者に対してエビデンスレベルⅡbで推奨しているが，実際は高血圧合併症例がよい適応になるだろう[16]．2022年に改訂されたAHA/ACC/HFSAガイドラインでも，改訂前と同様に，症候性の低血圧がない場合に，症状軽減目的に利尿薬の追加としての使用をⅡbでの推奨としている[17]．また，虚血性心疾患，僧帽弁逆流がある患者などはニトログリセリンのよい適応になる．一方で，収縮期血圧90 mmHg未満の心原性ショック患者に対する血管拡張薬の使用は控えるべきであり，特に左室駆出率の保たれた心不全患者では，上昇した収縮末期エラスタンスによって，血管拡張薬による体血圧の低下がより大きい[5]．また，有意な大動脈弁狭窄もしくは僧帽弁狭窄合併例も，血管拡張薬によって著明な血圧低下をきたす場合があるため注意が必要である．筆者の個人的な見解としては，来院時に著明な高血圧で肺水腫を起こしている急性心不全患者では降圧により呼吸困難の軽減が得られることをよく経験

するので，高血圧合併症例の呼吸困難とうっ血の軽減における役割は大きいと考えている．

E 急性心不全患者に対する新規血管拡張薬

急性非代償性心不全患者に対する新規血管拡張薬の臨床試験も進んでいる．relaxin-2 は妊娠期に卵巣，子宮，胎盤などから分泌される血管拡張作用をもつホルモンである．この relaxin-2 の遺伝子組換え型であるセレラキシンは，急性心不全患者に対してプラセボに比べて呼吸困難を改善し，入院中の心不全増悪を減少させた[18]．この試験では，セレラキシン投与群で副次エンドポイントである 180 日間の心血管死亡率も有意に減少したが，180 日間の心血管死亡と 5 日間の心不全増悪を主要エンドポイントにした RELAX-AHF-2 では，セレラキシンは主要エンドポイントを減少させなかったと報告されている．血管拡張作用と利尿作用をもつウロジラチンの誘導体であるウラリチドは，投与から 48 時間の時点でプラセボに比べて NT-proBNP をより低下させたが，主要エンドポイントである心血管死亡の低下には結びつかなかった[19]．アンジオテンシン受容体（AT1R）のバイアスリガンドは，AT1R の心収縮刺激作用を残しながら AT II の有害作用を拮抗しうることが報告されている．BLAST-AHF ではこの AT1R バイアスリガンドの急性非代償性心不全患者での効果を検討したが，プラセボに対して 30 日間での全死亡，心不全再入院，心不全増悪，呼吸困難といった主要エンドポイントを改善することはできなかった[20]．これら新規血管拡張薬の予後改善効果については期待される結果は得られなかったが，あくまで急性心不全の初期治療として使われる血管拡張薬が長期予後まで改善できるかについては今後も期待がもたれる．

おわりに

急性心不全における血管拡張薬の controversy について解説した．本邦では欧米諸国と比べて血管拡張薬が非常に多く投与されており，その大部分をカルペリチドが占める．しかしながら，カルペリチドを含めて，血管拡張薬の急性非代償性心不全における効果についてのエビデンスは乏しい．これら血管拡張薬が，標準治療（もしくは利尿薬単独）に対して呼吸困難を改善させているのか，院内死亡率，ひいては長期の死亡率を低下させているのか，改めて現状の医療を問い，答えを得る必要があるだろう[21]．

■文献

1) Sato N, Kajimoto K, Keida T, et al. Clinical features and outcome in hospitalized heart failure in Japan (from the ATTEND registry). Circ J. 2013; 77: 944-51.

2) Nieminen MS, Brutsaert D, Dickstein K, et al. EuroHeart Failure Survey Ⅱ (EHFS Ⅱ): A survey on hospitalized acute heart failure patients: Description of population. Eur Heart J. 2006; 27: 2725-36.

3) Adams KF, Fonarow GC, Emerman CL, et al. Characteristics and outcomes of patients hospitalized for heart failure in the United States: Rationale, design, and preliminary observations from the first 100,000 cases in the Acute Decompensated Heart Failure National Registry (ADHERE). Am Heart J. 2005; 149: 209-16.

4) Follath F, Yilmaz MB, Delgado JF, et al. Clinical presentation, management and outcomes in the Acute Heart Failure Global Survey of Standard Treatment (ALARM-HF). Intensive Care Med. 2011; 37: 619-26.

5) Schwartzenberg S, Redfield MM, From AM, et al. Effects of vasodilation in heart failure with preserved or reduced ejection fraction: Implications of distinct pathophysiologies on response to therapy. J Am Coll Cardiol. 2012; 59: 442-51.

6) Fallick C, Sobotka PA, Dunlap ME. Sympathetically mediated changes in capacitance redistribution of the venous reservoir as a cause of decompensation. Circ Hear Fail. 2011; 4: 669-75.

7) Wang SY, Manyari DE, Scott-Douglas N, et al. Splanchnic venous pressure-volume relation during experimental acute ischemic heart failure. Differential effects of hydralazine, enalaprilat, and nitroglycerin. Circulation. 1995; 91: 1205-12.

8) Cotter G, Metzkor E, Kaluski E, et al. Randomised trial of high-dose isosorbide dinitrate plus low-dose furosemide versus high-dose furosemide plus low-dose isosorbide dinitrate in severe pulmonary oedema. Lancet. 1998; 351: 389-93.

9) Breidthardt T, Noveanu M, Potocki M, et al. Impact of a high-dose nitrate strategy on cardiac stress in acute heart failure: A pilot study: Original article. J Intern Med. 2010; 267: 322-30.

10) Alexander P, Alkhawam L, Curry J, et al. Lack of evidence for intravenous vasodilators in ED patients with acute heart failure: A systematic review. Am J Emerg Med. 2015; 33: 133-41.

11) Elkayam U, Tasissa G, Binanay C, et al. Use and impact of inotropes and vasodilator therapy in hospitalized patients with severe heart failure. Am Heart J. 2007; 153: 98-104.

12) O'Connor CM, Starling RC, Hernandez AF, et al. Effect of nesiritide in patients with acute decompensated heart failure. N Engl J Med. 2011; 365: 32-43.

13) Hata N, Seino Y, Tsutamoto T, et al. Effects of carperitide on the long-term prognosis of patients. Circ J. 2008; 72: 1787-93.

14) Matsue Y, Kagiyama N, Yoshida K, et al. Carperitide is associated with increased in-hospital mortality in acute heart failure: A propensity score-matched analysis. J Card Fail. 2015; 21: 859-64.

15) Mizuno A, Iguchi H, Sawada Y, et al. The impact of carperitide usage on the cost of hospitalization and outcome in patients with acute heart failure: High value care vs. low value care campaign in Japan. Int J Cardiol. 2017; 241: 243-8.

16) McDonagh TA, Metra M, Adamo M, et al; ESC Scientific Document Group. 2021 ESC Guidelines for the diagnosis and treatment of acute and chronic heart failure. Eur Heart J. 2021; 42: 3599-726.

17) Heidenreich PA, Bozkurt B, Aguilar D, et al. 2022 AHA/ACC/HFSA Guideline for the Management of Heart Failure: A Report of the American College of Cardiology/American Heart Association Joint Committee on Clinical Practice Guidelines. Circulation. 2022; 145: e895-e1032.

18) Teerlink JR, Cotter G, Davison BA, et al. Serelaxin, recombinant human relaxin-2, for treatment of acute heart failure (RELAX-AHF): A randomised placebo-controlled trial. Lancet. 2013; 381: 29-39.

19) Packer M, O'Connor C, McMurray JJV, et al. Effect of ularitide on cardiovascular mortality in acute heart failure. N Engl J Med. 2017; 376: 1956-64.

20) Pang PS, Butler J, Collins SP, et al. Biased ligand of the angiotensin II type 1 receptor in patients with acute heart failure: A randomized, double-blind, placebo-controlled, phase IIB, dose ranging trial (BLAST-AHF). Eur Heart J. 2017; 38: 2364-73.

21) Nagai T, Honda Y, Nakano H, et al. Rationale and design of low-dose administration of carperitide for acute heart failure (LASCAR-AHF). Cardiovasc Drugs Ther. 2017; 31: 551-557.

〈小保方 優〉

column

7. 心不全における 心エコー図の方向性

　JCS/JHFS ガイドラインによると心エコー図は「心不全の診療においてもっとも重要な診断的検査」[1]とされており，そのなかでも最も重要な指標は左室駆出率（LVEF）だろう．LVEF は心エコー図が確立される前から用いられていた非常に歴史のある左室収縮能の代表的指標であり，古くから心不全症例の予後指標として知られていた[2]．今日当たり前のように使われる HFpEF, HFrEF という考え方も LVEF からきた概念だし，心臓再同期療法を含め，様々な治療法の適応決定にも重要である．また LVEF は測定に特別なアプリケーションを必要とせず簡便に測定でき，目視のみですらある程度の推定が可能である[3]．今でも心不全診療において LVEF を測定しない検査室はないだろう．

　一方で心エコー図による LVEF の測定には深刻な問題点も存在する．LVEF の測定は実際にやってみるとデリケートであり，わずかなトレースラインの変化が大きな値の差となる．また心周期を通じて左室内膜を描出し続けるのは，症例によっては非常に難しい．結果として心エコー図による LVEF は検者間差が大きく，また再現性にも乏しい[4]．前回の計測を見ずに解析した場合，約 10%以上の LVEF の変化しか検知できないと報告されている[4]．

　LVEF に代わって近年存在感を増している指標が Global longitudinal strain（GLS）である．拡張期の一時相（＊機種による）に心筋をトレースすれば自動的に値が算出されるこの指標は LVEF よりも再現性に富み，心不全症例の予後をより正確に予測すると報告されている[5]．もちろん計測している生理学的現象の違い自体は大きいのだが，GLS がここまで特に大規模研究で LVEF よりも良い結果を残している理由の 1 つはその自動計測にあるのかも知れない．つまり人間の手が入る部位を減らして心エコー図を誰が計測しても信頼できる検査とすることが，より精度の良い予後予測につながった可能性もある．

　本稿の 2019 年に出版された初版から 5 年ほどの間に，この領域に関して人工知能は凄まじい進歩を遂げた．2018 年には静止画を，2020 年には動画を完全自動で人工知能が解析し，LVEF や GLS を人間の手よりも再現性よく解析できる

ことが論文で示され，2023 年にはランダム化試験によって検査技師よりも人工知能の方が読影医に受け入れられやすい LVEF の測定ができることまでもが示された[6-8]．

　心エコー図による LVEF の測定はある意味で心エコー図の縮図である．簡便かつ無侵襲で繰り返し施行でき，その重要性は疑う余地がないのだが，その一方で再現性に乏しく，信頼できる値を報告するためには熟練が必要であった．この数年で人工知能を中心としたテクノロジーがこの状況を変えつつある．より再現性よく，誰でも易しく使えるようになってきた心エコーは，これからさらに心不全の診療で頻繁に使われ，より重要なエビデンスが増えてくるだろう．心エコーというともはや古臭いデバイスのように見られることすらあったが，これからは，むしろ最先端のデータを理解してより細かなポイントで心エコーを活用していくことが心不全医の腕の見せ所となるかもしれない．

■文献

1) 日本循環器学会/日本心不全学会合同ガイドライン．急性・慢性心不全診療ガイドライン 2017〔updated 2018 年 6 月 25 日; cited 2018 12. 10〕．Available from: http: // www.j-circ.or.jp/guideline/pdf/JCS2017_tsutsui_h.pdf.
2) Pombo JF, Troy BL, Russell RO Jr. Left ventricular volumes and ejection fraction by echocardiography. Circulation. 1971; 43: 480-90.
3) Kusunose K, Shibayama K, Iwano H, et al. Reduced variability of visual left ventricular ejection fraction assessment with reference images: The Japanese Association of Young Echocardiography Fellows multicenter study. J Cardiol. 2018; 72: 74-80.
4) Thavendiranathan P, Grant AD, Negishi T, et al. Reproducibility of echocardiographic techniques for sequential assessment of left ventricular ejection fraction and volumes: application to patients undergoing cancer chemotherapy. J Am Coll Cardiol. 2013; 61: 77-84.
5) Park JJ, Park JB, Park JH, et al. Global longitudinal strain to predict mortality in patients with acute heart failure. J Am Coll Cardiol. 2018; 71: 1947-57.
6) Zhang J, Gajjala S, Agrawal P, et al. Fully automated echocardiogram interpretation in clinical practice. Circulation. 2018; 138: 1623-35.
7) Ouyang D, He B, Ghorbani A, Video-based AI for beat-to-beat assessment of cardiac function. Nature. 2020; 580: 252-6.
8) He B, Kwan AC, Cho JH, et al. Blinded, randomized trial of sonographer versus AI cardiac function assessment. Nature. 2023; 616: 520-4.

〈鍵山暢之〉

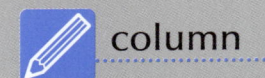

8. IMPELLA

IMPELLA は，ご存知の通り心原性ショックに対する機械的補助循環（MCS）である．経カテーテル的に心臓の左室から血液を汲み出し全身へ血液を送り出すことで，心負荷を軽減し，肺うっ血の改善および循環血漿量の増大を同時に行うことができる．

まず最初に同じ MCS である IABP（大動脈内バルーンパンピング）と ECMO（体外式膜型肺酸素供給装置）の相違点についてまとめたいと思う．

IABP は，下行大動脈に挿入されるバルーンポンプで，心臓の拍動に合わせて膨張・収縮し，冠動脈血流を改善し，左室の後負荷を軽減することを目的としている．比較的細いカテーテルであり，管理しやすいメリットがあるが，圧補助であるため補助が十分でないことがある．一方，ECMO は，体外循環を利用して血液を酸素化し，全身へ供給することで，心臓と肺の機能を一時的に代替する装置で，脱血管のサイズによっては完全に ECMO で循環を代用することが可能である．通常内科医が ECMO を導入する場合は，鼠径部からのアプローチがほとんどであると思われるが，その場合逆行性に血液が循環するため左室に対して最大の後負荷となってしまう欠点がある．その点 IMPELLA は流量補助かつ順行性に血液を循環させるため左室の負荷を軽減しつつ，末梢臓器灌流を改善させることができる．

まるで夢のようなデバイスのように思われる IMPELLA は注意点も多くある．感染，出血，血管損傷，血栓塞栓症などの合併症が発生する可能性がある．医師は，患者の状態を慎重に評価し，リスクと利益を天秤にかけた上で，IMPELLA の使用を判断する必要がある．特に出血や血栓塞栓症は致命的な病態となり得るため，ハートチームで定期的な評価を行いながら，管理を行う必要がある．また，IMPELLA にはカテーテルの種類として本邦では，2.5，CP，5.5 があるが，各々の限界があることを肝に銘じておく必要がある．2.5/CP は内科的に導入可能であるため使用されやすいが，流量補助は最大 3.5 L/min で

ある．心機能が低下している場合，3.5 L/min では流量補助が不足している可能性があるため，5.5 への up grade や ECMO の併用を考慮すべきである．2023年3月に MCS に関するガイドラインが公表されたが，SCAI 分類，MCS up grade について明記されているため一読してほしい[1]．私は，SCAI 分類 B（Beginning）を見逃さないことと考えている．過去の報告でも IMPELLA に限らず，心原性ショックに対して MCS をより早く導入した群で良好な転帰を辿ったことが報告されている[2]．前述の通り，IMPELLA は心原性ショックのデバイスとしては流量が不足することが多い．必要な症例により早期導入することで，SCAI 分類 C（Classic）への増悪を防ぐことができる可能性がある．

　現時点では残念ながら IMPELLA は，従来の心臓補助デバイスに比べて，生命予後を改善させた報告はない．現在 IMPELLA の有効性が証明されている分野はハイリスク PCI への補助のみである（本邦では適応外）．一方で心原性ショックに対して IMPELLA を使用したことで明らかに状態を改善させることができた症例も多く経験しているため，今後より効果的な症例の選定に関する研究が進むことでより良い適応について決定されるだろう．そのために今後どういった症例により効果があるか，我々は絶えず考えながら IMPELLA を用いた治療を行っていく必要がある．

　蛇足であるが，現在 STEMI-DTU trial が進行中である．本研究は STEMI に対して，再灌流療法を行う前に IMPELLA を導入し，30 分間待機してから再灌流療法を行う RCT である[3]．基礎研究では 30 分待機で梗塞巣を減少することが報告されており，本当に楽しみな研究である．

■文献

1) 2023 年 JCS/JSCVS/JCC/CVIT ガイドラインフォーカスアップデート版 PCPS/ECMO/循環補助用心内留置型ポンプカテーテルの適応・操作.
2) Basir MB, Schreiber TL, Grines CL, et al. Effect of early initiation of mechanical circulatory support on survival in cardiogenic shock. Am J Cardiol. 2017; 119: 845-51.
3) Kapur NK, Kim RJ, Moses JW, et al. Primary left ventricular unloading with delayed reperfusion in patients with anterior ST-elevation myocardial infarction: Rationale and design of the STEMI-DTU randomized pivotal trial. Am Heart J. 2022; 254: 122-32.

〈那須崇人〉

Point

- 心不全患者に対して，抗不整脈薬の中では稀な，「これまでの研究で，生命予後を悪化させていない薬剤」である．その広く強力な抗不整脈作用を，代替できる薬剤は非常に限られている.
- 心不全の合併した頻脈性不整脈に対して，アミオダロンは心室，心房のいずれにも効果を発揮する．しかしながら，致死性不整脈に対する予防的投与は推奨されない.
- 催不整脈作用は，他の抗不整脈薬より少ないと考えられるが，重篤なものも含む多彩な心外性副作用を持つ．有害事象の予測は困難であり，注意深い経過観察による早期発見が重要である.

　アミオダロンは非常に長い歴史を持つ薬剤であるが故に，使用方法や注意点を根本的に変えうるような知見が近年えられていない．大事な点としては，ICD 植込み後の器質的心疾患患者における心室性不整脈の再発予防や，electrical storm に対するアミオダロンの必要性は今も昔も変わっていない．しかしながら，特に頻脈性不整脈へのカテーテルアブレーションの役割が，この数年で大きく変わったことにより，アミオダロンの立ち位置も時代とともに update されると考えられる.

A　アミオダロンの作用機序

　アミオダロン（商品名: アンカロン®）は当初，狭心症治療薬として開発されたが，1970 年代に抗不整脈作用が報告されたことで，抗不整脈薬として広く使用されるに至った．Vaughan-Williams 分類では心筋の再分極過程に作用する K チャネルを遮断する III 群に分類されているが，Na チャネルや β 受容体の遮断作用も有しており，複雑な作用機序を示す．薬物の体内動態も複雑であり，生物学的利用率は平均で 50％だが，22〜86％と幅広い個人差がある[1]．脂質親和性が高く，分布容積が大きいことから経口投与での効果発現は 2 日〜3 週間を要する．また，長期使用後の中止により血漿中の濃度は 3〜10 日で 50％とな

るが，組織に蓄積されたアミオダロンが完全に消失するまでには，13〜142 日とされ，長期間体内にとどまることが特徴的である[1]。

B アミオダロンの心不全患者への使用目的

アミオダロンの心不全患者への使用目的として，心房性不整脈，心室性不整脈に対するリズムコントロールだけでなく，心房細動へのレートコントロールとしても用いられる。

1 心房細動

心不全患者において，心房細動は最も合併頻度の高い不整脈であり，しばしばそのコントロールに難渋する。レートコントロールが必要な場合は，β 遮断薬が第 1 選択肢となるが，使用困難な場合や薬物治療下でコントロールが不十分な場合には，静注アミオダロンでも AF 中の心室応答を減弱させることが可能である[1,2]。

一方で，長期使用に伴う副作用のリスクも考慮すると，経口アミオダロンは慢性期のレートコントロールには適していない。静注アミオダロンは，レートコントロールだけでなく，洞調律復帰や維持においても効果が示されている[1,3,4]。

2 心室性不整脈

低左心機能患者の突然死の一次予防としては，アミオダロンは死亡率を改善しない。さらに重症例に限ると，死亡率を上昇させる可能性が示唆されていることから，予防的な投与は控えるべきである。また，心室頻拍・心室細動の二次予防に対する ICD 植込み後の患者に対しては，β 遮断薬単独治療と比較し，アミオダロンの追加は ICD 作動を減少させる[5]。

C アミオダロンの心不全患者へのエビデンス

アミオダロンは，いくつかの前向き研究の結果などから，一般的には心不全の予後を悪化させないと考えられている。このため，本邦の JCS/JHFS ガイドラインでも，心不全患者に対する心室性不整脈抑制に用いられる抗不整脈薬の第 1 選択となっている[6]。

SCD-HeFT 試験では EF が 35％以下に低下した心不全患者に対して，プラ

セボ群，アミオダロン群，ICD 群に無作為割付けを行った．アミオダロン群では，プラセボ群と比較し死亡率を低下させなかった[7]．ただし，同研究のサブ解析では，より進行した心不全患者ではアミオダロンが予後を悪化させる可能性が示唆されている（6 分間歩行試験＜288 m HR: 1.56）[8]．この結果は，同様に K チャネル遮断作用を有するドロネダロンのランダム化比較試験の結果と類似しており，より重症例に対する投与は慎重な姿勢が必要と考えられる．

OPTIC 試験では，二次予防の ICD 植込み患者に対して，β 遮断薬に加えてアミオダロンを追加することにより，ICD 作動を減少させることが示されている．一方で，アミオダロン使用群では，肺疾患や甲状腺疾患の発症率も高いことから，個々の症例に応じて判断することが望ましい．また，この研究では，EF が平均 35％程度で低心機能患者を多く含んでいるが，死亡率は各群ともに 2〜4％/年と低い患者を対象としていたが，すべての群の死亡率には差がなかった[5]．

アミオダロンのレートコントロール作用に関してもいくつかの研究が報告されている．ICU での重症患者の頻脈性心房細動に対して，静注アミオダロンとジルチアゼム（商品名: ヘルベッサー®）の効果を比較した報告では，アミオダロンはレートコントロールの効果が同等でありながら，血行動態には影響が少ないとした[9]．また，Hofmann らは[10]，CCU 患者に対して，高用量アミオダロン（450 mg/1 min ± 300 mg 追加）とジゴキシンの比較を行い，同様に有効性を報告している．さらに，この研究では 1 時間までの洞調律復帰率はコントロール群のジゴキシンが 9％であったのに対し，アミオダロン群では 42％であり，比較的短時間での除細動効果もあることが示されている．

🅓 使用する際の注意（副作用や漸減方法，中止の判断など）

アミオダロンの副作用はきわめて高率だが軽症の角膜色素沈着から，重症の薬剤性肺傷害まで多岐にわたり，すべてを列挙することが難しいため，本稿では簡便に記載するに留める．フォローアップの方法は，アメリカ不整脈学会の使用中のモニタリングに関するガイダンスが参考になる（表 1）[11]．ただし，このフォローの方法を処方医のみで遵守することは時に困難であり，薬剤師なども含めたチームでの対応が必要と考えられる．

表1 アミオダロン使用時に推奨される検査

テストの種類	テストが実施される時間
肝機能試験	投与開始時と6カ月毎
甲状腺機能試験	投与開始時とその後，6カ月毎: TSH，遊離T4・遊離T3を評価
胸部X線検査	投与開始時とその後毎年
眼科評価	視覚障害があるか症状がある場合は投与開始時で評価
肺機能試験（DLCO含む）	投与開始時と，説明のつかない咳または呼吸困難がある場合，特に肺疾患を持つ患者で，X線写真の異常が示唆される場合，および肺毒性の臨床的な疑いがある場合
高解像度CTスキャン	肺毒性の臨床的な疑いがある場合
心電図	投与開始時と臨床的に関連があるとき

(Epstein AE, et al. Am J Med. 2016; 129: 468-75[11]）より改変)

1 肺障害

　アミオダロンによる肺障害は，重篤な副作用として広く知られている．その原因や病態については，アミオダロンの組織親和性が高く，肺組織では血漿中の100〜500倍の濃度の高濃度のアミオダロンに曝露されることが一因と考えられている．血中測定による，アミオダロン血中濃度もしくは，デスエチルアミオダロン血中濃度は，肺障害の発症予測に有用であるというエビデンスは乏しい[11]．

　肺障害は，使用数日後からはいずれの時期にも発症する可能性があるが，危険因子として，累積使用量（101〜150 g）や治療用量が関係するとされる．内服用量200 mg以下では，0.1〜0.5％の出現頻度と低いが，400 mg以上では15％と上昇する．多くの報告で，高齢はリスクとなるとされるが，一方で肺疾患の既往に関しては定まった見解がない[1,12]．

2 甲状腺機能障害

　アミオダロン使用には甲状腺機能低下・中毒症のいずれも起こりうる．甲状腺機能低下症は，高頻度であるが，通常は投与中止とともに改善し，アミオダロン投与継続が必要な場合でもL-チロキシン投与による対処が可能である[13]．

　一方，甲状腺機能亢進症はアミオダロン誘発性の甲状腺中毒症の発生率は約8％と機能低下症に比べ低いが，治療が難しく，特に心室機能が低下した高齢者

では死亡率が上昇する[14]．アミオダロン誘発性甲状腺中毒症は，病態により2つのサブタイプに分類される．タイプ1のアミオダロン誘発性甲状腺中毒症は，甲状腺の血流増加および甲状腺抗体の増加を特徴とする機能亢進である．そして，タイプ2では破壊性甲状腺炎を機序とし，アミオダロン開始後数年程度が経過してからの発症が多いとされる．しかしながら，臨床的にはサブタイプのいずれにも明確に分類できない症例が多数存在する[11]．原因が明らかでない患者に対しての戦略の1つは，抗甲状腺薬とプレドニゾンの両方を開始することである．1〜2週間で改善が見られれば，疾患はプレドニゾンに反応し，抗甲状腺薬の中止を考慮する．薬物療法が甲状腺状態を改善しない場合，選択肢は限られ，甲状腺全摘出を考慮する．

3 催不整脈作用

アミオダロンに限らずすべての抗不整脈薬に共通する徐脈は注意が必要だが，アミオダロンなどのKチャネル遮断薬ではQT延長が生じる．しかしながら，多くの場合は減量投与によりQT延長は改善し，Torsades de Pointes のリスクは他剤と比較し比較的低い（<0.5%）[2,15]．

その他，アミオダロンは肝臓で代謝されるため，重篤な肝障害の患者では使用を控えるべきである．また，ジゴキシンやワルファリンとの薬物相互作用がよく知られており，アミオダロン使用時は，用量の調整が必要になる．加えて，臨床で静注用アミオダロン特有の注意点もある．例えば，静注薬では肝障害を認める頻度が高いとされている．この機序は完全には解明されていないが，静注アミオダロンに共溶媒として含まれるポリソルベート80の関与が考えられている[16]．また，本邦のICUのレジストリ研究の解析結果からは，静注アミオダロンの末梢ラインでの使用が静脈炎のリスク因子として報告されている[17]．致死的な合併症ではないものの，選択できる場合には中心静脈ラインからの投与が望ましい．

E 同系統薬の使い分けについて

アミオダロンと同様にKチャネル遮断作用を有する薬剤としては本邦で使用可能なものは，ソタロール（ソタコール®），ニフェカラント（シンビット®），そしてベプリジル（ベプリコール®）があげられる．

このなかで比較的エビデンスの集積があるものはソタロールである．ソタ

ロールはアミオダロン同様，β遮断作用を要するが，腎代謝の薬物であること
や，半減期が7〜11時間と短いなどの点で異なる．また，心機能低下症例（EF
＜40％への予防投与は死亡率を増加させるため，避けるべきである[18]．一方で，
OPTIC 試験では，ICD 作動の二次予防に対する効果が確認され，2017 AHA/
ACC/HRS 心室性不整脈の管理に関するガイドラインでは，ICD 植込み後の心
室性不整脈による ICD 作動後のコントロールとして，β遮断薬に追加する薬剤
としてソタロールはアミオダロンと共に推奨されている[19]．

　ニフェカラントとベプリジルは，主に本邦で使用されているが，エビデンス
に乏しく，使用は限定するべきである．同じ K チャネル遮断薬の中では，国外
の前向き比較試験が複数行われており，いずれも本邦で使用できない dofetilide
は死亡率を増加させなかったのに対して[20]，dronedarone は死亡率を上昇させ
た[21]．これらの例からも，薬理作用のみで心不全治療に対する薬物の安全性を
推定することは困難と考えられる．

F　アミオダロンの未知

　アミオダロンに関するランダム化比較試験では，比較的高用量で薬剤が使用
されている[3,5,7]など，実臨床との間に隔たりがあることには注意が必要である．
　また，アミオダロンに関する大規模な研究が行われたのは，多くが 2000 年前
後であるが，不整脈診療はそれ以後もカテーテルアブレーションやデバイス治
療の発展により大きく変化している．近年は，心不全患者への心室・心房性不
整脈に対するカテーテルアブレーションの有用性が報告されているが[22,23]，治
療後の抗不整脈薬の使用方法に関する知見は乏しく，今後さらなるエビデンス
の蓄積が望まれる．

■文献

1) Vassallo P, Trohman RG. Prescribing amiodarone. JAMA. 2007; 298: 1312.
2) Zimetbaum P. Amiodarone for atrial fibrillation. N Engl J Med. 2007; 356: 935-41.
3) Roy D, Talajic M, Dorian P, et al. Amiodarone to prevent recurrence of atrial fibrilla-
   tion. Canadian Trial of Atrial Fibrillation Investigators. N Engl J Med. 2000; 342:
   913-20.
4) Lafuente-Lafuente C, Mouly S, Longás-Tejero MA, et al. Antiarrhythmic drugs for
   maintaining sinus rhythm after cardioversion of atrial fibrillation: a systematic
   review of randomized controlled trials. Arch Intern Med. 2006; 166: 719-28.
5) Connolly SJ, Dorian P, Roberts RS, et al. Comparison of beta-blockers, amiodarone

plus beta-blockers, or sotalol for prevention of shocks from implantable cardio-verter defibrillators: the OPTIC Study: a randomized trial. JAMA. 2006; 295: 165-71.

6) 急性・慢性心不全診療ガイドライン（2017年改訂版）. https://www.j-circ.or.jp/cms/wp-content/uploads/2017/06/JCS2017_tsutsui_h.pdf.

7) Bardy GH, Lee KL, Mark DB, et al. Amiodarone or an implantable cardioverter-defibrillator for congestive heart failure. N Engl J Med. 2005; 352: 2146.

8) Fishbein DP, Hellkamp AS, Mark DB, et al. Use of the 6-min walk distance to iden-tify variations in treatment benefits from implantable cardioverter-defibrillator and amiodarone results from the SCD-HeFT (Sudden Cardiac Death in Heart Failure Trial). J Am Coll Cardiol. 2014; 63: 2560-8.

9) Delle Karth G, Geppert A, Neunteufl T, et al. Amiodarone versus diltiazem for rate control in critically ill patients with atrial tachyarrhythmias. Crit Care Med. 2001; 29: 1149-53.

10) Hofmann R, Steinwender C, Kammler J, et al. Effects of a high dose intravenous bolus amiodarone in patients with atrial fibrillation and a rapid ventricular rate. Int J Car-diol. 2006; 110: 27-32.

11) Epstein AE, Olshansky B, Naccarelli GV, et al. Practical management guide for clini-cians who treat patients with amiodarone. Am J Med. 2016; 129: 468-75.

12) Schwaiblmair M, Berghaus T, Haeckel T, et al. Amiodarone-induced pulmonary tox-icity: An under-recognized and severe adverse effect? Clin Res Cardiol. 2010; 99: 693-700.

13) Razvi S, Jabbar A, Pingitore A, et al. Thyroid hormones and cardiovascular function and diseases. J Am Coll Cardiol. 2018; 71: 1781-96.

14) Wiersinga WM, Poppe KG, Effraimidis G. Hyperthyroidism: aetiology, pathogenesis, diagnosis, management, complications, and prognosis. Lancet Diabetes Endocrinol. 2023; 11: 282-98.

15) Kaufman ES, Zimmermann PA, Wang T, et al. Risk of proarrhythmic events in the Atrial Fibrillation Follow-up Investigation of Rhythm Management (AFFIRM) study: a multivariate analysis. J Am Coll Cardiol. 2004; 44: 1276-82.

16) Kodama I, Kamiya K, Toyama J. Amiodarone: ionic and cellular mechanisms of action of the most promising class Ⅲ agent. Am J Cardiol. 1999; 84: 20R-28R.

17) Yasuda H, Rickard CM, Marsh N, et al. Risk factors for peripheral intravascular cath-eter-related phlebitis in critically ill patients: analysis of 3429 catheters from 23 Jap-anese intensive care units. Ann Intensive Care. 2022; 12: 33.

18) Waldo AL, Camm AJ, DeRuyter H, et al. Effect of d-sotalol on mortality in patients with left ventricular dysfunction after recent and remote myocardial infarction. The SWORD Investigators. Survival with oral d-sotalol. Lancet (London, England). 1996; 348: 7-12.

19) Al-Khatib SM, Stevenson WG, Ackerman MJ, et al. 2017 AHA/ACC/HRS Guideline for management of patients with ventricular arrhythmias and the prevention of sudden cardiac death: A Report of the American College of Cardiology/American Heart Association Task Force on Clinical Practice Guidelines and the Heart Rhythm

Society. Circulation. 2018; 138: e272-e391.

20) Torp-Pedersen C, Møller M, Bloch-Thomsen PE, et al. Dofetilide in patients with congestive heart failure and left ventricular dysfunction. Danish Investigations of Arrhythmia and Mortality on Dofetilide Study Group. N Engl J Med. 1999; 341: 857-65.

21) Køber L, Torp-Pedersen C, Mcmurray JJV, et al. Increased mortality after dronedarone therapy for severe heart failure. N Engl J Med. 2008; 358: 2678-87.

22) Marrouche NF, Brachmann J, Andresen D, et al. Catheter ablation for atrial fibrillation with heart failure. N Engl J Med. 2018; 378: 417-27.

23) Di Biase L, Mohanty P, Mohanty S, et al. Ablation versus amiodarone for treatment of persistent atrial fibrillation in patients with congestive heart failure and an implanted device: Results from the AATAC multicenter randomized trial. Circulation. 2016; 133: 1637-44.

〈黒田俊介〉

抗不整脈薬
心不全管理における至適心拍数の考え方と薬剤使用

Point

- 心不全には様々な不整脈が合併し，心不全の原因や増悪因子となる．特に心房細動（atrial fibrillation: AF）は最もよく合併する．
- AF は "ABC pathyway" に則り包括的に介入することが重要である．近年，リズムコントロールの重要性が再認識されている．
- AF に対するレートコントロールは，急性期・慢性期ともに日本では β 遮断薬が選択されることが多いが，特に重症例の急性期管理においては注意を要する．
- AF の目標心拍数は安静時 110/min 未満，運動時 150/min 以下とされるが，至適心拍数についてのエビデンスは限定的である．

A レートコントロールとリズムコントロール

　心不全や心機能障害には不整脈を合併することが多い．心機能障害の原因や心不全増悪の誘因となりうるが，治療前にそれを予測することは時に困難である．同様の不整脈でも心機能の変化は個人差が大きく，治療後の経過も様々である．頻脈誘発性心筋症だけでなく，AF や心室期外収縮に伴う心機能障害は不整脈誘発性心筋症とまとめられる[1]．その他，右室ペーシングや左脚ブロック，WPW 症候群による心室内の伝導障害や同期不全も心機能障害を生じうる．こうした病態に，薬物療法だけでなく，アブレーションやデバイス治療も行われる．ここでは特に頻度の高い AF についてとりあげる．

　心不全と AF は互いに合併しやすく，合併すると予後が悪化する．AF の治療は "ABC pathway" と呼ばれ，抗凝固薬や左心耳閉鎖術といった脳梗塞の予防（Anticoagulation/Avoid stroke），抗不整脈薬やアブレーションによる症状の改善（Better symptom management），心血管疾患のリスク管理や併存症治療（Cardiovascular and Comorbidity optimization）を包括的に行うことが重要

である[2]. ここで洞調律維持（リズムコントロール）を目指すか，AFのまま心拍数調節（レートコントロール）を行うかが議論となる．AFFIRM試験[3]やAF-CHF試験[4]から，心不全があってもなくても2つの治療による予後の差がなく，副作用がより少ないレートコントロールが優先されてきた．しかし，近年ではリズムコントロールの有用性が再認識されている．

CASTLE-AF試験[5]で，植込み型除細動器の症例〔NYHA Ⅱ～Ⅳ，左室駆出率（ejection fraction: EF）≦35%〕にアブレーションは薬物療法と比較して全死亡・心不全入院を4割減少させた．AFの再発があってもAFである時間（AF burden）を減らすと予後が改善した．また心臓移植が検討される重症例を対象としたCASTLE-HTx試験においても，アブレーションは薬物治療と比較して全死亡・補助人工心臓植込み・心臓移植を大きく減少させた[6]．しかし，CABANA試験[7]では，症候性AFにアブレーションは薬物療法と比較して死亡・脳卒中・出血などに有意な差を示さなかった．その後，EAST-AFNET4試験[8]では，診断から1年以内のAFに早期リズムコントロールを行うと心血管死・脳卒中・心不全入院・急性冠症候群が少なかった．特に診断後早期の症例にはリズムコントロールを検討することが重要である．ただし，EAST-AFNET4の早期リズムコントロールは抗不整脈薬が主であり，2年目の時点では約3割が抗不整脈薬を中止し，約2割のみがアブレーションをうけていた．CABANAの結果からも必ずしもアブレーションが推奨されるわけではないが，適切にリズムコントロールの適応や方法を検討する必要がある．

AFFIRMとEAST-AFNET4の最大の違いは診断後早期の介入という点だが，後者では薬剤関連の有害事象が非常に少なかったことも重要である．抗不整脈薬はAFの発作を完全に抑制することにこだわらず，安全性を重視した使用が望ましい[9]．特に心不全合併例では抗不整脈薬の陰性変力作用が懸念され，アブレーションに期待がされる．CASTLE-AF・CASTLE-HTxの結果からは重症例での適応検討が重要となる．CABANAのサブ解析[10]ではEFが保たれた心不全症例（heart failure with preserved EF: HFpEF）が主な対象であっても予後を改善する可能性が示唆されたが，十分なエビデンスはなくさらなる検討を要する．

B レートコントロールに使用する薬剤

リズムコントロールが見直されてきてはいるものの，実際には最低限のレー

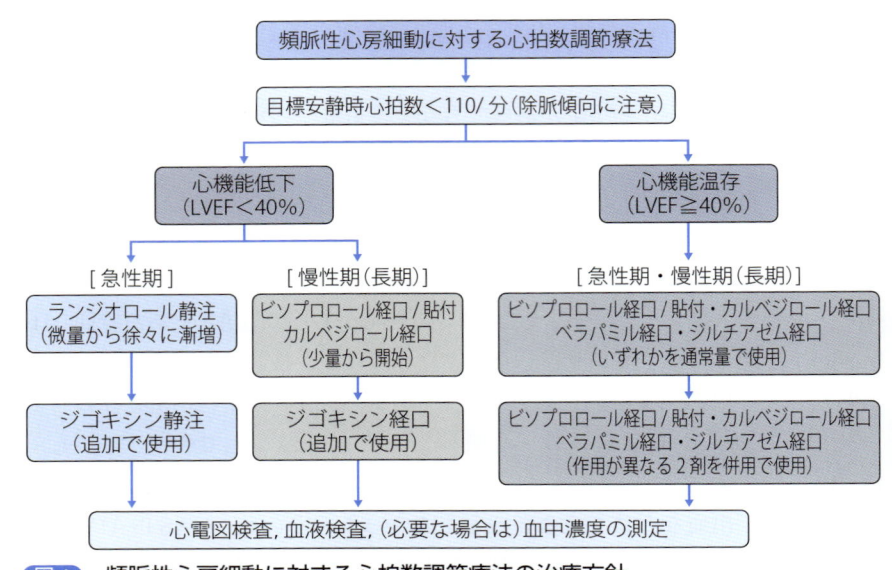

図1　頻脈性心房細動に対する心拍数調節療法の治療方針

（日本循環器学会/日本不整脈心電学会. 2020 年改訂版 不整脈薬物治療ガイドライン[11]，
http://www.j-circ.or.jp/cms/wp-content/uploads/2020/01/JCS2020_Ono.pdf，2023 年 8 月閲覧）

トコントロールを併用する場合やそもそも洞調律の維持が困難な場合もある．
日本のガイドライン[11]におけるレートコントロールの薬剤選択を図 1 に示す．
β 遮断薬・非ジヒドロピリジン系カルシウム拮抗薬・ジゴキシンの 3 種類が主
で，時にアミオダロンを用いる．慢性期には β 遮断薬が第 1 選択とされ，EF の
低下した心不全（heart failure with reduced EF: HFrEF）にエビデンスのある
ビソプロロールとカルベジロールが選択される．

　急性心不全を合併している頻脈性 AF には，JCS/JHFS ガイドライン[12]では
ランジオロールやジゴキシン静注が Class Ⅱa，アミオダロン静注（保険適用
外）が Class Ⅱb であるが，欧州[13]や米国[14]ではアミオダロンとジゴキシン静
注が推奨される．日本で J-Land 試験[15]が行われ，EF 25〜50％の急性心不全合
併 AF にランジオロールはジゴキシンと比較して心拍数の抑制効果に優れ，副
作用の発現に差がなかった．ただし，速やかな心拍数の抑制がえられても症状
の改善は同程度であった．また，EF 25％未満や血圧 90 mmHg 未満の重症例は
除外されていたことにも注意を要する．陰性変力作用が弱いとされる β 遮断薬

やアミオダロンであれば必ずしも安全というわけではない[16]. 特に重症例では, 通常よりも少量からランジオロール開始して維持量も少なめにしておくか, 心拍数の抑制効果が緩やかであっても陰性変力作用のないジゴキシンを選択するか, 洞調律化も見据えてアミオダロンを使用する. そうした症例では, 目標心拍数の達成に固執せず, 緩やかに心拍数を低下させて, それに伴って循環動態が改善していることを確認する. つまり, 心内圧の低下と心拍出量の増加がえられている必要がある. また, 安静や酸素療法, 貧血や感染症などの併存症治療, 場合によっては強心薬の投与や機械的補助循環によって心拍数の低下がえられることもあり, 薬剤による心拍数の抑制にこだわらない方が良いこともしばしば経験する.

慢性期の第1選択は β 遮断薬だが, カルシウム拮抗薬と比較して, 運動耐容能を低下させる可能性や, 発作性から持続性に進行しやすい可能性などが懸念されている[17]. また, HFrEF に対する β 遮断薬は, 洞調律での予後改善効果は明らかであるのに対し, AF では明確ではなく, 登録研究で示唆されているのみである[11]. それでも AF 合併 HFrEF には β 遮断薬が第1選択と考えるが, HFpEF には併存症などによって使い分ける必要があるのかもしれない[16]. なお, HFrEF へのカルシウム拮抗薬は, 主に洞調律の症例を対象とした試験に基づいて禁忌とされており, AF 合併 HFrEF にも安全に使用できる可能性はあるが, 現時点では推奨はされない. ジゴキシンも予後悪化の懸念から HFrEF への長期使用は禁忌とされているが, こちらも洞調律の試験結果が主であり, 現在ランダム化比較試験が進行中である. HFpEF が主であった RATE-AF 試験[18]では, ジゴキシンは β 遮断薬と比較して QOL 改善効果は同等であり, BNP は低く, 医療機関への受診や入院も少なかった. このように, 薬剤の使い分けは今なお議論が残る.

C 至適心拍数とは

頻脈誘発性心筋症のように, 頻脈が中長期的に心筋障害を生じると考えられている. また, 同じ左房圧と心拍出量であっても心拍数の低下は心筋酸素消費量を減少させるため, 心臓生理学に則れば適切に心拍数を抑制することは心筋のエネルギー効率においても有利と考えられる. 洞調律においては, 心拍数の低下が予後改善につながり, 忍容性があれば安静心拍数 50〜60/min が至適心拍数とされる. しかし, 実際のところ心房細動のレートコントロールの適応や

治療目標（至適心拍数）は明らかではない．循環動態から考えると，心不全の急性増悪期であれば短期的には最大の心拍出量がえられる心拍数を，慢性期には日常生活動作や運動時に心拍出量の増加が見込める程度の安静時心拍数を管理目標とすべきかもしれないが，個人差も大きい．60人の心房細動患者の心エコーデータを数学的に検討した研究[19]では，心拍数が90/min未満の場合は心拍数の増加とともに心拍出量が増加し，140/minを超えると心拍数の増加とともに心拍出量が低下した．90から140の間は症例ごとに異なり，心拍出量が最大となる心拍数の平均は120/min程度であった．安静時心拍数は90/min未満，運動時の心拍数は当時の指標であった90〜115/minよりも高くても良い可能性が考えられた．

　急性期の目標心拍数を検討したランダム化比較試験はない．動悸症状の改善のためには十分なレートコントロールが必要かもしれないが，急性心不全を合併している場合は心拍出量が低下するほど心拍数を抑制すべきではない．慢性期においてはRACE II 試験[20]で，永続性心房細動患者を厳格コントロール群（安静時心拍数<80/minを目標）と緩徐コントロール群（<110/min）に分けたところ，複合心血管イベントの発生率に差はなく，厳格コントロール群で有害事象がやや多い傾向にあった．この結果，欧州[2]では安静時心拍数110/min未満が推奨されている．ただし，RACE IIの緩徐コントロール群でも1〜2年後の安静時平均心拍数は85/min程度であったことから，厳格なコントロールによる副作用は避けつつも，110/min未満であれば良いとも言えない．また，RACE IIは心不全非合併例がほとんどであったことにも注意したい．日本[11]では安静時心拍数110/min未満を1つの指標とした上で個々の症状や病態に応じて調節することが重要としている．なお，運動時心拍数も明確なエビデンスはないが，心臓リハビリテーションのガイドラインでは心拍数150/min以下となる負荷での運動を推奨している．

　最後に，房室結節アブレーションについて述べる．従来は薬物療法でレートコントロールが困難な際の治療であった．しかし，APAF-CRT試験[21]で，重度の症状があり，QRS幅が狭く，1年以内に心不全入院が少なくとも1回ある永続性心房細動の症例を対象に，房室結節アブレーションと心臓再同期療法の併用が薬物によるレートコントロールよりも予後を改善することが示された．薬物療法群でも平均心拍数が100/min未満であったことから，心拍数よりもその「不規則性」が心不全を悪化させる大きな要因であったのかもしれない．レー

トコントロールが困難な症例に限らず，リズムコントロールが困難で心不全管理に難渋する症例では，デバイスの合併症リスクとの兼ね合いにはなるが，1つの重要な選択肢になりうる．

■文献

1) Huizar JF, Ellenbogen KA, Tan AY, et al. Arrhythmia-induced cardiomyopathy: JACC State-of-the-Art Review. J Am Coll Cardiol. 2019; 73: 2328-44.
2) Hindricks G, Potpara T, Dagres N, et al. 2020 ESC Guidelines for the diagnosis and management of atrial fibrillation developed in collaboration with the European Association for Cardio-Thoracic Surgery (EACTS): The Task Force for the diagnosis and management of atrial fibrillation of the European Society of Cardiology (ESC) developed with the special contribution of the European Heart Rhythm Association (EHRA) of the ESC. Eur Heart J. 2021; 42: 373-498.
3) Wyse DG, Waldo AL, DiMarco JP, et al. A comparison of rate control and rhythm control in patients with atrial fibrillation. N Engl J Med. 2002; 347: 1825-33.
4) Roy D, Talajic M, Nattel S, et al. Rhythm control versus rate control for atrial fibrillation and heart failure. N Engl J Med. 2008; 358: 2667-77.
5) Marrouche NF, Brachmann J, Andresen D, et al. Catheter ablation for atrial fibrillation with heart failure. N Engl J Med. 2018; 378: 417-27.
6) Sohns C, Fox H, Marrouche NF, et al. Catheter ablation in end-stage heart failure with atrial fibrillation. N Engl J Med. 2023; Online ahead of print.
7) Packer DL, Mark DB, Robb RA, et al. Effect of catheter ablation vs antiarrhythmic drug therapy on mortality, stroke, bleeding, and cardiac arrest among patients with atrial fibrillation: The CABANA Randomized Clinical Trial. JAMA. 2019; 321: 1261-74.
8) Kirchhof P, Camm AJ, Goette A, et al. Early rhythm-control therapy in patients with atrial fibrillation. N Engl J Med. 2020; 383: 1305-16.
9) Kirchhof P, Benussi S, Kotecha D, et al. 2016 ESC Guidelines for the management of atrial fibrillation developed in collaboration with EACTS. Eur Heart J. 2016; 37: 2893-962.
10) Packer DL, Piccini JP, Monahan KH, et al. Ablation versus drug therapy for atrial fibrillation in heart failure: Results from the CABANA Trial. Circulation. 2021; 143: 1377-90.
11) 日本循環器学会/日本不整脈心電学会合同ガイドライン．2020年改訂版不整脈薬物治療ガイドライン．
12) 日本循環器学会/日本心不全学会合同ガイドライン．2021年 JCS/JHFS ガイドラインフォーカスアップデート版急性・慢性心不全診療．
13) Gorenek B, Halvorsen S, Kudaiberdieva G, et al. Atrial fibrillation in acute heart failure: A position statement from the Acute Cardiovascular Care Association and European Heart Rhythm Association of the European Society of Cardiology. Eur

Heart J Acute Cardiovasc Care. 2020; 9: 348-57.

14) January CT, Wann LS, Alpert JS, et al. 2014 AHA/ACC/HRS guideline for the management of patients with atrial fibrillation: executive summary: a report of the American College of Cardiology/American Heart Association Task Force on practice guidelines and the Heart Rhythm Society [published correction appears in Circulation. 2014 Dec 2; 130 (23): e270-1]. Circulation. 2014; 130: 2071-104.

15) Nagai R, Kinugawa K, Inoue H, et al. Urgent management of rapid heart rate in patients with atrial fibrillation/flutter and left ventricular dysfunction: comparison of the ultra-short-acting β1-selective blocker landiolol with digoxin (J-Land Study). Circ J. 2013; 77: 908-16.

16) Andrade JG, Aguilar M, Atzema C, et al. The 2020 Canadian Cardiovascular Society/Canadian Heart Rhythm Society Comprehensive Guidelines for the Management of Atrial Fibrillation. Can J Cardiol. 2020; 36: 1847-948.

17) Meyer M, Lustgarten D. Beta-blockers in atrial fibrillation-trying to make sense of unsettling results. Europace. 2023; 25: 260-2.

18) Kotecha D, Bunting KV, Gill SK, et al. Effect of digoxin vs bisoprolol for heart rate control in atrial fibrillation on patient-reported quality of life: The RATE-AF Randomized Clinical Trial. JAMA. 2020; 324: 2497-508.

19) Rawles JM. What is meant by a "controlled" ventricular rate in atrial fibrillation? Br Heart J. 1990; 63: 157-61.

20) Van Gelder IC, Groenveld HF, Crijns HJ, et al. Lenient versus strict rate control in patients with atrial fibrillation. N Engl J Med. 2010; 362: 1363-73.

21) Brignole M, Pentimalli F, Palmisano P, et al. AV junction ablation and cardiac resynchronization for patients with permanent atrial fibrillation and narrow QRS: the APAF-CRT mortality trial. Eur Heart J. 2021; 42: 4731-9.

〈高麗謙吾　千村美里〉

9. 意外に役立つ！心不全患者に そっと寄り添う漢方のチカラ

　80歳以上の人口が1,000万人を超える超高齢社会を迎えた日本において，高齢心不全患者が増加の一途を辿っており，生命予後のみならず，QOL改善に対する治療介入の重要性が昨今増してきている．それらすべてに西洋薬のみで立ち向かうことは難しく，そんなときに我々をそっと寄り添いサポートしてくれるのが『漢方』である．職人技の漢方だけではなく，ほんの少しの知識で心不全患者へ貢献できる漢方もあり，本コラムでは，難しい話は敢えて避け，必要最低限の知識，明日からすぐに使える処方を中心にまとめてみたい．

意外とある！明日からの心不全診療に活かせる漢方薬

　ここでお伝えしたいことは，図1に凝縮されており，これをもとに説明していく[1]．まず，実臨床において漢方の強みを最も活かせるのは，心不全患者に併存することの多い心不全周辺症状（フレイル，食思不振，倦怠感，不安，便

心不全への治療介入

標準的心不全治療（GDMT）
- ☐ ACEi / ARB, ARNi
- ☐ β遮断薬
- ☐ MR拮抗薬
- ☐ SGLT2阻害薬　etc.

体液貯留 / 浮腫
- ☐ 利尿薬
　＋
- ➤ 五苓散
- ➤ 木防已湯
- ➤ 牛車腎気丸
- ➤ 当帰芍薬散
- ➤ 真武湯　　etc.

多職種連携
心不全療養指導士

多疾患併存の多い
心不全患者

心臓リハビリテーション
心不全患者教育
社会生活支援

周辺症状への治療介入

サルコペニア / フレイル
- ➤ 牛車腎気丸
- ➤ 人参養栄湯　etc.

食思不振 / 疲れ, 倦怠感
- ➤ 六君子湯
- ➤ 補中益気湯
- ➤ 人参養栄湯　etc.

精神的問題
不安 / 抑うつ / 不眠
- ➤ 帰脾湯
- ➤ 加味帰脾湯　etc.

便秘
- ➤ 麻子仁丸
- ➤ 大建中湯　etc.

図1　心不全パンデミックへ立ち向かう "これからの" 全人的心不全診療
(Yaku H, et al. J Cardiol. 2022; 80: 306–12[1]を元に作成)

秘など）である．これらの症状は，なかなか西洋薬のみでは困ることが多いのではないだろうか．そこで役立つのが漢方薬であり，代表的な処方は**図1**の通りである．もちろんこれ以外にも様々な処方があるが，漢方を専門としない循環器医であれば，まずはこれらを使い慣れるだけでも十分患者へ貢献できるものと考える．なお，漢方といえばすぐには効かないという印象があるかもしれないが，実は即効性のある処方も多くある．例えば，こむら返りに対する**疎経活血湯**がそれにあたる．**芍薬甘草湯**は頓服処方，繰り返す場合は**疎経活血湯**がお薦めである（眠前1～2包）[2]．その他，高齢者の便秘に対してよく用いられる**麻子仁丸**も即効性がある．実際高齢の ATTR 心アミロイドーシス患者の難治性便秘に対して有効で即効性があったという報告もあり，是非お試しいただきたい[3]．また，心不全患者のサルコペニア，身体的フレイルに対しては，**牛車腎気丸**，**人参養栄湯**が有効な場面があり，例えば**人参養栄湯**については，高齢者に対する握力や骨格筋への良い影響があったという報告もある[4]．心不全患者の食思不振，倦怠感に対しては，グレリン（食欲亢進ホルモン）の分泌抑制阻害作用が報告されている**六君子湯**[5]，**補中益気湯**，**人参養栄湯**，そして不安，抑うつ，不眠などの精神的な症状に対しては，**帰脾湯**，**加味帰脾湯**がまず選択されることが多い．これらの処方における基礎研究なども実は数多くあり，詳細は参考文献1を参照にされたい．

　そしてもう1つ是非ご活用いただきたいのが，うっ血管理に対する漢方である．うっ血改善のためにはループ利尿薬をまず用いるが，慢性的に使用することで，RAAS や交感神経系亢進をきたし，腎機能障害，電解質異常，脱水などの副作用もよく経験する．その既存利尿薬のデメリットを補完するものとして漢方薬の可能性が最近注目されている．うっ血改善目的によく使用する漢方は**図1**の通りであるが，今回は研究面でもデータの多い**五苓散**を取り上げる．**五苓散**は，約1800年前に成立した漢方の古典にも記載されている処方で，古くから浮腫などに対して使用されてきた水の偏りを正す水分バランス調整薬である[1]．**五苓散**には，全身が浮腫傾向にあるときは尿量を増加させるが，脱水状態では尿量に影響を与えないというユニークな特徴が報告されており[6]，実際トルバプタンノンレスポンダー心不全患者への五苓散の有用性，慢性腎臓病合併心不全患者への五苓散の有用性などが多数報告されている[7,8]．しかしながら，大規模 RCT で検証されたことはなく，そもそも漢方エキス製剤の有用性を検証した大規模 RCT は過去に一度も実施されていない．そこへ一石を投じ

る試験, GOREISAN-HF trial が現在わが国で進行中であり, 最後に紹介したい. 本試験は, うっ血性心不全患者を対象とし, 従来治療に五苓散を追加するうっ血戦略の効果を検証する大規模 Pragmatic RCT である[9]. 目標症例数は 2,192 例, 現在全国 72 施設にて進行中であり, この研究から多くの知見が得られるものと期待される.

おわりに

上記の通り, 心不全患者のなかに漢方が有用なケースが存在することは間違いなく, 今後は今までの経験に加え, 最新の技術も駆使しつつ, エビデンスを創出し, 古典をしっかり未来に繋げていくこともきわめて重要であろう. それらを通じて, 漢方薬が役立つ全国の心不全患者へ漢方薬が適切に届くことを切に願うばかりである.

■文献

1) Yaku H, Kaneda K, Kitamura J, et al. Kampo medicine for the holistic approach to older adults with heart failure. J Cardiol. 2022; 80: 306-12.
2) 土倉潤一郎, 高橋佑一朗, 前田ひろみ, 他. 再発性こむら返りに疎経活血湯を使用した 33 例の検討. 日本東洋医学雑誌. 2017; 68: 40-6.
3) Imamura T, Hori M, Tanaka S, et al. Successful management of refractory constipation using Kampo medicine Mashiningan in a patient with wild-type ATTR cardiac amyloidosis. J Cardiol Cases. 2022; 25: 34-6.
4) Sakisaka N, Mitani K, Sempuku S, et al. A clinical study of ninjin'yoeito with regard to frailty. Front Nutr. 2018; 5: 73.
5) Takeda H, Sadakane C, Hattori T, et al. Rikkunshito, an herbal medicine, suppresses cisplatin-induced anorexia in rats via 5-HT2 receptor antagonism. Gastroenterology. 2008; 134: 2004-13.
6) Ohnishi N, Nagasawa K, Yokoyama T. The verification of regulatory effects of Kampo formulations on body fluid using model mice. J Traditional Med. 2000; 17: 131-6.
7) 玉野雅裕, 豊田 茂, 加藤士郎, 他. トリバプタンノンレスポンダー心不全患者における五苓散併用効果の臨床的検討. Prog Med. 2017; 37: 141-6.
8) 川原 隆, 千葉 浩, 高橋 浩, 他. 慢性腎臓病合併慢性心不全患者における五苓散の有用性と安全性の臨床的検討. 日本東洋医学雑誌. 2019; 70: 57-64.
9) Yaku H, Kato T, Morimoto T, et al. Rationale and study design of the GOREISAN for Heart Failure (GOREISAN-HF) trial: A randomized clinical trial. Am Heart J. 2023; 260: 18-25.

〈夜久英憲〉

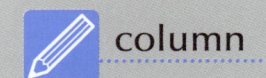
column

10. 心不全患者に対する SGLT2 阻害薬は費用対効果まで 優れているのか？

1. なぜ費用対効果の議論が必要か？

　わが国は，すべての国民にヘルスケアを提供する体制を整えるため，先進国のなかでいち早く国民皆保険制度を導入し，基本的には誰もが質の高い医療を受けることができる素晴らしい保険制度を構築している．一方で，世界一の高齢化社会も迎えているため，国の医療費は 40 兆円を超え年々増大しており，国民皆保険制度を維持することに関して危機を迎えつつあるのも事実である．わが国の医療を持続可能性なものにするためにも，医療が限られた資源であることを理解し，効率的な活用をする必要がある．そのためには，患者側も医療者側も意識を変える必要があるが，残念ながらその意識変容は十分とは言えない．なぜならそこには，医療者側の「治療したい」という要求があり，他方に患者の「治療されたい」という要求があるためと思われる．つまり，何も制限がなければ，基本的には過剰医療に傾く傾向にあるため，行き過ぎを防ぐためにも国家レベルで医療資源の適正配分をコントロールすることは必要であろう．

　近年高額な医療（ARNI，SGLT2 阻害薬，タファミジスなどの薬物治療，TAVI，MitraClip® などのデバイス治療）がどんどん実施可能になっているが，それをただ導入するだけでなく，費用対効果の観点からも優れた治療であるかも吟味する姿勢が我々医療者には求められている．つまり，その高額医療への先行投資が，後にかかる医療費（心不全入院にかかる費用 etc）を下回って，結果的には費用削減になるような医療であるかを吟味する姿勢である．今回このコラムでは，心不全患者に対する SGLT2 阻害薬について本当に医療経済的にも費用対効果が優れている治療なのかを科学的に検討することとした．

2. 心不全患者に対する SGLT2 阻害薬は費用対効果まで優れているのか？

　本書の 2-5．SGLT2 阻害薬の項でも触れられているように，SGLT2 阻害薬

は，DAPA-HF 試験[1]や EMPEROR-Reduced 試験[2]の結果をもとに，HFrEF 患者に対する Class I の治療として診療ガイドライン[3,4]で推奨され，さらには DELIVER 試験[5]や EMPEROR-Preserved 試験[6]で HFpEF（EF が保たれた心不全）患者への有効性も証明され，EF の値にかかわらず SGLT2 阻害薬を導入する時代を迎えている．ただ，心不全患者はわが国に 120 万人いると推定されており，本薬剤の心不全に対する費用対効果の問題は，医療政策の観点から社会全体として議論しなければいけない課題である．世界的には，心不全に対する SGLT2 阻害薬の費用対効果については HFrEF と HFpEF にわけて議論が進んでいるので，今回は HFpEF の費用対効果分析を中心に紹介する．

　結論からいうと，HFpEF に関しては，SGLT2 阻害薬費用対効果は「低い」あるいは「中程度」に留まるという試算になっている報告が現時点では多い[7-9]．本試験[7]では，マルコフモデルという医療経済シュミレーションモデルを用い，SGLT2 阻害薬を追加することで余計にかかる医療費と，健康上の恩恵〔死亡率や入院率の低下，QOL の低下など．メインアウトカムには QALY（質調整生存年）[注1]を使用〕のバランスがどうなるかを，公開された文献（EMPEROR-Preserved 試験 および DELIVER 試験のメタ分析[10]）およびその他の公開されている情報源からのデータ（入院率，死亡率，現状の薬価情報など）を活用して算出した．その結果，まず，SGLT2 阻害薬の追加により，生涯の心不全入院率・死亡率が低下し，QALY が 5.27 から 5.46 に上昇する（0.19 QALY 獲得した）と推定された．一方で，この QALY の上昇は，標準治療と比較して直接的な医療費に 26,312 ＄の追加費用がかかり，ICER（増分費用対効果比[注2]）は 141,200 ＄/QALY と算出された．これは，ACC/AHA で策定された経済的価値（economic value）が「高い」「中程度」「低い」の閾値（50,000 ＄未満の ICER は高い経済的価値，50,000 ＄から 150,000 ＄未満は中程度の経済的価値，150,000 ＄以上は低い経済的価値）と照らし合わせると，限りなく「低い」経済的価値に近い「中等度」の経済的価値と解釈された．

　なお，ICER は分母が「改善できるアウトカムの差」，分子が「余計にかかるコストの差」のため，アウトカムとコストをどう設定するかでかなり影響を受けることから，費用対効果分析では様々な感度解析が行われるのが通常である．アウトカムに関しては，主解析では心血管死のハザード比（HR）の点推定

値 0.88（HFpEF に対する SGLT2 阻害薬のメタ解析[10]において心血管死の HR が 0.88［0.77-1.00］）を使用して算出されているが，最も保存的に見た場合（95% 信頼区間の上限値である 1.00 を使用した場合）は，経済的価値は「低い」という解釈となった．コストに関しては，SGLT2 阻害薬の使用は，薬剤の年間価格（本研究では 4,506 ＄と推定）が 1,431 ＄以下に引き下げられれば経済的価値は高くなり，年間価格が 4,795 ＄を超える場合には経済的価値が低くなるとした．

　一方で，今回は割愛するが，HFrEF に関しても同じような議論が行われており[11-13]，こちらに関しては，「死亡」というアウトカムに対して確かな死亡率低下を示すエビデンスがあるためか，おおむね費用対効果が「高い」という結論になっている．

3. 現時点での心不全における費用対効果分析の解釈

　このように，心不全に対して SGLT2 阻害薬が費用対効果の観点からも優れているかはまだ議論が分かれるところであるが，おおむね HFrEF では高く HFpEF では低いというのが現時点での解釈といえる．ただし，各国の保険制度の違いの影響も大きく受けることから，わが国でも同様の費用対効果分析が待たれるところである．HFpEF に対する SGLT2 阻害薬に関していえば，心血管死に対する効果が小さいこと（DELIVER 試験や EMPEROR-Preserved 試験では主に心不全再入院を抑制した）と，SGLT2 阻害薬の薬価が現状ではまだ高額であることから，その費用対効果はあまり良くないという解釈になっている．ただ，今後コストが下がってくれば，この費用対効果分析の解釈も変わってくるであろうし，現時点で SGLT2 阻害薬が HFpEF に関して臨床的に明確なエビデンスのある唯一の治療であることを考慮すると，本議論だけで HFpEF 患者に SGLT2 阻害薬を差し控えるという結論を容易に導いてはならないであろう．このような費用対効果分析は，社会全体をマクロでみたときの解析であり，個人レベルでの意思決定に影響を与えてはいけないというのはこのような研究のコンセンサスである．いずれにしても，我々医療者は，費用対効果の観点からも医療という限られた資源を有効活用し，日本の医療を持続可能なものにしていく責務があると考える．

■言葉の簡単な解説

注 1: QALY（quality-adjusted life-years, 質調整生存年）: QOL と生存年を あわせて評価するための指標. 完全な健康状態を 1, 死亡を 0 として QOL を数 値化し, そこに生存年をかけて算出する.

注 2: ICER（incremental cost-effectiveness ratio, 増分費用効果比）: 1QALY を獲得するために, 既存の治療と比較して追加でどれだけコストがかかるかの 尺度. コスト（費用）の差/改善できるアウトカム（効果）の差で算出される. 小さいほど費用対効果が高いとされ, この値の上限値（閾値）があり, この上 限値との大小比較で費用対効果の良し悪しを決定する. ただしこの上限値の設 定方法は様々で恣意的なことが多い.

■文献

1) McMurray JJV, Solomon SD, Inzucchi SE, et al. Dapagliflozin in patients with heart failure and reduced ejection fraction. N Engl J Med. 2019; 381: 1995-2008.
2) Packer M, Anker SD, Butler J, et al. Cardiovascular and renal outcomes with empagliflozin in heart failure. N Engl J Med. 2020; 383: 1413-24.
3) Heidenreich PA, Bozkurt B, Aguilar D, et al. 2022 AHA/ACC/HFSA Guideline for the Management of Heart Failure: A Report of the American College of Cardiology/ American Heart Association Joint Committee on Clinical Practice Guidelines. Circulation. 2022; 145: e1033.
4) McDonagh TA, Metra M, Adamo M, et al. 2021 ESC Guidelines for the diagnosis and treatment of acute and chronic heart failure. Eur Heart J. 2021; 42: 3599-726.
5) Solomon SD, McMurray JJV, Claggett B, et al. Dapagliflozin in heart failure with mildly reduced or preserved ejection fraction. N Engl J Med. Published online 2022: 1089-98.
6) Anker SD, Butler J, Filippatos G, et al. Empagliflozin in heart failure with a preserved ejection fraction. N Engl J Med. 2021; 385: 1451-61.
7) Cohen LP, Isaza N, Hernandez I, et al. Cost-effectiveness of sodium-glucose cotransporter-2 inhibitors for the treatment of heart failure with preserved ejection fraction. JAMA Cardiol. 2023; 16: E010283.
8) Zheng J, Parizo JT, Spertus JA, et al. Cost-effectiveness of empagliflozin in patients with heart failure with preserved ejection fraction. JAMA Intern Med. 2022; 182: 1278-88.
9) Zhou J, Liew D, Kaye DM, et al. Cost-effectiveness of empagliflozin in patients with heart failure and preserved ejection fraction. Circ Cardiovasc Qual Outcomes. 2022; 15: E008638.
10) Vaduganathan M, Docherty KF, Claggett BL, et al. SGLT-2 inhibitors in patients with heart failure: a comprehensive meta-analysis of five randomised controlled tri-

als. Lancet. 2022; 400: 757-67.

11）McEwan P, Darlington O, McMurray JJV, et al. Cost-effectiveness of dapagliflozin as a treatment for heart failure with reduced ejection fraction: a multinational health-economic analysis of DAPA-HF. Eur J Heart Fail. 2020; 22: 2147-56.

12）Isaza N, Calvachi P, Raber I, et al. Cost-effectiveness of dapagliflozin for the treatment of heart failure with reduced ejection fraction. JAMA Netw Open. 2021; 4: 1-14.

13）Parizo JT, Goldhaber-Fiebert JD, Salomon JA, et al. Cost-effectiveness of dapagliflozin for treatment of patients with heart failure with reduced ejection fraction. JAMA Cardiol. 2021; 6: 926-35.

〈庄司 聡〉

心不全に併発した心房細動に対する抗凝固薬

Point

- 抗凝固薬は心房細動患者の脳梗塞・全身性塞栓症の発症を約 60〜70％減少させる.
- 弁膜症性心房細動（リウマチ性弁膜症，機械弁）には必ずワルファリンを使用し，年齢によらず PT-INR 2.0〜3.0 を指標とする.
- 非弁膜症心房細動に対する抗凝固薬は，CHADS$_2$≧1 点で DOAC が推奨される. その他のリスク（心筋症，65 歳以上，血管疾患，持続性・永続性，腎機能障害，体重≦50 kg，左房径＞45 mm）の該当例でも考慮する. ワルファリンの場合は，年齢問わず PT-INR 1.6〜2.6 を指標とし，70 歳未満かつ CHADS$_2$≧3 点では，2.0〜3.0 を考慮する.
- DOAC はワルファリンと比較して，脳梗塞予防は同等以上，大出血は同等以下，脳出血は半減し，消化管出血は 25％増加する.
- DOAC を処方する際には，①腎機能（クレアチニンクリアランス），②年齢，③体重，④併用薬（P 糖蛋白阻害薬）を評価する. 減量基準を遵守し，不適切な減量（underdose）を回避する.
- 出血時の特異的中和薬として，ワルファリンに対するビタミン K とプロトロンビン複合体，ダビガトランに対するイダルシズマブ，Xa 阻害薬に対するアンデキサネットアルファがある.
- 高齢（80 歳以上）の DOAC 不耐例は，超低用量 DOAC（エドキサバン 15 mg）を考慮する.

A 作用機序

経口抗凝固薬（OAC: oral anticoagulant）は，血液の凝固因子を抑制することにより薬効を発揮する（図 1）.

1 ワルファリン

ビタミン K の還元反応を抑制することで再利用を阻害し，肝臓で合成される

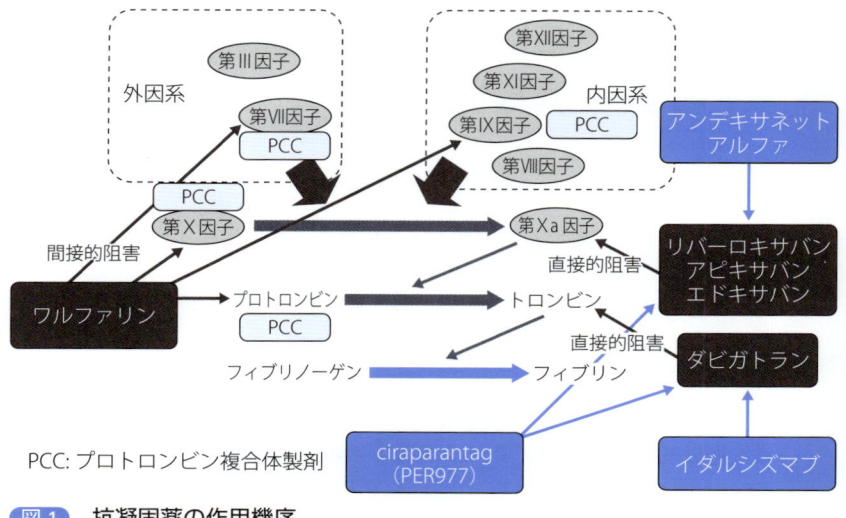

図1 抗凝固薬の作用機序

ビタミン K 依存性凝固因子（第 II，VII，IX，X 因子）の産生を間接的に抑制し，凝固系カスケードの上流を抑えてゆっくりと抗凝固作用を示す（VKA: vitamin K antagonist）．投与後十分な効果が発揮されるまで約 3 日を要し，薬剤自体の半減期も約 40 時間と長く，投与中止後も 4〜5 日間効果が遷延する．代謝・排泄は主に肝臓であり，腎機能に大きく影響しないため，高度腎障害・透析患者でも使用可能である．

2 DOAC

　直接経口抗凝固薬（DOAC: direct oral anticoagulant）は下流での単一の凝固因子の機能を直接的に抑制し，即効性の抗凝固作用を示す．ダビガトラン（トロンビン阻害薬）は第 II 因子，リバーロキサバン，アピキサバン，エドキサバン（Xa 阻害薬）は第 X 因子の活性化部位を阻害する．DOAC は半減期が平均約 12 時間と短く，投与後すぐに効果が発揮され，中止後も効果は約 12〜24 時間で消失する．すべての DOAC は主に腎排泄のため，高度腎障害患者（CCr <15 mL/min）では原則使用できない．

経口抗凝固薬には特異的中和薬が投与可能であり頭蓋内・消化管出血などの出血合併症，外傷，緊急の観血的手技の周術期などの対応に有用である．

ワルファリンに対して，従来のビタミン K の静脈内投与に加え，新鮮凍結血漿（FFP: fresh frozen plasma）の投与が行われてきたが，前者は効果発現まで時間がかかり，後者は投与用量が多くなるのが課題であった．2017 年にプロトロンビン複合体製剤（PCC: prothrombin complex concentrate）が使用可能となり，少ない用量（80 mL）に凝固因子に多くの単位数が含まれており，速やかな凝固能の是正が可能となった．

DOAC に対する特異的中和薬 2 種が現在投与可能である．ダビガトランに対する中和抗体であるイダルシズマブは 2016 年より認可され，投与後 1 分以内に十分な中和効果が得られ，約 24 時間にわたり効果が持続する．2022 年に認可されたアンデキサネットアルファは，遺伝子組換え改変型第 Xa 因子デコイ蛋白質で，持続投与にて抗 Xa 因子活性を低下させ，Xa 阻害薬（リバーロキサバン，アピキサバン，エドキサバン）を中和する．

B 心不全患者に使用する目的

心不全患者の約 40％に心房細動（AF: atrial fibrillation）が合併し，AF 患者の約 30％に心不全が合併する（"HF begets AF，AF begets HF"）．そのため昨今の心不全パンデミック時代において AF の至適管理が重要となる．AF 患者の最も注意すべき合併症として，心不全に加えて脳梗塞がある．AF を発症すると左房内の血流が停滞し，高率にフィブリン血栓が形成され，脳梗塞をはじめとする全身性塞栓症（腎，脾，腸管，四肢など）を引き起こす．このフィブリン血栓の形成を抑制するのが抗凝固薬である．

AF 患者に対する抗血小板薬を検証した JAST 研究[1]では，アスピリンは出血を増加させるのみで，脳梗塞発症や死亡はプラセボと同等と報告され，AF に対する抗血小板薬は無効である．一方，抗凝固薬であるワルファリンとプラセボを比較した 6 つの無作為割付け試験（RCT）のメタ解析[2]で，ワルファリンは脳梗塞を 64％減少させ，NNT（number needed to treat）は一次予防で 40，二次予防で 14 と予防効果が高い薬剤であることが証明された．現在はワルファリンより安全性の高い DOAC が主流となっているが，いずれにしろ心不全を

併発した AF 患者に対する抗凝固薬は必須である.

C 心不全患者における有用性を示すエビデンス

1 弁膜症性 AF

経口凝固薬の薬剤選択の最初のポイントが, 弁膜症性と非弁膜症性の区別である. 結論, 弁膜症性 AF には必ずワルファリンを投与し, 至適 PT-INR は欧米同様 2.0〜3.0 である.

2020 年日本循環器学会 (JCS)・日本不整脈心電学会 (JHRS) 不整脈薬物治療ガイドライン[3]で弁膜症性の定義が, 欧米と同様に「僧帽弁狭窄症 (中等度以上) と機械弁」と改訂された (図 2). 前版 (2013 年) からの改訂点として, 生体弁は非弁膜症性に含め, 術後 3 カ月以降は DOAC が使用可能となった.

ここで DOAC がワルファリンに劣る結果が報告された 2 つのエビデンスを紹介する. 機械弁置換後を検証した RE-ALIGN[4]では, ダビガトランはワルファリンと比較して血栓塞栓症・出血ともに増加させたため, 試験が早期中断となっている. 2022 年の INVICTUS[5]では, リウマチ性僧帽弁狭窄を伴う AF に対するリバーロキサバンは, ワルファリンと比較し, 脳卒中・全身性塞栓症＋心筋梗塞＋全死亡の複合エンドポイントが25％増加した. 以上から弁膜症性 AF に対する DOAC は禁忌である (クラスⅢ).

2 非弁膜症性 AF

非弁膜症性 AF は, まず $CHADS_2$ スコアによる塞栓症リスクを評価する. 2020 年 JCS/JHRS では $CHADS_2 \geqq 1$ 点以上で DOAC が推奨, ワルファリンは考慮可である. 非弁膜症性 AF に対するワルファリンの至適 PT-INR は, 「年齢によらず 1.6〜2.6」とし, 「なるべく 2 に近づけるようにする」と改訂された (図 2). J-RHYTHM レジストリ (平均 69.7 歳) で脳梗塞発症率が最も低かったのは PT-INR 2.1 で, 1.6〜1.8 まで下げると増加する結果であった[6]. 70 歳未満の脳梗塞既往, $CHADS_2 \geqq 3$ 点の塞栓症高リスク患者では PT-INR 2.0〜3.0 を考慮する.

心不全合併例は「C: うっ血性心不全」ですでに $CHADS_2 \geqq 1$ 点に該当する. 左室駆出率＜40％, NYHA 機能分類≧Ⅱ, 3〜6 カ月以内の心不全症状のいずれかを満たす場合と定義している.「H: 高血圧」や「D: 糖尿病」はコントロー

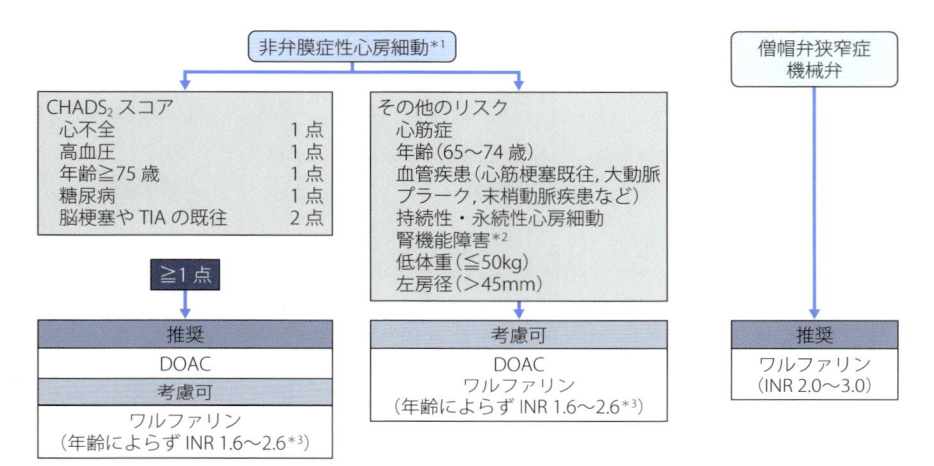

*1：生体弁は非弁膜症性心房細動に含める
*2：腎機能に応じた抗凝固療法については, 3.2.3 どの DOAC を用いるかの選択および表 36 を参照
*3：非弁膜症性心房細動に対するワルファリンの INR 1.6〜2.6 の管理目標については, なるべく 2 に近づけるようにする. 脳梗塞既往を有する二次予防の患者や高リスク（CHADS₂ スコア 3 点以上）の患者に対するワルファリン療法では, 年齢 70 歳未満では INR 2.0〜3.0 を考慮

図2 心房細動に対する抗凝固療法の推奨

（日本循環器学会/日本不整脈心電学会合同ガイドライン 2020 年改訂版 不整脈薬物治療ガイドライン（http://www.j-circ.or.jp/cms/wp-content/uploads/2020/01/JCS2020_Ono.pdf 2023 年 8 月閲覧）

ルが良好でも内服している時点で該当する. 欧米では低リスクを層別化する CHA_2DS_2-VASc スコアが主流だが, 本邦のレジストリ研究で 65〜74 歳未満, 女性, 血管疾患は有意な危険因子ではなく, より簡便な $CHADS_2$ スコアを普及させる意向もあり, こちらを採用している. 逆に本邦で有意な危険因子として明らかになった「持続性・永続性 AF, 低体重（≦50 kg）, 腎機能障害（CCr＜30 mL/分）, 左房径（＞45 mm）」を加えた「その他のリスク」に該当する場合はクラス Ⅱa で考慮可とした（**図2**）.「心筋症」は特に肥大型心筋症やアミロイドーシスを示しており, これらでは $CHADS_2$ スコアにかかわらず AF が判明した時点で導入が推奨される.

3 DOAC

ワルファリンと比較した第Ⅲ相試験（RE-LY[7], ROCKET-AF[8], ARISTO-TLE[9], ENGAGE AF-TIMI48[10]）について概説する（**表1**）.

表1　DOACの4つの臨床試験の概要

	RE-LY	ROCKET-AF	ARISTOTLE	ENGAGE AF-TIMI48
薬剤	ダビガトラン	リバーロキサバン	アピキサバン	エドキサバン
CHADS$_2$スコア	≧1	≧2	≧1	≧2
平均CHADS$_2$スコア	2.1	3.5	2.1	2.8
腎機能	CCr>30 mL/min	CCr≧30 mL/min	CCr≧30 mL/min or Cr<2.5 mg/dL	CCr≧30 mL/min
平均年齢	71	73	70	72
平均TTR（%）	64	55	62	65
脳卒中/TIA既往（%）	20	55	19	28
アスピリン併用（%）	40	37	31	29

（文献7～12より改変）

　対象患者のCHADS$_2$スコアは，1～2点以上で，ワルファリン群の平均TTR（time in therapeutic range）は55～65％である．リバーロキサバンの国内試験（J-ROCKET-AF）では日本人独自の用量（15 mgと10 mg）が設定され，日本人への有用性が証明された[11]．脳卒中既往（二次予防）はリバーロキサバンが55～64％と他3剤より多い．

　低用量の検証は各試験で特徴がある．ダビガトランでは2用量別に同規模のアームで検証され，低用量（110 mg×2）でもワルファリン同等の有効性が証明されている．エドキサバンも同規模の2群において，減量基準を満たした場合にそれぞれ減量するプロトコルでワルファリンとの3群で比較し，30 mg群は虚血性脳卒中が有意に増加したため，通常用量は60 mgで認可された．リバーロキサバンとアピキサバンの低用量の割合はそれぞれ21％と4.6％であり，アピキサバンで著しく少なかった．

　主要有効性項目（脳卒中・全身性塞栓症）はすべてワルファリンと非劣性以上で，ダビガトラン150 mg×2とアピキサバンは優位性を示した．主要安全性項目（大出血または臨床上問題となる出血）は全てワルファリンと非劣性以上で，ダビガトラン110 mg×2，アピキサバン，エドキサバンは優位性を示した（表2）．頭蓋内出血は全4剤で著減しており，薬理作用の違いから出血部位の

表2　DOACの4つの臨床試験の結果

		RE-LY		ROCKET-AF	ARISTOTLE	ENGAGE AF-TIMI48	
	薬剤	ダビガトラン		リバーロキサバン	アピキサバン	エドキサバン	
	用量	150 mg×2	110 mg×2	20 mg×1	5 mg×2	60 mg×1	30 mg×1
有効性	脳卒中・全身性塞栓症	0.66 (0.53–0.82) p<0.001	0.91 (0.74–1.11) p=0.29	0.88 (0.75–1.03) p=0.12	0.79 (0.66–0.95) p=0.01	0.87 (0.73–1.04) p=0.08	1.13 (0.96–1.314) p=0.10
	虚血性脳卒中	0.76 (0.60–0.98) p=0.03	1.11 (0.89–1.40) p=0.35	0.94[*1] (0.75–1.17) p=0.581	0.92 (0.74–1.13) p=0.42	1.00 (0.83–1.19) p=0.97	1.41 (1.19–1.67) p<0.001
	死亡	0.88 (0.77–1.00) p=0.051	0.91 (0.80–1.03) p=0.13	0.85[*1] (0.70–1.02) p=0.073	0.89 (0.80–0.998) p=0.047	0.92 (0.83–1.01) p=0.08	0.87 (0.79–0.96) p=0.006
安全性	大出血	0.93 (0.81–1.07) p=0.31	0.80 (0.69–0.93) p=0.003	1.04[*1] (0.90–1.20) p=0.58	0.69[*1] (0.60–0.80) p<0.001	0.80[*2] (0.71–0.91) p<0.001	0.47[*2] (0.41–0.55) p<0.001
	頭蓋内出血	0.41 (0.28–0.60) p<0.001	0.30 (0.19–0.45) p<0.001	0.67[*1] (0.47–0.93) p=0.02	0.42[*1] (0.30–0.58) p<0.001	0.47[*2] (0.34–0.63) p<0.001	0.30[*2] (0.21–0.43) p<0.001
	消化管出血	1.50 (1.19–1.89) p<0.001	1.10 (9.96–1.41) p=0.43	1.46[*1] (1.19–1.79) p<0.001	0.89[*1] (0.70–1.15) p=0.37	1.23[*2] (1.02–1.50) p=0.03	0.67[*2] (0.53–0.83) p<0.001

・各数値は「ワルファリン群を対照としたハザート比（95% CI）とp値」を示す．p値は優越性のみ．

・濃い青はDOAC群が優位，灰色はワルファリン群が優位を示す．

[*1]per protocol解析

[*2]modified intention-to-treat解析

（文献7〜12より改変）

特徴が説明できる．ワルファリンは脳内に多く存在する組織因子と第Ⅶ因子の結合により凝固カスケードを抑制するのに対して，第Ⅶ因子を抑制しないDOACでは頭蓋内出血が少ない．一方，DOACはワルファリンよりも生体利用

率が低く，消化管に長時間停滞するため消化管出血が多い．

メタ解析[13]では，DOAC はワルファリンと比較して，脳卒中・全身性塞栓症は 19％減少，大出血は 14％減少，頭蓋内出血は 52％減少する一方，消化管出血は 25％増加した．全死亡も有意差がつき減少した．心不全合併例は非合併例と同様に，脳梗塞・全身性塞栓症，大出血，頭蓋内出血における DOAC の優位性が示されたが，全死亡と心血管死では有意差を認めなかった[14]．これらの結果から，2021 年の心不全診療ガイドラインフォーカスアップデートでは，心不全合併の非弁膜症 AF に対する DOAC を第一選択に推奨している（クラス IIa)[15]．

D 使用する際の注意点・具体的な使用方法

1 ワルファリン

a. 至適治療域

薬効は緩徐に発現し変動するため，定期的に PT-INR を測定し用量を調節する必要がある．至適治療域は 2.0〜3.0 が世界標準であるが，本邦では非弁膜症性 AF において 1.6〜2.6 を至適範囲として検証・推奨している[6]．前版（2013年）では「70 歳以上」という条件付きであったが，現在（2020 年）は「年齢によらず」に改訂されている点は留意したい．一方，70 歳未満で脳梗塞既往，$CHADS_2$≧3 点の塞栓症高リスク患者では PT-INR 2.0〜3.0 を考慮する．

b. 出血リスク管理

日本人のワルファリンによる出血発症率は抗血小板薬単剤よりも高く，重症な出血は 2.06％/年，頭蓋内出血は 0.62％/年である[16]．抗凝固療法下の出血リスク管理として HAS-BLED スコア[17]（**表 3**）が推奨されており，3 点以上が高リスク（HBR: high bleeding risk）と認識する．$CHADS_2$スコアと対比すると，心不全は項目にはないが，高血圧，脳梗塞既往，年齢の 3 項目は共通しており，「塞栓症リスクが高い＝出血リスクが高い」という葛藤が生まれている．一方，「HAS-BLED スコアが高いから抗凝固薬は投与しない」とは決して判断してはならない．「H: 高血圧」は収縮期血圧＞160 mmHg であることを指すため，積極的降圧で改善できる．「D: 薬剤」は，抗血小板薬・非ステロイド性抗炎症薬（NSAIDs）との併用を極力避ける，節酒に努めることで改善できる．このよう

表3 HAS-BLED スコア

頭文字	臨床像	ポイント
H	高血圧[*1]	1
A	腎機能障害，肝機能障害（各1点）[*2]	2
S	脳卒中	1
B	出血[*3]	1
L	不安定な国際標準比（INR）[*4]	1
E	高齢者（>65歳）	1
D	薬剤，アルコール（各1点）[*5]	2
	合計	9

[*1]収縮期血圧>160 mmHg
[*2]腎機能障害: 慢性透析や腎移植，血清クレアチニン 200 μmol/L
（2.26 mg/dL）以上
　肝機能異常: 慢性肝障害（肝硬変など）または検査値異常（ビ
リルビン値>正常上限×2倍，AST/ALT/ALP>正常上限×3倍）
[*3]出血歴，出血傾向（出血素因，貧血など）
[*4]INR 不安定，高値または TTR（time in therapeutic range）<60%
[*5]抗血小板薬や NSAIDs 併用，アルコール依存症
（Lip GY, et al. J Am Coll Cardiol. 2011; 57: 173-80）[17]

に修正可能因子への介入が出血予防に重要であることを示唆しており，"HAS-
BLED スコアは修正可能"といえる．

c. 用量調節

　入院では未分画ヘパリン持続静注（APTT≧40～50秒）下に 3～4 mg/日で
開始し，数日毎に測定しながら 0.5～1 mg ずつ微調整する daily dose 法が一般
的である．日本人はワルファリンの感受性に影響する VKORC1（vitamin K
epoxide reductase complex subunit 1）の変異型が多く，至適維持量は欧米に
比べて少量である[18]．患者背景と維持量に関する報告では，男性・若年・糖尿
病で用量は多く，女性・高齢・心不全・冠動脈疾患・アミオダロン併用では少
ない傾向がある[19]．腎機能低下が中等度（推定糸球体濾過: eGFR 30～50 mL/
min/1.73 m²）で－9.5%，高度（eGFR<30 mL/min/1.73 m²）で－19.1%の減
量[20]，喫煙者は肝代謝能が亢進し，逆に 13.2%の増量が必要とされる[21]．

　外来では連日測定が困難であり，安全に 2～3 mg/日で開始，1～2週毎に

0.25〜0.5 mg 毎に増減し，安定次第受診間隔を延ばす．投薬期間中に至適治療域に入っている期間の割合を指す TTR 70%以上で DOAC と同等の塞栓症抑制効果となる[22]．過去6カ月間で安定したワルファリン内服下の外来患者に対して，採血間隔を4週毎と12週毎で比較した RCT では，TTR（74.1% vs 71.6%，p=0.0204）と4週毎で有意に高値であったが，出血，塞栓症，全死亡ともに有意差は認めず，安定していれば3カ月毎でも良い[23]．

d. 薬物相互作用，妊婦・授乳婦への影響

ワルファリンは食事と併用薬による薬物相互作用（主に CYP2C9）に影響する．ビタミン K を多く含む納豆，青汁，クロレラは薬効を減弱させるため摂取を禁止する．特に納豆は納豆菌によって腸内でビタミン K を多く産生し，阻害作用が持続するため少量でも控える．抗菌薬（マクロライド，キノロン，セフメタゾール），抗真菌薬，プロトンポンプ阻害薬（PPI），アミオダロン，スタチン，NSAIDs はワルファリンを増強させる．逆に副腎皮質ステロイド，リファンピシン，抗てんかん薬で減弱する．

妊娠第6〜13週にかけて催奇形作用を有するため，妊娠中はワルファリンを中止し未分画ヘパリン静注または皮下注への切り替えを要する．授乳婦は安全に使用できる．

2 DOAC

a. underdose の回避

ワルファリンのような用量調節は不要だが，特に初回処方時の用量の確認が重要である．4剤全て2用量が設定されており，減量基準（**表4**）がある．（ダビガトランのみ，減量考慮基準）．減量基準の共通項目として，①腎機能，②年齢，③体重，④併用薬がある．

本来であれば通常用量該当例にもかかわらず，処方医の clinical inertia（臨床上の惰性）によって不適切に低用量で処方する underdose が多くのリアルワールドデータで約20〜30%の頻度で起きている．GARFIELD-AF registry では underdose によって全死亡が1.25倍に増加しており[24]，減量基準は遵守しなければならない．

①腎機能

DOAC 処方患者における腎機能の評価は，Cockcroft-Gault 式によるクレア

表4　DOAC の国内における用量設定と減量基準・禁忌

一般名	ダビガトラン	リバーロキサバン	アピキサバン	エドキサバン
商品名	プラザキサ®	イグザレルト®	エリキュース®	リクシアナ®
通常用量	150 mg×2	15 mg×1	5 mg×2	60 mg×1
低用量	110 mg×2	10 mg×1	2.5 mg×2	30 mg×1
減量基準*1	下記の 1 つ以上 1) CCr 30〜50 mL/min 2) P糖蛋白阻害薬*2 3) 70 歳以上 4) 消化管出血の既往	CCr 15〜50 mL/min	下記の 2 つ以上 1) 80 歳以上 2) 60 kg 以下 3) Cr 1.5 mg/dL 以上	下記の 1 つ以上 1) 60 kg 以下 2) CCr 15〜50 mL/min 3) P 糖蛋白阻害薬*2
減量を考慮する併用薬	P 糖蛋白阻害薬*2	フルコナゾール クラリスロマイシン エリスロマイシン	アゾール系抗真菌薬 HIV プロテアーゼ阻害薬	アジスロマイシン クラリスロマイシン イトラコナゾール アミオダロン ジルチアゼム HIV プロテアーゼ阻害薬
主な禁忌*3 薬剤	イトラコナゾール（経口）	アゾール系抗真菌薬 （フルコナゾールを除く） HIV プロテアーゼ阻害薬	なし	なし
主な禁忌*3 腎機能	CCr<30 mL/min	CCr<15 mL/min		
主な禁忌*3 肝機能	なし	Child-Pugh 分類 B, C	なし	なし

*1減量基準: ダビガトランのみ添付文書上の「使用上での注意」に該当，それ以外は「用法及び用量」に該当

*2P 糖蛋白阻害薬: ベラパミル，キニジン，エリスロマイシン，シクロスポリン，タクロリムスなど

*3禁忌事項はそれ以外にもあるため，添付文書で確認は必要

（各薬剤添付文書，文献 12 より改変）

チニンクリアランス（CCr）を用いる．慢性腎臓病の診断に用いる推定糸球体濾過量（eGFR）とは異なる点に注意する．CCr は性別，年齢，体重で規定されるため，高齢者では若年者と血清 Cr が同じでも，フレイルの進行や低体重で CCr が低下する．一般的に CCr<50 mL/min で減量するが，アピキサバン

のみ Cr≧1.5 mg/dL で基準1項目に該当する.

②年齢

減量基準に年齢を含むのはアピキサバン（80歳以上）のみである（ダビガトランは70歳以上で減量考慮）.「高齢だから」という早合点が underdose をもたらす予測因子となっている[24].Fushimi AF レジストリでは,全体の51.4%が75歳以上,30.8%が80歳以上と大部分を高齢者が占めていた.同レジストリの減量基準に該当する割合はリバーロキサバン26%,アピキサバン28%であったが,実際の低用量処方の割合はリバーロキサバン48%,アピキサバン56%と明らかに上回っていた[25].日本の75歳以上の AF 患者約3万人を登録した ANAFIE レジストリでは,全体の8.1%で処方がなされておらず（underuse）,年齢とともにその割合は増加していた[26].台湾のデータでは,90歳以上でも無投薬に対する抗凝固薬の優位性があり,ワルファリンに対する DOAC の優位性も示されている[27].

③体重

60 kg 以下のみで減量可能となるエドキサバン30 mg は小柄な日本人にとって使用しやすい.Fushimi AF レジストリではエドキサバン30 mg 該当患者は全体の63%と過半数であった[25].アピキサバンも60 kg 以下で基準1項目に該当する.

④併用薬

エドキサバンとダビガトランは P 糖蛋白阻害薬との併用で減量を要する.DOAC は排出型トランスポーターとして P 糖蛋白が関与し,ダビガトランとエドキサバンでは唯一の基質である.一方,リバーロキサバンとアピキサバンは P 糖蛋白以外に BCRP（乳癌関連蛋白）も存在するため,減量基準には P 糖蛋白阻害薬併用は入っていない.循環器領域の頻用薬ではベラパミル,アミオダロン,キニジンなどが該当し,心不全患者においては特にアミオダロンに注意したい.Xa 阻害薬3剤は CYP3A4 の代謝を受けるため,ワルファリンと同様に抗真菌薬,免疫抑制薬,HIV 治療薬などが併用禁忌や減量考慮となる(**表4**).

b. 出血リスク管理

ワルファリンと異なり PT-INR による直接的なモニタリングが不要だが,間接的に血液検査（ヘモグロビン,腎機能,凝固）による継続的なモニタリングが推奨される.

DOAC 開始前には腎機能（CCr＞15〜30 mL/min）を必ず確認する．その他凝固能を低下させる病態（血友病，肝硬変，血液型 O 型）がないか凝固能も確認する．内服開始後の出血合併症は1〜3カ月以内に多いため，投与後初回外来ではヘモグロビンや凝固能もフォローしたい．ダビガトランでは APTT 延長で，Xa 阻害薬（特にリバーロキサバン）では PT 延長で出血リスクが上昇する可能性もある．上部消化管出血予防として PPI 併用の有用性も報告されている[28]．2020 年 JCS/JHRS では，CCr の継時的な変化を見据えて，高齢者（75 歳以上）では半年に1回の採血，さらに CCr＜60 mL/min では X カ月に1回の採血（X＝CCr/10）を推奨している[3]．

c. AF 合併 PCI 後の抗血栓療法

　AF 患者の約 10〜15％に冠動脈疾患を認め，冠動脈疾患の約8％に AF を合併する[29]．冠動脈疾患に対する経皮的冠動脈インターベンション（PCI）術後は抗血小板薬を併用するため，AF 合併 PCI 後の抗血栓薬管理は心不全診療においても重要課題である．

　AF 合併 PCI 後の抗血小板薬＋抗凝固薬併用に関して DOAC を用いた RCT（PIONEER AF-PCI[30]，RE-DUAL PCI[31]，AUGUSTUS[32]，ENTRUST-AF PCI[33]）が次々と発表され，「AF 合併 PCI 後は，急性期（2 週間）以降は $P2Y_{12}$ 受容体拮抗薬＋DOAC 併用（dual therapy）が最も出血リスクを低減させる」ことが立証された．

　続いて，慢性期（1 年以降）の抗血小板薬＋抗凝固薬併用の継続の是非が問われ，2019 年に DOAC 単剤療法を検証した AFIRE が日本から発表された[34]．リバーロキサバン単剤群（日本人用量 15 mg/10 mg）は抗血小板薬＋抗凝固薬併用群と比較して，有効性評価項目の心血管イベント・全死亡で非劣性を示し，安全性評価項目の大出血においては41％のリスク低下を示し，優位性まで示された．

　2020 年 JCS/JHRS では，虚血・出血リスクに応じて，3 剤併用（triple therapy）は PCI 後原則 2 週間以内にとどめ，12 カ月以内は $P2Y_{12}$ 受容体拮抗薬＋抗凝固薬の 2 剤併用（dual therapy），12 カ月以降は抗凝固薬単剤（OAC alone）として遠隔期における抗血小板薬中止を推奨している（図 3）．

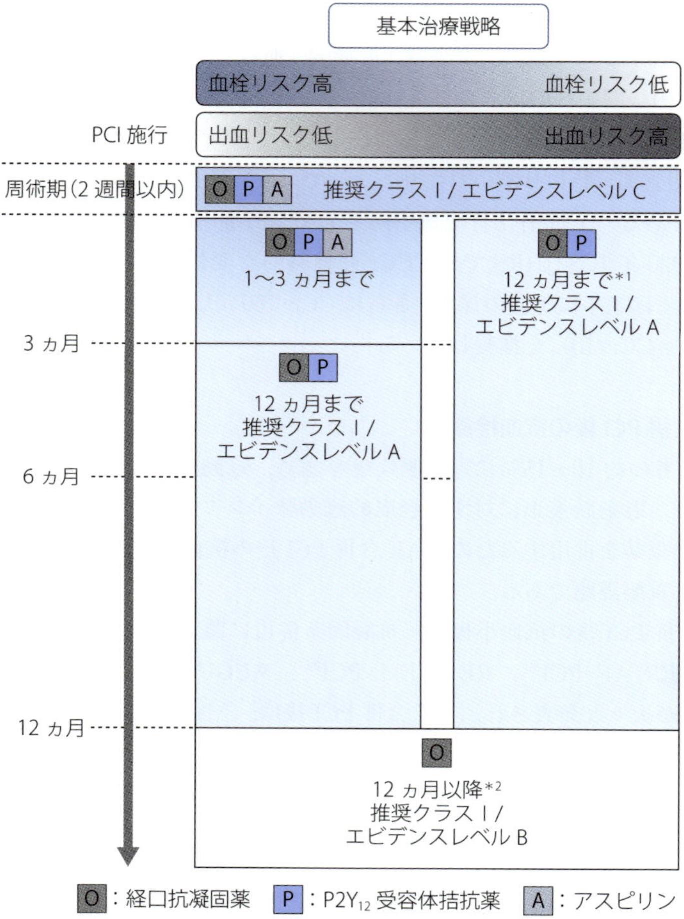

| 基本治療戦略 |

血栓リスク高 　　　　　　　　血栓リスク低

PCI 施行　出血リスク低 　　　　　　　　出血リスク高

周術期（2 週間以内）　O P A　推奨クラス I／エビデンスレベル C

O P A
1〜3 ヵ月まで

O P
12 ヵ月まで*1
推奨クラス I／
エビデンスレベル A

3 ヵ月

O P
12 ヵ月まで
推奨クラス I／
エビデンスレベル A

6 ヵ月

12 ヵ月

O
12 ヵ月以降*2
推奨クラス I／
エビデンスレベル B

O：経口抗凝固薬　　P：P2Y$_{12}$受容体拮抗薬　　A：アスピリン

図3　**虚血性心疾患合併心房細動に対する抗血栓療法の推奨期間**

*1: 出血リスクが非常に高い患者は，2 剤併用療法の期間を 6 カ月に短縮することを考慮

*2: 血栓リスクが非常に高い患者は，12 カ月以上の抗凝固薬とアスピリンあるいは P2Y$_{12}$受容体拮抗薬の 2 剤併用療法の継続を考慮

日本循環器学会/日本不整脈心電学会合同ガイドライン 2020 年改訂版 不整脈薬物治療ガイドライン（http://www.j-circ.or.jp/cms/wp-content/uploads/2020/01/JCS2020_Ono.pdf 2023 年 8 月閲覧）

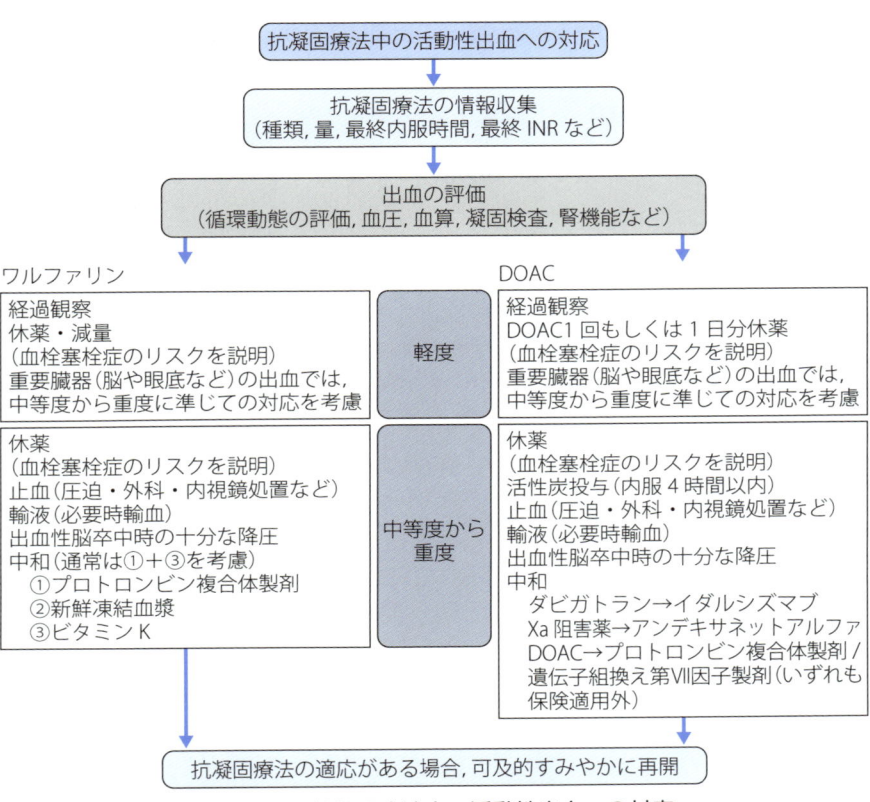

図4　心房細動患者における抗凝固療法中の活動性出血への対応

日本循環器学会/日本不整脈心電学会合同ガイドライン 2020 年改訂版 不整脈薬物治療ガイドライン（http://www.j-circ.or.jp/cms/wp-content/uploads/2020/01/JCS2020_Ono.pdf 2023 年 8 月閲覧）

3　抗凝固薬内服下の出血時の対応，中和薬の使用

a．ワルファリン

　PT-INR 高値や小出血（皮下，鼻出血）の場合，PT-INR 4～10 では数日休薬し外来でフォローする．HBR ではビタミン K 1～2.5 mg を経口投与する．PT-INR≧10 は休薬＋ビタミン K 2.5～5 mg 経口投与し，経過観察入院も検討する．出血傾向が強い場合は，入院下でビタミン K 10 mg 静注し，FFP 15～30 mL/kg または PCC（ケイセントラ®）25～50 単位/kg を投与する[35]（**図4**）．

　ビタミン K の薬効が発揮されるまで，経口で 24 時間，静注で 8～12 時間も

表5 心房細動患者における抗凝固療法の出血リスクからみた観血的手技の分類

出血低リスク手技	出血中リスク手技	出血高リスク手技
• 歯科手術（抜歯，切開排膿，歯周外科手術，インプラントなど） • 白内障手術 • 通常消化管内視鏡 • 上部・下部消化管内視鏡，カプセル内視鏡，内視鏡的逆行性膵胆管造影など • 体表面手術 • 膿瘍切開，皮膚科手術など • 乳腺針生検，マンモトーム生検	• 出血低リスクの消化管内視鏡（バルーン内視鏡，膵管・胆管ステント留置，内視鏡的乳頭バルーン拡張術など） • 内視鏡的粘膜生検 • 経会陰前立腺生検 • 経尿道的手術［膀胱生検，膀胱腫瘍切除術（TUR-Bt），前立腺レーザー手術，尿管砕石術］ • 経皮的腎瘻造設術 • 緑内障，硝子体手術 • 関節鏡視下手術 • 乳腺切除生検・良性腫瘍切除 • 耳科手術・鼻科手術・咽頭喉頭手術・頭頸部手術 • 心臓デバイス植込手術 • 血管造影，血管内手術 • 心臓電気生理学的検査，アブレーション（心房細動アブレーションは除く）	• 出血高リスクの消化管内視鏡［ポリペクトミー，内視鏡下粘膜下層剥離術（ESD）など］ • 経皮的ラジオ波焼灼術（経皮的アルコール注入術・マイクロ波凝固術） • 超音波内視鏡下穿刺吸引法（EUS-FNA） • 気管支鏡下生検 • 硬膜外麻酔，脊髄くも膜下麻酔 • 開頭術・脊髄脊椎手術 • 頸動脈内膜剥離術 • 胸部外科手術（胸腔鏡を含む） • 腹部・骨盤内臓手術（腹腔鏡を含む） • 乳癌手術 • 整形外科手術 • 頭頸部癌再建手術 • 下肢動脈バイパス術 • 肝生検 • 腎生検 • 経直腸前立腺生検 • 経尿道的前立腺切除術（TUR-P） • 体外衝撃波結石破砕術（ESWL） • 経皮的腎砕石術

日本循環器学会．2022年改訂版 非心臓手術における合併心疾患の評価と管理に関するガイドライン（https://www.j-circ.or.jp/cms/wp-content/uploads/2022/03/JCS2022_hiraoka.pdf 2023年8月閲覧）

要するため，緊急例では不十分であった．即効性のある FFP は約1L投与を要するため，心不全患者に緩徐に投与せざるを得なかったが，PCC は安全かつ30分以内の速やかな PT-INR の是正が可能となった．PCC の投与量は PT-INR 2〜4 では 25 単位/kg，4〜6 では 35 単位/kg，≧6以上では 50 単位/kg が推奨される．

表 6　待機的手術における抗凝固薬の術前の休薬時期と術後の再開時期

○: 服用. △: 手術の施行時間や患者の病状等もふまえ内服の可否を決定. 術前のカッコ内は推奨される最終服薬のタイミングを表す. ×: 休薬

A. 出血低リスク手技

	5 日前	4 日前	3 日前	2 日前	1 日前	手術日（術後）	1 日後	2 日後	3 日後
DOAC	○	○	○	○	△ (≧12 時間)	△ 術後 6〜8 時間以降	○	○	○

B. 出血中リスク手技

		5 日前	4 日前	3 日前	2 日前	1 日前	手術日（術後）	1 日後	2 日後	3 日後
ダビガトラン	CCr≧80 mL/分	○	○	○	○	△ (≧24 時間)	△ 術後 6〜8 時間以降	○	○	○
	CCr 50〜79 mL/分	○	○	○	△ (≧36 時間)	×		○	○	○
	CCr 30〜49 mL/分	○	○	○	△ (≧48 時間)	×		○	○	○
リバーロキサバン	CCr≧30 mL/分	○	○	○	○	△ (≧24 時間)				
アピキサバン エドキサバン	CCr 15〜29 mL/分	○	○	○	△ (≧36 時間)	×				

C. 出血高リスク手技

		5 日前	4 日前	3 日前	2 日前	1 日前	手術日（術後）	1 日後	2 日後	3 日後
ダビガトラン	CCr≧80 mL/分	○	○	○	△ (≧48 時間)	×	△ 術後の出血の状況に応じて, 可能な限り早期 (術後 6〜8 時間以降)		△ 術後出血が問題となる場合は 48〜72 時間以降を考慮	
	CCr 50〜79 mL/分	○	○	△ (≧72 時間)	×	×				
	CCr 30〜49 mL/分	○	△ (≧96 時間)	×	×	×				
リバーロキサバン, アピキサバン, エドキサバン		○	○	○	△ (≧48 時間)	×				

術後, 抗凝固薬の再開の目安を記載したが, 実際の再開タイミングは外科医, 麻酔科医（区域麻酔時）とのコンセンサスが重要.
術後の出血が問題となる場合には, 術後の血栓塞栓症予防と容易な出血の管理を目的としてヘパリン投与が考慮される可能性はある.
日本循環器学会. 2022 年改訂版 非心臓手術における合併心疾患の評価と管理に関するガイドライン
https://www.j-circ.or.jp/cms/wp-content/uploads/2022/03/JCS2022_hiraoka.pdf 2023 年 8 月閲覧

b. DOAC

　出血合併症はワルファリンより低率だが，重症度に応じて休薬，活性炭投与（投与 4 時間以内），輸液，中和薬の投与を検討する（**図 4**）.

　ダビガトラン（最終投与 24 時間以内）に対する特異的中和薬のイダルシズマブ（プリズバインド®）1 回 5 g（2.5 g×2 バイアル）の単回静注は即時拮抗可能である．中和抗体としてダビガトランと特異的に結合し，トロンビン活性を急速に復活させ正常の止血機構が回復する．イダルシズマブ自体は血液凝固・線溶系には影響しないため，中和後も遺伝子組換え型プラスミノーゲン活性化因子（rt-PA）静注が可能である点が特徴的である.

　Xa 阻害薬（リバーロキサバン，アピキサバン，エドキサバン）に対する特異的中和薬のアンデキサネットアルファ（オンデキサ®）は，第 Xa 因子のデコイ（おとり）として Xa 阻害薬に結合して，抗 Xa 活性を低下させる．1 回投与量と最終投与からの経過時間（8 時間未満 or 以上）によって A 法と B 法のいずれかで投与する（詳細は薬剤添付文書参照）.

4 周術期の抗凝固薬休薬

　他の診療科・医療機関から AF に対する抗凝固薬投与中の周術期の休薬について相談されることも多い．2022 年に新たに発表された，非心臓手術における合併心疾患の評価と管理に関するガイドラインが参考になる[36].

　初めに観血的手技の出血リスクを評価する（**表 5**）．抜歯，白内障手術，通常消化管内視鏡検査など出血低リスクでは休薬は原則不要である．一方，中・高出血リスク（粘膜切除，胸・腹部手術，整形外科大手術，肝・腎生検など）においては，ワルファリン投与例は 3〜5 日前から中止し，PT-INR を確認しながら対応する．DOAC は腎機能に応じて 1〜3 日前から休薬を考慮する（**表 6**）．今回の 2022 年ガイドラインでは抗凝固薬休薬中のルーチンでのヘパリン置換はもはや「クラスⅢ」と明記された．例外的にヘパリン置換を要する病態として，$CHADS_2$ 5〜6 点（血栓高リスク），機械弁置換術後，弁膜症性 AF があげられており，これら以外ではヘパリン置換は推奨されない点に留意すべきである.

表7 SAMe-TT₂R₂スコア

	臨床像	ポイント
S	Sex（女性）	1
A	Age（60歳未満）	1
M	Medical history*	1
e		
T	Treatment（抗不整脈薬）	1
T	Tobacco use（2年以内の喫煙）	2
R	Race（非白人）	2

*以下の2項目以上: 高血圧，糖尿病，冠動脈疾患/心筋梗塞，末梢血管疾患，心不全，脳卒中，肺疾患，肝・腎疾患.
(Apostolakis S, et al. Chest. 2013; 144: 1555-63[37])より改変)

E 薬剤の使い分け

1 ワルファリン vs. DOAC

弁膜症性は必ずワルファリンを投与する．非弁膜症性（特に新規導入例）においてはワルファリンよりも DOAC を優先的に考慮する（クラスⅡa）．

患者側の視点では薬価の差は大きい（2023年8月現在，3割負担，1カ月あたりワルファリン: 約300円，DOAC: 約4000円）ため，外来ではメリットやコストに関する事前の説明も重要となる．一方，食事，薬物相互作用，遺伝的素因，処方医の慣れ，医療機関への頻繁なアクセスが困難など，さまざまな要因で TTR＜70% であれば DOAC へ切り替えたほうがよい．SAMe-TT₂R₂スコア（表7）は導入前で TTR が予測可能であり，0～2点でワルファリン，3点以上で DOAC を推奨している[37]．

一方で，高齢（平均年齢83歳），フレイルの非弁膜性心房細動症例を対象にワルファリンを DOAC への変更とワルファリン継続を比較した FRAIL-AF 試験[38]では，塞栓イベントは両群で差がなく，DOAC 変更群で出血イベントが多かったため試験は早期に終了されている．この結果は衝撃であり，画一的なワルファリンから DOAC への切り替えに警鐘を促す結果とも考えられた．

この試験結果のみを持って DOAC 優先の流れが変わることは無いと考えられるが，個々の病態に応じた OAC の選択が求められるようになるかもしれない．

2 DOAC4剤の使い分け

a. ダビガトラン（プラザキサ®）

　厳密な減量基準がなく，低用量でもワルファリンと同等の有効性・安全性が示されているため，不適切な減量とはならず，医師の裁量で用量を設定できる．一方，70歳以上，消化管出血既往，CCr<50 mL/min では減量を積極的に検討する．高用量は唯一ワルファリンを上回る塞栓症抑制効果があり，脳梗塞再発例や左心耳内血栓例に有用である．即効性の高い中和薬が使用可能なため，カテーテルアブレーションなどの侵襲的処置時の周術期には重宝される．一方，1日2回で剤型もやや大きく，しばしば消化器症状を呈する．内服アドヒアランスの改善策として PPI 併用，多めの飲水，食事中の内服が有効である．

b. リバーロキサバン（イグザレルト®）

　1日1回の口腔内崩壊錠で，経管栄養に有用な細粒もある．日本特有の用量設定（15 mg/10 mg）でリアルワールドデータが豊富であり，CCr<50 mL/min が単一の減量基準でわかりやすい．

　一方，国内市販後調査（XAPASS）では underdose が 35.8% と高率であり，HBR・高齢・腎障害・低体重などの理由があげられている[39]．国内リアルワールドデータ EXPAND でも underdose も含めた低用量投与例が 43.5% であり，CCr>50 mL/min に対する通常用量群と低用量（underdose）群の比較では，塞栓症・出血ともに有意差は認めていない[40]．AFIRE の結果から AF 合併 PCI 後における遠隔期の DOAC 単剤療法には有用である．一方，J-ROCKET-AF のサブ解析では 75 歳以上，50 kg 以下でワルファリンより出血が多い傾向が示されている．エドキサバン以外の3剤を比較したメタ解析[41]でも出血がやや多い傾向にあり，HBR には注意を要する．

c. アピキサバン（エリキュース®）

　ARISTOTLE では塞栓症，大出血ともにワルファリンより優位性があり，4剤で唯一，全死亡でも優位性を示した．薬理学的には腸肝循環を利用した排泄と小さな分布容積の点から，腎機能に影響されず出血が少ないのが特徴である．消化管出血も4剤で唯一ワルファリンと非劣性であり，消化管出血既往例では選択しやすい．腎排泄率 27% と DOAC の中で最も低い．1日2回で，減量

基準が若干複雑であり，低用量例は実際多くない．ARISTOTLE では低用量の割合が 4.6 ％と極端に低かったが，J-ELD AF で日本人の低用量に対する有用性が報告され[42]，減量基準さえ遵守できれば安全に使用可能と考える．

d. エドキサバン（リクシアナ®）

国産の DOAC（"江戸" キサバン）であり，口腔内崩壊錠の 1 日 1 回で，多くの日本人患者は体重 ≦60 kg が該当し，低用量での処方が多い．P 糖蛋白阻害薬併用でも減量を要するため，ベラパミルの内服の有無には注意したい．一方，ENGAGE-TIMI48 では減量基準に該当しない underdose 群で，虚血性脳卒中発症がワルファリンの約 1.5 倍に増加しており，エドキサバンとはいえ注意を要する．同試験で CCr>95 mL/min でワルファリンよりも塞栓症イベントが多く，FDA では禁忌となっているが，韓国のデータではアジア人種において CCr>95 mL/min 群でもワルファリンとの非劣性が示され[43]，本邦では特に言及されていない．

3 超低用量 DOAC

超低用量 DOAC であるエドキサバン 15 mg が 2020 年より投与可能となった．2020 年の ELDERCARE-AF では，DOAC 不耐の 80 歳以上の非弁膜症性 AF（CHADS$_2$≧2 点）に対して，エドキサバン 15 mg は無投薬と比較して，有意に塞栓症を抑制した（HR 0.34［95 % CI 0.19-0.61］，p＝0.0003）[44]．この効果は 90 歳以上，低体重，フレイルなど，あらゆる HBR のサブグループでも一貫している．

同試験の組入基準から，①80 歳以上，②出血性素因（大出血既往，体重 ≦45 kg，CCr 15〜30 mL/min，NSAIDs・抗血小板薬併用），③他の経口抗凝固薬の適正用量に不耐である，が適応となるため，不適切な underdose に留意してうまく活用したい．

F 今後の展望・未知

1 透析患者に対する抗凝固療法

透析患者の 7〜27 ％に AF を認めるが[45]，透析患者に対する経口抗凝固薬長期投与の是非はいまだに決着がついていない．透析患者はワルファリンの有無

にかかわらず出血リスクが非常に高い[46]．2020 年 JCS/JHRS では，維持透析導入後の患者においては安易なワルファリン治療は行わないことが望ましく，2011 年の日本透析医学会の提唱とともに"原則禁忌"として扱っている[3,47]．2019 年米国ガイドラインでは，CCr<15 mL/min または透析患者に対するワルファリン（PT-INR 2.0〜3.0），アピキサバン（国内未承認）をクラスⅡbとしているが[48]，2020 年欧州ガイドラインでは詳細な記載はない[49]．

　2020 年に AF 合併透析患者を対象とした初めての RCT として，アピキサバンとワルファリン（PT-INR 2〜3，TTR 44.3%）を比較した RENAL-AF が報告された[50]．結果は出血に差はなく（HR 1.20 [95% CI: 0.63-2.30]），低い TTR や検出力不足にて結論が出ず，早期試験中断となった．現在 AVKDIAL（NCT02886962）や SAFE-D（NCT03987711）が RCT として進行中であり，ワルファリンの是非やアピキサバンについて検証予定である．

　なお，透析患者の AF カテーテルアブレーション周術期には，ワルファリンの使用は一般的であり，その他機械弁置換後など症例によって投与せざるを得ない例もあり，2020 年 JCS/JHRS では「必ずしもこれらを妨げるものではない」としている[3]．

2 洞調律下の心機能低下例に対する抗凝固療法

　心不全は Virchow の 3 徴（血流のうっ滞，過凝固状態，血管内皮障害）を満たしやすい状況にあり，洞調律下でも塞栓症リスクが上昇する．洞調律下の心不全に対する抗凝固療法は，WASH[51]，WATCH[52]，WARCEF[53]，COMMANDER-HF[54]など多くの RCT で検証されてきたが，主に大出血を増加させる結果となり，2023 年現在まで一律の投与が有用性を示したエビデンスはいまだない．

　2022 年に複数のコホートの統合解析から，AF 非合併心不全患者に対する塞栓症リスクモデルが報告された[55]．①脳卒中既往，②糖尿病に対するインスリン使用，③NT-proBNP の 3 つの予測因子の重み付けが加味された $S_2I_2N_{0-3}$ スコアで層別化が可能であった．

　加えて，2022 年米国より左室内血栓および高リスク例に関する学会ステートメントが発表された[56]．これによると心筋梗塞後（前壁・心尖部），たこつぼ症候群，左室緻密化障害，周産期心筋症，肥大型心筋症（心尖部瘤），アミロイドーシス（AL 型），好酸球性心筋炎など，それぞれのリスク因子があげられて

おり，必要に応じて考慮しても良いかもしれない．

洞調律下の心機能低下例に対する経口抗凝固薬として，2023年現在ワルファリン一択であるが，左室内血栓に対するDOACの有効性が小規模のメタ解析[56]で示唆されており，更なる検証が待たれる．

■文献

1) Sato H, Ishikawa K, Kitabatake A, et al. Low-dose aspirin for prevention of stroke in low-risk patients with atrial fibrillation. Stroke. 2006; 37: 447-51.
2) Hart RG, Pearce LA, Aguilar MI. Meta-analysis: antithrombotic therapy to prevent stroke in patiets who have non valvular atrial fibrillation. Ann Intern Med. 2007; 146: 857-67.
3) 日本循環器学会・日本不整脈心電学会．不整脈薬物治療ガイドライン（2018年改訂版）.
4) Eikelboom JW, Connolly SJ, Brueckmann M, et al. Dabigatran versus warfarin in patients with mechanical heart valves. N Engl J Med. 2013; 369: 1206-14.
5) Connolly SJ, Karthikeyan G, Ntsekhe M, et al; INVICTUS Investigators. Rivaroxaban in rheumatic heart disease-associated atrial fibrillation. N Engl J Med. 2022; 387: 978-88.
6) Yamashita T, Inoue H, Okumura K, et al. Warfarin anticoagulation intensity in Japanese non valvular atrial fibrillation patients: a J-RHYTHM registry analysis. J Cardiol. 2015; 65: 175-7.
7) Connollt SJ, Ezekowitz MD, Yusut S, et al. Dabigatran versus warfarin in patients with atrial fibrillation. N Engl J Med. 2009; 361: 1139-51.
8) Patel MR, Mahaffey KW, Garg J, et al. Rivaroxaban versus warfarin in nonvalvular atrial fibrillation. N Engl J Med. 2011; 365: 883-91.
9) Grander CB, Alexander JH, McMurray JJ, et al. Apixaban versus warfarin in patients with atrial fibrillation. N Engl J Med. 2011; 365: 981-92.
10) Giugliano RP, Ruff CT, Braunwald E, et al. Edoxaban versus warfarin in patients with atrial fibrillation. N Engl J Med. 2013; 369: 2093-104.
11) Hori M, Matsumoto M, Tanahashi N, et al. Rivaroxaban vs. warfarin in Japanese patients with atrial fibrillation—the J-ROCKET AF study—. Circ J. 2012; 76: 2104-11.
12) 小田倉弘典．もう怖くない！心房細動の抗凝固療法．東京: 文光堂; 2017．p.97-113, 139-54.
13) Ruff CT, Giugliano RP, Braunwald E, et al. Comparison of the efficacy and safety of new oral anticoagulants with warfarin in patients with atrial fibrillation: a meta-analysis of randomized trials. Lancet. 2014; 383: 955-62.
14) Savarese G, Giugliano RP, Rosano GM, et al. Efficacy and safety of novel oral anticoagulants in patients with atrial fibrillation and heart failure: a meta-analysis. JACC Heart Fail. 2016; 4: 870-80.

15）日本循環器学会・日本心不全学会. ガイドラインフォーカスアップデート版・心不全診療（2021年改訂版）.

16）Toyoda K, Yasaka M, Iwabe K, et al. Dual antithrombotic therapy increases severe bleeding events in patients with stroke and cardiovascular disease: a prospective, multicenter, observational study. Stroke. 2008; 39: 1740-5.

17）Lip GY, Frison L, Halperin JL, et al. Comparative validation of a novel risk score for predicting bleeding risk in anticoagulated patients with atrial fibrillation: the HAS-BLED score. J Am Coll Cardiol. 2011; 57: 173-80.

18）D'Andrea G, D'Ambrosio RL, Di Perna P, et al. A polymorphism in the VKORC1 gene in associated with interindividual variability in the dose—anticoagulant effect of warfarin. Blood. 2005; 105: 645-9.

19）Garcia D, Regan S, Crowther M, et al. Warfarin maintenance dosing patterns in clinical practice: implication for safer anticoagulation in the elderly population. Chest. 2005; 127: 2049-56.

20）Limdi NA, Limdi MA, Cavallari L, et al. Warfarin dosing in patients with impaired kidney function. Am J Kidney Dis. 2010; 56: 823-31.

21）Nathisuwan S, Dilokthornsakul P, Chaiyakunapruk N, et al. Assessing evidence of interaction between smoking and warfarin: a systematic review and meta-analysis. Chest. 2011; 139: 1130-9.

22）Morgan CL, McEwan P, Tukiendorf A, et al. Warfarin treatment in patients with atrial fibrillation: observing outcomes associated with varying levels of INR control. Thromb Res. 2009; 124: 37-41.

23）Schulman S, Parpia S, Stewart C, et al. Warfarin dose assessment every 4 weeks versus every 12 weeks in patients with stable international normalized ratio: a randomized trial. Ann Intern Med. 2011; 155: 653-9.

24）Camm AJ, Cools F, Virdone S, et al. Mortality in patients with atrial fibrillation receiving nonrecommended doses of direct oral anticoagulants. J Am Coll Cardiol 2020; 76: 1425-36.

25）Yamashita Y, Uozumi R, Hamatani Y, et al. Current status and outcomes of direct oral anticoagulant use in real-world atrial fibrillation patients-Fushimi AF Registry. Circ J. 2017; 81: 1278-85.

26）Akao M, Shimizu W, Atarashi H, et al. Oral anticoagulant use in elderly Japanese patients with non-valvular atrial fibrillation -subanalysis of the ANAFIE Registry. Circ Rep 2020; 2: 552-9.

27）Chao TF, Liu CJ, Lin YJ, et al. Oral anticoagulation in very elderly patients with atrial fibrillation: a nationwide cohort study. Circulation. 2018; 138: 37-47.

28）Ray WA, Chung CP, Murray KT, et al. Association of oral anticoagulants and proton pump inhibitor cotherapy with hospitalization for upper gastrointestinal tract bleeding. JAMA. 2018; 320: 2221-30.

29）Goto K, Nakai K, Shizuta S, et al. Anticoagulant and antiplatelet therapy in patients with atrial fibrillation undergoing percutaneous coronary intervention. Am J Cardiol. 2014; 114: 70-8.

30) Gibson CM, Mehran R, Bode C, et al. Prevention of bleeding in patients with atrial fibrillation undergoing PCI. N Engl J Med. 2016; 375: 2423-34.

31) Cannon CP, Bhatt DL, Oldgren J, et al. Dual antithrombotic therapy with dabigatran after PCI in atrial fibrillation. N Engl J Med. 2017; 377: 1513-24.

32) Lopes RD, Heizer G, Aronson R, et al. Antithrombotic therapy after acute coronary syndrome or PCI in atrial fibrillation. N Engl J Med. 2019; 380: 1510-24.

33) Vranckx P, Valgimigli M, Eckardt L, et al. Edoxaban-based versus vitamin K antagonist-based antithrombotic regimen after successful coronary stenting in patients with atrial fibrillation (ENTRUST-AF PCI): a randomized, open-label, phase 3b trial. Lancet. 2019; 394: 1335-43.

34) Yasuda S, Kakita K, Ogawa H, et al. Antithrombotic therapy for atrial fibrillation and stable coronary disease. N Engl J Med. 2019; 381: 1103-13.

35) Garcia DA, Crowther MA. Reversal of warfarin case-based practice recommendation. Circulation. 2012; 125: 2944-7.

36) 日本循環器学会. 非心臓手術における合併心疾患の評価と管理に関するガイドライン (2022).

37) Apostolakis S, Sullivan RM, Olshansky B, et al. Factors affecting quality of anticoagulation control among patients with atrial fibrillation on warfarin: the SAMe-TT2R2 score. Chest. 2013; 144: 1555-63.

38) Joosten LPT, Doorn S, van de Ven PM, et al. Safety of switching from a vitamin K antagonist to a non-vitamin K antagonist oral anticoagulant in frail older patients with atrial fibrillation: Results of the FRAIL-AF Randomized Controlled Trial. Circulation 2023; Online published.

39) Ikeda T, Oagawa S, Kitazono T, et al. Real-world outcomes of the Xarelto post-authorization safety & effectiveness study in Japanese patients with atrial fibrillation (XAPASS). J Cardiol. 2019; 74: 60-6.

40) Shimokawa H, Yamashita T, Uchiyama S, et al. The EXPAND study: Efficacy and safety rivaroxaban in Japanese patients with non-valvular atrial fibrillation. Int J Cardio. 2018; 258: 126-32.

41) Noseworthy PA, Yao X, Abraham NS, et al. Direct comparison of dabigatran, rivaroxaban, and apixaban for effectiveness and safety in nonvalvular atrial fibrillation. Chest. 2016; 150: 1302-12.

42) Okumura K, Yamashita T, Suzuki S, et al. A multicenter prospective cohort study to investigate the effectiveness and safety of apixaban in Japanese elderly atrial patients (J-ELD AF Registry). Clin Cardiol. 2020; 43; 251-9.

43) Lee SR, Choi EK, Han KD, et al. Edoxaban in Asian patients with atrial fibrillation: Effectiveness and safety. J Am Coll Cardiol. 2018; 72: 838-53.

44) Okumura K, Akao M, Yoshida T, et. al. Low-dose edoxaban in very elderly patients with atrial fibrillation. N Engl J Med. 2020; 383: 1735-45.

45) Marinigh R, Lane DA, Lip GY. Severe renal impairment and stroke prevention in atrial fibrillation: implications for thromboprophylaxis and bleeding risk. J Am Coll Cardiol. 2011: 57: 1339-48.

46) Olesen JB, Lip GY, Kamper AL, et al. Stroke and bleeding in atrial fibrillation with chronic kidney disease. N Engl J Med. 2012; 367: 625-35.

47) 日本透析医学会. 血液透析患者における心血管合併症の評価と治療に関するガイドライン. 日透析医学会誌. 2011; 44: 337-425.

48) January CT, Wann LS, Calkins H, et al. 2019 AHA/ACC/HRS focused update of the 2014 AHA/ACC/HRS guideline for the management of patients with atrial fibrillation. Circulation. 2019; 140: e125-51.

49) Hindricks G, Potpara T, Dagres N, et al. 2020 ESC guideline for the diagnosis and management of atrial fibrillation developed in collaboration with the European Association for Cardio-Thoracic Surgery (EACTS). Eur Heart J. 2020; 42: 373-498.

50) Pokorney SD, Chertow GM, AI-Khalidi H, et al. Apixaban for patients with atrial fibrillation on hemodialysis: a multicenter randomized controlled trial. Circulation. 2020; 23: 1735-45.

51) Cleland JG, Findlay I, Jafri S, et al. The Warfarin/Aspirin Study in Heart failure (WASH): A randomized trial comparing antithrombotic strategies for patients with heart failure. Am Heart J. 2004; 148: 157-64.

52) Massie BM, Collins JF, Ammon SE, et al. Randomized trial of warfarin, aspirin, and clopidogrel in patients with chronic heart failure: the Warfarin and Antiplatelet Therapy in Chronic Heart Failure (WATCH) trial. Circulation. 2009; 119: 1616-24.

53) Homma S, Thompson JL, Pullicino PM, et al. Warfarin and aspirin in patients with heart failure and sinus rhythm. N Engl J Med. 2012; 366: 1859-69.

54) Zannad F, Anker SD, Byra WM, et al. Rivaroxaban in patients with heart failure, sinus rhythm, and coronary disease. N Engl J Med. 2018; 379: 1332-42.

55) Kondo T, Abdul-Rahim AH, Talebi A, et al. Predicting stroke in heart failure and reduced ejection fraction without atrial fibrillation. Eur Heart J. 2022; 43: 4469-79.

56) Levine GN, McEvoy JW, Fang JC, et al. Management of patients at risk for and with left ventricular thrombus: a scientific statement from the American Heart Association. Circulation. 2022; 146: e205-23.

〈佐藤宏行〉

11. HCM の管理のポイント

　肥大型心筋症（hypertrophic cardiomyopathy）は，左室最大壁厚が 15 mm 以上で他の二次性心筋症が否定されたものを指す．最も頻度の高い遺伝性心筋疾患で，0.2〜0.5%（200 人から 500 人に 1 人）の罹患率と推定されている[1]．閉塞性 HCM（obstructive HCM）は，左室流出路最大圧較差が安静時あるいは負荷時に 30 mmHg 以上になるものと定義され，世界の HCM の 6〜7 割を占めるが，本邦では欧米よりも心尖部 HCM（apical HCM）を含めた非閉塞性 HCM（non-obstructive HCM）が多く，obstructive HCM は 2〜3 割にとどまる[2]．閉塞性 HCM について，本邦では HOCM という略称が馴染み深いが，文献上では obstructive HCM という表記が一般化してきており，本稿でも obstructive HCM と記載する．

　HCM の最も防ぐべき合併症は突然死である．肥大した心筋が慢性的な虚血に陥り線維化を起こすと，致死性心室性不整脈の基質となる．特に若年での HCM 診断例では突然死のリスク評価が重要となる．年齢，最大壁厚，左房径，左室流出路最大圧較差，突然死の家族歴，非持続性心室頻拍（NSVT）の有無，失神歴，左室駆出率（EF）≦50%，心尖部瘤，MRI で左室重量の 15% を超える遅延造影像（LGE: late gadolinium enhancement）が突然死に関連すると言われており，高リスク群には一次予防での植込み型除細動器（ICD）が推奨される[1]．

　突然死予防以外に管理すべきポイントは，心不全症状，心房細動の管理および心原性脳塞栓症の予防である．

1. 心不全症状の管理のポイント

a. 生活指導

　一般的な obstructive HCM の心不全症状は，労作時の息切れである．これは運動負荷により心筋が過収縮となり左室流出路圧較差が増加し，1 回拍出量が低下することに起因する（「運動時の血圧反応異常」，つまり運動負荷中に血圧が低下する現象は obstructive HCM の重要な診察所見の 1 つである）．そのため脱水時（前負荷の減少時）には 1 回拍出量がさらに低下し失神に繋がる恐れ

もある．特に発汗の多い夏場は「十分な水分補給」が重要な生活指導となる．また強い負荷のかかる運動を突然中止すると，後負荷が突然消失し，流出路狭窄が急激に増悪して失神をきたすリスクがある．運動後は必ずクールダウンを行うことを指導すべきである．

　生活指導を徹底の上で，労作時息切れを呈する obstructive HCM に対しては薬物療法を考慮する．薬物療法としては，β 遮断薬，非ジヒドロピリジン系 Ca 拮抗薬，Ⅰa 群抗不整脈薬，そしてミオシン阻害薬があげられる．

b. 薬物療法

① β 遮断薬: 陰性変時作用により拡張時間を延長し，十分な拡張期左室流入（前負荷）を確保することで左室流出路圧較差を改善する．これにより運動耐容能の改善も期待される[3]．α 遮断作用（末梢血管拡張作用）を持つ薬剤は，後負荷を低下させ左室流出路圧較差を増悪させる可能性があるため，α 遮断作用を持たないビソプロロール，メトプロロールなどが推奨される．

② 非ジヒドロピリジン系 Ca 拮抗薬: ジルチアゼム，ベラパミルなどは，陰性変時作用とともに，陰性変力作用によって左室流出路圧較差の改善が期待できる．一方，一般的な降圧薬に用いられるジヒドロピリジン系 Ca 拮抗薬は，末梢血管拡張作用により後負荷の低下および左室流出路圧較差の上昇をきたし，効果を相殺してしまう可能性がある．

③ Class Ⅰa 群抗不整脈薬: シベンゾリン，ジソピラミドは，Na チャネル抑制による陰性変力作用を有するため，左室流出路圧較差の改善が期待できる．シベンゾリンはジソピラミドよりも抗コリン作用が少なく，口渇やふらつき，便秘，排尿困難などをきたしにくい．ただし，いずれの薬剤も低体重の高齢者や腎障害を有する患者では血中濃度上昇に伴う低血糖，徐脈，QT 延長などの副作用が出現するリスクがあり，少量から開始しつつ血中濃度モニタリングを積極的に検討すべきである．

④ ミオシン阻害薬: 現時点では上記の①～③が HCM ガイドラインに掲載された薬物療法であるが，今後，このミオシン阻害薬がガイドラインを大きく変えていく可能性がある．米国では 2022 年 4 月に，第 1 のミオシン阻害薬 mavacamten が FDA（食品医薬品局）に承認され市販が開始されている（2023 年 4 月現在，本邦ではまだ市販に至っていない）．心筋のミオシン重鎖の ATPase 活性を抑制し，アクチン-ミオシンの重合を阻害することで濃度依存的に心筋収縮を抑制する．これにより，HCM の病態である「心筋の過収

縮」および「拡張障害」をともに改善させる. これまでの臨床試験では, obstructive HCM 症例の左室流出路圧較差および運動耐容能を有意に改善し, 中隔縮小治療（後述）の必要性を削減する効果も示された[4,5]. さらに第2のミオシン阻害薬として aficamten も開発されている[6]. mavacamten よりも半減期が短く, 効果発現までが早いこと, また有害事象出現時に速やかな退薬が可能であることが利点である.

c. 重症 HCM への対応

①左室流出路閉塞が強い例: 上記薬物療法を行っても心不全症状が残存し, 左室流出路最大圧較差が 50 mmHg 以上となる obstructive HCM に対しては, 中隔縮小治療（SRT: Septal Reduction Therapy）が適応となる. SRT は外科的心筋切除術とカテーテルによる経皮的中隔心筋焼灼術に大別され, 年齢や併存疾患, 弁膜症の合併の有無などを考慮しながらハートチームで適切な治療法の選択を行う. いずれの手技も十分な経験のある施設で行われることが推奨されている[7].

②肺うっ血が強い例: 左室肥大の強い HCM では, 慢性的な拡張障害により左室拡張末期圧の上昇を認め, いわゆる肺うっ血を呈する場合がある. 少量の利尿薬を必要とする症例もあるが, 特に obstructive HCM では脱水と溢水のどちらにも傾かせないような細やかなコントロールが必要となる.

③左室駆出率（EF）が 50% 以下の例: 拡張相 HCM（dilated phase of HCM）または HCM with systolic dysfunction と呼ばれる. 肥厚した左室心筋が, 虚血による線維化で逆に菲薄化し徐々に収縮力が低下する病態であり, 突然死, 心不全死いずれのリスクも高い. HFrEF に準じた至適薬物療法を導入するとともに, ICD や, 左室補助デバイスの導入も検討すべき病態である.

2. 心房細動の管理および心原性脳塞栓症予防のポイント

HCM は慢性的な拡張障害により左房拡大をきたしやすく, 約 2 割の症例が心房細動を合併する[8]. HCM に合併した心房細動の心原性脳塞栓症発症リスクは非常に高く, 洞調律例の HCM に比べるとリスクが 8 倍になると報告されている[9]. そのため, HCM に合併した心房細動では $CHADS_2$ スコアに関わらず抗凝固療法を開始することが推奨される. 抗凝固療法は DOAC を第 1 選択とし, 高度腎機能低下例など DOAC 禁忌例ではワルファリンを選択する[1].

また, HCM に心房細動が合併すると, 拡張時間の短縮により肺うっ血が急激に増悪する場合がある. まずは拡張時間の確保のため, レートコントロール

としてβ遮断薬と非ジヒドロピリジン系Ca拮抗薬を考慮する．次にリズムコントロールであるが，肥大型心筋症に伴う心房細動にはアミオダロンの適応があり，罹病期間の比較的短い有症候性の心房細動にはアミオダロンによる薬理学的除細動もしくは電気的除細動が適応になる．カテーテルアブレーションによる洞調律化も検討されるが，非HCM症例と比較するとアブレーション後の心房細動再発率は高い[10]．外科的心筋切除が必要な心房細動合併HCMでは，MAZE手術および左心耳切除術の追加を積極的に検討する．

■文献

1) Ommen SR, Mital S, Burke MA, et al. 2020 AHA/ACC Guideline for the diagnosis and treatment of patients with hypertrophic cardiomyopathy: Executive summary: A report of the American College of Cardiology/American Heart Association Joint Committee on Clinical Practice Guidelines. J Am Coll Cardiol. 2020; 76: 3022-55.
2) Terasaka N, Spanopoulos D, Miyagoshi H, et al. Estimating the prevalence, clinical characteristics, and treatment patterns of hypertrophic cardiomyopathy in Japan: A nationwide medical claims database study. J Cardiol. 2023; 81: 316-22.
3) Dybro AM, Rasmussen TB, Nielsen RR, et al. Randomized trial of metoprolol in patients with obstructive hypertrophic cardiomyopathy. J Am Coll Cardiol. 2021; 78: 2505-17.
4) Olivotto I, Oreziak A, Barriales-Villa R, et al. Mavacamten for treatment of symptomatic obstructive hypertrophic cardiomyopathy (EXPLORER-HCM): a randomised, double-blind, placebo-controlled, phase 3 trial. Lancet. 2020; 396: 759-69.
5) Desai MY, Owens A, Geske JB, et al. Myosin inhibition in patients with obstructive hypertrophic cardiomyopathy referred for septal reduction therapy. J Am Coll Cardiol. 2022; 80: 95-108.
6) Maron MS, Masri A, Choudhury L, et al. Phase 2 study of aficamten in patients with obstructive hypertrophic cardiomyopathy. J Am Coll Cardiol. 2023; 81: 34-45.
7) Kitaoka H, Tsutsui H, Kubo T, et al. JCS/JHFS 2018 Guideline on the diagnosis and treatment of cardiomyopathies. Circ J. 2021; 85: 1590-689.
8) Rowin EJ, Hausvater A, Link MS, et al. Clinical profile and consequences of atrial fibrillation in hypertrophic cardiomyopathy. Circulation. 2017; 136: 2420-36.
9) Olivotto I, Cecchi F, Casey SA, et al. Impact of atrial fibrillation on the clinical course of hypertrophic cardiomyopathy. Circulation. 2001; 104: 2517-24.
10) Providencia R, Elliott P, Patel K, et al. Catheter ablation for atrial fibrillation in hypertrophic cardiomyopathy: a systematic review and meta-analysis. Heart. 2016; 102: 1533-43.

〈秋田敬太郎〉

12. 心アミロイドーシスについて

　心アミロイドーシスは前駆蛋白質のミスフォールディングにより形成されたアミロイド線維が心臓の間質に沈着することにより形態的，機能的に異常をきたす病態である．長らくまれな疾患と認識されてきた心アミロイドーシスだが，近年は左室駆出率の保たれた心不全に数多く潜在することが広く知られるようになり，トランスサイレチン（TTR）を前駆蛋白質とするトランスサイレチン心アミロイドーシス（ATTR-CM）は高齢者心不全に潜在する common disease として認識され，AL アミロイドーシスはモノクローナルな免疫グロブリン（M蛋白）の軽鎖を前駆蛋白質とするアミロイドーシスであり予後不良な疾患とされている．

　心アミロイドーシス診療の第一歩は，心不全患者を常にアミロイドーシスの疑いの目で診ることから始まる．左室肥大のある HFpEF 患者では約13%に ATTR-CM の所見を認めたとされ[1]，特に高齢男性の左室肥大においては常に鑑別にあげられる．Red-flag と表現される心アミロイドーシスを示唆する所見のうち，筆者は手根管症候群の既往，心筋トロポニンの軽度高値持続，左室肥大に見合わない心電図上の相対的な低電位（高電位でない）を特に参考にしている．非侵襲的なスクリーニングも確立されており，AL アミロイドーシスであれば採血・尿検査での血清遊離軽鎖や蛋白電気泳動などの組み合わせによるM蛋白の評価が重要であり，ATTR-CM であれば^{99m}Tc ピロリン酸シンチグラフィ（骨シンチグラフィ）が高い感度で検出することができる．ただし確定診断には生検によるアミロイド沈着の検出，免疫染色によるアミロイド前駆蛋白質の同定が必要である[2,3]（図 1）．

　このようにして診断された心アミロイドーシスに対する治療は，心不全に対する治療とアミロイドーシス自体の進行を防ぐ治療に分けられる．心不全に対する治療は現実的には利尿薬が中心となる．左室駆出率の低下した心不全（HFrEF）に対して確立された治療である β 遮断薬や ACE 阻害薬などの神経体液因子調整薬は，心アミロイドーシスに対しては効果が確立されていないばかりか，心アミロイドーシスの拘束性障害という特徴から心拍数増加による心拍

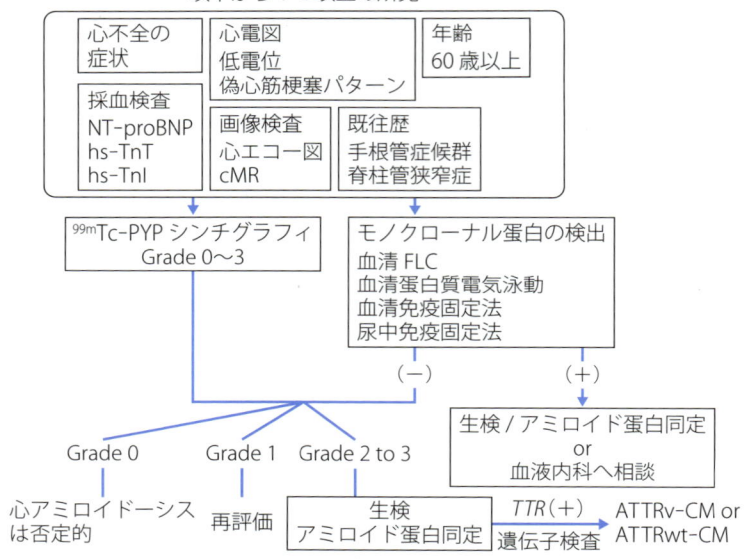

左室肥大
+
以下から 1 つ以上の所見

| 心不全の症状 | 心電図
低電位
偽心筋梗塞パターン | 年齢
60 歳以上 |
| 採血検査
NT-proBNP
hs-TnT
hs-TnI | 画像検査
心エコー図
cMR | 既往歴
手根管症候群
脊柱管狭窄症 |

^{99m}Tc-PYP シンチグラフィ
Grade 0〜3

モノクローナル蛋白の検出
血清 FLC
血清蛋白質電気泳動
血清免疫固定法
尿中免疫固定法

（−）　　（＋）

生検 / アミロイド蛋白同定
or
血液内科へ相談

Grade 0　　Grade 1　　Grade 2 to 3

心アミロイドーシスは否定的　　再評価　　生検 アミロイド蛋白同定

TTR（＋）　ATTRv-CM or
遺伝子検査　ATTRwt-CM

図 1 心アミロイドーシスの診断アルゴリズム
(Inomata T, et al. ESC Heart Fail. 2021; 8, 2647-59[3])より改変)

出量の代償を抑えてしまったり，低血圧を誘発したりして状況を悪化させることが危惧される．筆者も ATTR-CM の患者で，すでに導入されていた β 遮断薬を中止することにより体液管理が容易になった症例を経験したことがある．スピロノラクトンに関しては HFpEF（EF＞45%）を対象とした TOPCAT 試験において，心エコー上で心アミロイドーシスが疑われる群（IVS＞12 mm, s'＜6 cm/S）を対象とした二次解析においても予後改善効果が示されており[4]，カリウム値に問題がなければ検討しても良いかもしれない．これらの心アミロイドーシスに対する標準的治療薬の使い方は，CHAD-STOP という項目で表現されている[5]（**表 1**）．病態進行を抑制する治療として ATTR-CM ではトランスサイレチンを安定化させアミロイド形成を予防する薬剤であるタファミジスが予後を改善することが明らかになった[6]．また AL アミロイドーシスに対しては CD38 を標的としモノクローナル抗体のダラツムマブが従来治療よりも血液学的奏効を達成することが明らかになった[7]．しかしこれらの薬剤はあくまでも新規のアミロイド蛋白の形成を抑制する薬剤であり，すでに心臓に沈着し

表1 CHAD-STOP

C: Conduction and rhythm disorder prevention: 伝導路障害/リズム障害への介入
H: High heart rate maintenance: 高心拍レートの調節
A: Anticoagulation: 抗凝固療法
D: Diuretics: 利尿薬
STOP: STOP beta receptor and calcium channel blockers, digoxin and RA inhibitors β遮断薬，カルシウム受容体拮抗薬，ジゴキシン，RA 阻害薬の中止

(Ternacle J, et al. J Am Coll Cardiol. 2019; 74, 2638-51[5]より改変)

てしまったアミロイド線維を除去し，病態を改善させることはできない．その
ため心アミロイドーシスの早期診断が肝要であると考える．

　本邦においては他国と比較して高齢化が進んでいることもあり，世界に先ん
じて2020年に心アミロイドーシス診療ガイドラインが作成された．心アミロイ
ドーシスは予後不良な進行性疾患であるが，早期診断による介入で進行抑制し
うる疾患である．筆者は心アミロイドーシスのRed-flagを見逃さず正しく診断
することが，心不全治療全般の質を上げることにつながると信じている．

■文献

1) González-López E, Gallego-Delgado M, Guzzo-Merello G, et al. Wild-type trans-thyretin amyloidosis as a cause of heart failure with preserved ejection fraction. Eur Heart J. 2015; 36: 2585-94.
2) 日本循環器学会 2020 年版心アミロイドーシス診療ガイドライン https://www.j-circ.or.jp/cms/wp-content/uploads/2020/02/JCS2020_Kitaoka.pdf　2023 年 3 月閲覧
3) Inomata T, Tahara N, Nakamura K, et al. Diagnosis of wild-type transthyretin amy-loid cardiomyopathy in Japan: red-flag symptom clusters and diagnostic algorithm. ESC Heart Fail. 2021; 8: 2647-59.
4) Sperry BW, Hanna M, Shah SJ, et al. Spironolactone in patients with an echocardio-graphic HFpEF phenotype suggestive of cardiac amyloidosis: Results from TOP-CAT. JACC Heart Fail. 2021; 9: 795-802.
5) Ternacle J, Krapf L, Mohty D, et al. Aortic stenosis and cardiac amyloidosis: JACC Review Topic of the Week. J Am Coll Cardiol. 2019; 74: 2638-51.
6) Maurer MS, Schwartz JH, Gundapaneni B, et al; ATTR-ACT Study Investigators. Tafamidis treatment for patients with transthyretin amyloid cardiomyopathy. N Engl J Med. 2018; 379: 1007-16.
7) Kastritis E, Palladini G, Minnema MC, et al; ANDROMEDA Trial Investigators. Daratumumab-based treatment for immunoglobulin light-chain amyloidosis. N Engl J Med. 2021; 385: 46-58.

〈山田敏寛〉

Point

- ジゴキシンには強心作用と抗不整脈作用がある.
- 心不全患者において，頻脈性心房細動の rate control として使用される.
- ジゴキシンは予後への影響は否定的な報告もあるが，いまだ結論が出ていない.

A 薬剤の作用機序

　ジゴキシンには強心薬と抗不整脈薬の2つの側面がある．もともとジギタリスは欧州原産のオオバコ科の植物で，古くから民間療法で用いられていたが，1785年にスコットランド人医師ウィザーリングにより水腫の患者への有効性が報告された．その後，20世紀に入り心房細動への有効性も認められたことで，心疾患の治療薬として広く普及していった．

　ジゴキシンはNa^+/K^+-ATPase阻害作用により細胞内Na^+濃度を上昇させ，Na^+/Ca^{2+}交換系を介して細胞内Ca^{2+}濃度が上昇させることで，心筋の収縮力を増強させる．その一方で，迷走神経刺激と房室伝導を抑制することで，心房細動を徐拍化させる効果を有する．

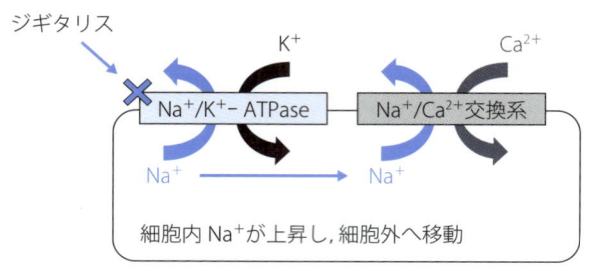

図1 ジゴキシンの作用機序

B 心不全患者に使用する目的

　急性心不全では，ベラパミルやジルチアゼムなどの非ジヒドロピリジン系 Ca^{2+} 拮抗薬は血圧低下・ショックを招くおそれがあり，強心作用も併せ持つジギタリス製剤はとくに左室駆出率が低下した心不全（heart failure with reduced ejection fraction: HFrEF）における頻脈性心房細動に対して心拍数調節（rate control）目的に使用されることが多い． β 遮断薬と比較してジギタリス製剤は運動時の心拍数減少効果は弱く，主に安静時の心拍数を減少する．心房細動例で長期使用すると死亡率が高くなるという報告もあり，腎機能が低下した高齢者では注意が必要である．

C 心不全患者におけるエビデンス

　1997 年に DIG 試験の結果が発表され，ジゴキシンは洞調律心不全患者の心不全による再入院を減少させるが，予後を改善しないことが明らかとなった[1]．また，ジゴキシンの至適血中濃度は 0.5〜0.8 ng/mL であり，血中濃度の上昇は死亡率と有意に相関することが示唆された[1]．心房細動患者においても，2010 年頃より複数の観察研究からジゴキシン投与と死亡率上昇の関連が指摘され[2-4]，ジゴキシンは徐々に使われなくなってきていた．一方で Ziff らは，2015 年にジゴキシンに関する RCT のメタ解析を行い，ジゴキシンが全死亡と関連せず（リスク比 0.99，95％CI 0.93-1.05; p＝0.75），再入院を減少させたと報告した（リスク比 0.92，95％CI 0.89-0.95; p＝0.001）[5]．この研究では，ジゴキシン投与群は観察群と比較すると高齢で糖尿病が多く，利尿薬や他の抗不整脈薬の処方も多い傾向にあり，こうした交絡因子が予後に影響を及ぼした可能性や，バイアスが高い報告ほどジゴキシンと死亡率の上昇を強く関連付ける傾向が指摘された．β 遮断薬による心不全の標準治療が確立した現代でも，ジゴキシンは心房細動の rate control の選択肢として残っており，2020 年の ESC の心房細動ガイドラインでは左室収縮能にかかわらず Class I の位置付けとなっている[6]．

　しかし，Vamos らは 2015 年に引き続き，2018 年にシステマティックレビューのアップデートを行い，ジゴキシンは心房細動あるいは心不全の患者において全死亡の上昇と有意に相関しており（n＝825,061，ハザード比 1.17，95％CI 1.05-1.29，p＜0.001），それぞれ心房細動患者の死亡率を 23％，心不全患者

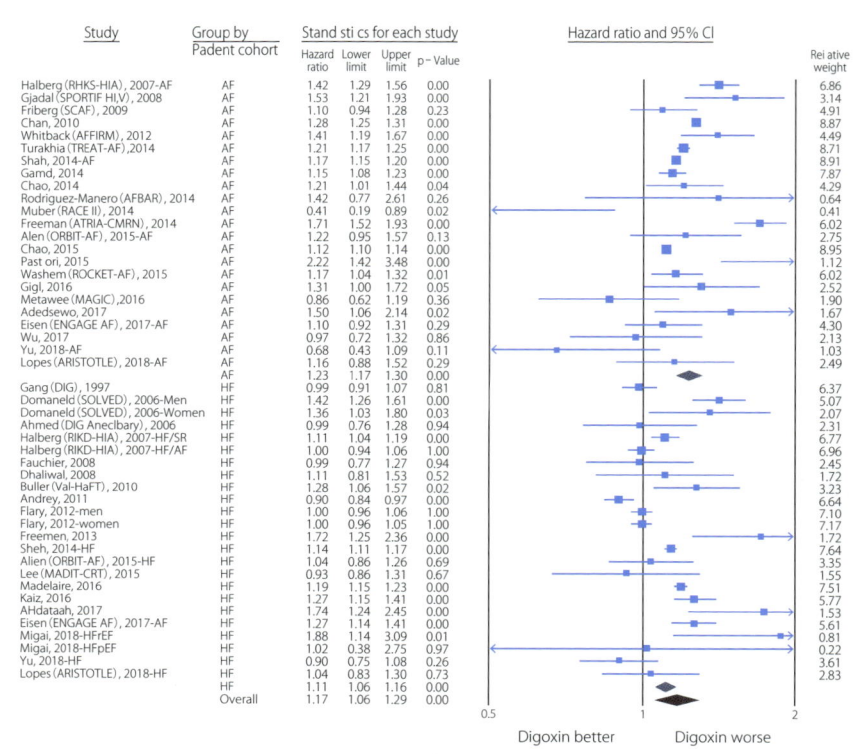

図2 ジゴキシンの心房細動と心不全患者の予後に及ぼす影響

(Vamos M, et al. Am J Cardiol. 2019; 123: 69-74)[8]

の死亡率を11％上昇させたと結論している[7]．2021年にはWangらが，ジゴキシンは心不全の有無に関わらず心房細動患者の全死亡を増加させたと報告している（n＝621,478，ハザード比1.17，95％CI 1.13-1.22，p＜0.001）[8]．Ziffらのメタ解析に関しては，研究が行われた年代が古く，症例数や追跡期間が不十分であることを問題点としてあげられる．ただし，実臨床でジゴキシンが処方されている患者は，より心不全が進行しており，β遮断薬やCa拮抗薬でのrate controlに難渋している症例が多く，心機能や腎機能以外の因子が介在している可能性も否定できないとしている．

D 使用する際の注意点

主な副作用は不整脈（異所性心房頻拍，房室ブロック）と消化器症状（嘔気，

食思不振）である．ジゴキシン血中濃度の正常値は 0.5〜2.0 ng/mL とされているが，DIG trial では 0.5〜0.8 ng/mL が至適血中濃度として示されている[1]．実際，ジゴキシンの血中濃度が 2.0 ng/mL 以下であってもジギタリス中毒を起こした症例はしばしば見受けられるため，高齢者や腎機能が低下した患者では注意が必要である．また房室結節を抑制するため，副伝導を有する症例では偽性心室頻拍（pseudo VT）のリスクがあり，禁忌である．

ジギタリス中毒が疑われた場合，投薬を中止し電解質のチェックを行う．低 K 血症，高 Ca 血症，低 Mg 血症はジギタリスの作用を増強するため，異常があれば補正する．また入院で心電図のモニタリングを行い，徐脈に対してはアトロピンの静注や一時的ペーシングを考慮する．海外ではジゴキシン特異的抗体（ジゴキシン免疫 FAB フラグメント）が推奨されているが，本邦では未承認である．血液透析は無効であり，重篤な場合は血漿交換療法を行う．

E 薬剤の使い分けについて

ジゴキシン（ジゴシン®）が消化管からの吸収が悪く個体差が大きいため，メチル化して吸収率を高めたのがメチルジゴキシン（ラニラピッド®）である．
内服薬として開始する場合:
①ジゴキシン（ジゴシン錠®，ハーフジゴキシン KY 錠®）0.125 mg 1T1×
②メチルジゴキシン（ラニラピッド錠®）0.05 mg 1T1×
*投与開始 1 週間後にトラフ値を測定する．
救急外来や ICU で静注する場合:
ジゴシン注® 0.25 mg を 0.5〜1 A をワンショットで静注
*腎不全患者でも，単回投与であれば中毒のリスクは低い．

F 薬剤に関する未知

前述の通り，心不全や心房細動に対するジゴキシンの影響は，いまだに議論の余地を残すところである．2014 年に Kotecha らは Lancet でメタ解析を発表し，心房細動の HFrEF 患者では，β遮断薬は死亡率や再入院を減少しないことを示した[9]．このような背景から，永続性心房細動の rate control について，ジゴキシンとβ遮断薬のどちらが有効であるのか，運動耐容能や QOL をエンドポイントとした RATE-AF 研究が英国で行われた．ジゴキシン投与群（0.0625〜0.25 mg/日）とβ遮断薬投与群（1.25〜15 mg/日）において，主要評

価項目の SF-36 では両者に差はみられなかったが，副次評価項目の modified EHRA スコア，NT-proBNP はジコキシン投与群で有意に低値であった[10]．また心房細動の有無にかかわらず，従来より低用量のジコキシン投与が HFrEF 患者の予後を改善するのか，ドイツを中心に国際共同研究が進められている（DIGIT-HF，EudraCT number: 2013-005326-38）．

■文献

1) Gheorghiade M, Pitt B. Digitalis Investigation Group（DIG）trial. a stimulus for further research. Am Heart J. 1997; 134: 3-12.
2) Chan KE, Lazarus JM, Hakim RM. Digoxin associates with mortality in ESRD. J Am Soc Nephrol. 2010; 21: 1550-9.
3) Turakhia MP, Santangeli P, Winkelmayer WC, et al. Increased mortality associated with digoxin in contemporary patients with atrial fibrillation: findings from the TREAT-AF study. J Am Coll Cardiol. 2014; 64: 660-8.
4) Shah M, Avgil Tsadok M, Jackevicius CA, et al. Relation of digoxin use in atrial fibrillation and the risk of all-cause mortality in patients ≥65 years of age with versus without heart failure. Am J Cardiol. 2014; 114: 401-6.
5) Ziff OJ, Lane DA, Samra M, et al. Safety and efficacy of digoxin: systematic review and meta-analysis of observational and controlled trial data. BMJ. 2015; 351: h4451.
6) Hindricks G, Potapara T, Dagres N, et al. 2020 ESC Guidelines for the diagnosis and management of atrial fibrillation developed in collaboration with EACTS. Eur Heart J. 2021; 42: 373-498.
7) Vamos M, Erath JW, Benz AP, et al. Meta-analysis of effects of digoxin on survival in patients with atrial fibrillation or heart failure: An update. Am J Cardiol. 2019; 123: 69-74.
8) Wang X, Luo Y, Xu D, et al. Effect of digoxin therapy on mortality in patients with atrial fibrillation: An updated meta-analysis. Front Cardiovasc Med. 2021; 8: 731135.
9) Kotecha D, Holmes J, Krum H, et al. Efficacy of beta blockers in patients with heart failure plus atrial fibrillation: an individual-patient data meta-analysis. Lancet. 2014; 384: 2235-43.
10) Kotecha D, Bunting KV, Gill SK, et al. Effect of digoxin vs bisoprolol for heart rate control in atrial fibrillation on patient-reported quality of life: The RATE-AF Randomized Clinical Trial. JAMA. 2020; 324: 2497-508.

〈松本紘毅〉

Point

- イバブラジンは洞結節の If チャネルを抑制することで，心筋の収縮能に影響を与えることなく心拍数を低下させる．
- 左室駆出率が低下（35％以下）した症候性（NYHA Ⅱ〜Ⅲ）の慢性心不全患者に対して最大用量あるいは最大耐用量の β 遮断薬を含む至適薬物療法が行われた状態で，心拍数 70/分以上の患者において適応となる．

A 作用機序

イバブラジンは洞結節にある If チャネルを抑制することで緩徐な脱分極過程を延長し，拡張期を延長して心拍数を低下させる．β 遮断薬やカルシウム拮抗薬と違い心筋の収縮能を低下させず，血行動態に与える影響が少ない．

B 心不全患者に使用する目的

心拍数高値は心不全患者の独立した予後不良因子である．心拍数の増加は心筋酸素需要の増加，拡張期が短縮することによる左室への血液充満の阻害と冠動脈血流量の低下，さらに心拍数依存性収縮予備能の異常などを引き起こす．正常では心拍数が増加すると心筋の収縮能が増大するが，心不全では心拍数の増加により心筋の収縮能が低下することを心拍依存性収縮予備能の異常とよぶ．これは拡張期が短いと筋小胞体にカルシウムを十分取り入れることができないためである[1-4]．慢性心不全患者においては安静時の心拍数が 10 bpm 上昇するごとに死亡率が 13％上昇し，特に安静時心拍数が 70 以上であることが心血管死亡，心不全，冠動脈イベントのリスク因子であることが報告されている[5,6]．

β 遮断薬は心不全患者の心拍数を低下させ，リバースリモデリングを引き起こして予後を改善する[7,8]．β 遮断薬の用量よりも心拍数のコントロールのほうがリバースリモデリングや予後と関係しているという報告や[8,9]，逆に β 遮断薬の用量のほうが心拍数よりも予後に与える影響が大きいという報告もある[10]．

いずれにせよβ遮断薬を可能な限り増量し，同時に心拍数のコントロールに努めるということになるのだが，実臨床では忍容性の面などから必ずしも容易でない．日常臨床を反映するレジストリ研究によれば，β遮断薬の最大投与量を達成できているのは50%以下である[11]．よって患者が耐えうる最大量のβ遮断薬を導入してもなお心拍数が高い場合は，これが介入するべき残存リスクとなりうる．イバブラジンは心筋の収縮力を低下させず血圧低下などの血行動態に与える影響が少ない．β遮断薬を最大用量まで増量してもまだ心拍数が高い，もしくは心拍数が高いが血圧低下やふらつきなどの自覚症状のためβ遮断薬を増量し難い症例に対して，心拍数を低下させイベントリスクを軽減する目的で用いられる．

C 心不全患者における有用性を示すエビデンス

BEAUTIFUL 試験は，左室駆出率<40%であり，洞調律で安静時心拍数が60 bpm 以上の虚血性心疾患患者を対象にした，イバブラジンによるランダム化研究である[12]．一時エンドポイントは心血管死亡，急性心筋梗塞もしくは心不全による入院である．ベースラインの心拍数は 72 bpm であり，β遮断薬は87%の患者に投与されていた．イバブラジンはプラセボに比して心拍数を 6 bpm 低下させたが，一次エンドポイントに関しては有意差を認めなかった．ベースラインの心拍数が 70 bpm 以上の群のサブグループ解析では，一次エンドポイント，心血管死亡，心不全入院に差は認めなかったものの，心筋梗塞による入院を減少させた．

SHIFT 試験は，左室駆出率≦35%であり，洞調律で安静時心拍数が 70 bpm 以上の心不全患者を対象にした，イバブラジンによるランダム化研究である[13]．一次エンドポイントは心血管死亡もしくは心不全入院である．平均心拍数は 80 bpm であり，β遮断薬は 90%の患者に投与されていた．イバブラジンはプラセボ群と比較して心拍数を 8 bpm 低下させ，一次エンドポイントを抑制した．心血管死亡に有意差はなく，効果は主に心不全入院抑制によるものであった．イバブラジンによる治療は左室収縮・拡張末期容積を縮小し，左室駆出率を回復させリバースリモデリングを引き起こした[14]．また，初回のみでなく 2 回目，3 回目と繰り返す心不全入院に対しても効果を認めた[15]．上記 2 試験の患者群を合わせた解析では，イバブラジンは，心血管死亡と心不全の複合エンドポイントを抑制した．これは主に心不全入院の抑制による効果であり，

心血管死亡に有意差は認めなかった[16]．また，本邦で行われた J-SHIFT 試験でも HFrEF 患者を対象に心血管死亡もしくは心不全入院の複合エンドポイントに対する抑制効果を認めており，JCS/JHFS ガイドラインアップデートでも Class IIa で推奨となっている[17]．

　β遮断薬が十分増量された患者に対してもイバブラジンは有効であろうか？ SHIFT 試験の患者群をβ遮断薬の用量により層別化したところ，イバブラジンの一次エンドポイント，心不全入院に対する効果は主に低用量群（目標投与量の 50％以下）で認められた．またβ遮断薬の用量が増加するとともに効果は減少する傾向を示した．しかしこれらの関係は統計学的には有意でなく，イバブラジンはβ遮断薬の用量に関係なく有効であるとされている[18]．また，イバブラジンをβ遮断薬と併用するとβ遮断薬をより増量することができた[19]とも報告されており，β遮断薬の増量が十分でない場合はイバブラジンの併用が検討される．

　イバブラジンは左室駆出率が保たれた心不全にも有効であろうか？　イバブラジンによる心拍数低下の有用性を検討した EDIFY 試験では，洞調律で，脈拍≧70 bpm.，左室駆出率≧45％の HFpEF 患者 179 名を対象にイバブラジンの E/e'，6 分間歩行，NT-proBNP 値に対する効果がランダム化比較試験で検討された[20]．イバブラジン群では心拍数は低下したものの，これらのエンドポイントに対する有効性は確認できなかった．HFpEF 患者では心拍予備能の低下を認める患者が多いことなどが影響していると考えられる．現状では HFpEF 患者においてはエビデンスが十分ないため，使用に際しては慎重に判断するべきである．

D 使用する際の注意

　JCS/JHFS ガイドラインでは "最適な薬物治療〔最大量あるいは最大忍容量のβ遮断薬，ACE 阻害薬（または ARB）および MRA〕にもかかわらず症候性で，洞調律かつ心拍数≧75 拍/分の HFrEF（LVEF≦35％）患者において，心不全入院および心血管死のリスク低減に考慮する" ことが Class IIa で推奨となっており，また "β遮断薬に不耐容あるいは禁忌である患者において，心不全入院および心血管死のリスクを低減するために考慮する" ことも Class IIa の推奨である．副作用としては徐脈，血圧の上昇，心房細動，光視症などが報告されている．また，他の徐脈を惹起する薬剤（非ジヒドロピリジン系 Ca 拮

抗薬，Ⅰ群の抗不整脈薬）との併用には注意が必要である．

E 今後の展望

　血圧が低く β 遮断薬の導入や増量が難しい HFrEF に対しては JCS/JHFS の
ガイドラインでは Class Ⅱa の推奨となっている．しかし心不全入院中などの
急性期では，洞性頻脈が低心拍出量を補完している可能性に十分注意すべきで
ある．急性期からの安易な導入は循環虚脱のリスクを十分に考えてから行うべ
きであると考える．心エコー検査での左室流路波形を参考に導入時期を検討す
るなどの報告もあるが，亜急性期のどの段階から安全に導入できるかは今後の
検討が待たれる．

■文献

1) Fox K, Borer JS, Camm AJ, et al. Resting heart rate in cardiovascular disease. J Am Coll Cardiol. 2007; 50: 823-30.
2) Mulieri LA, Hasenfuss G, Leavitt B, et al. Altered myocardial force-frequency relation in human heart failure. Circulation. 1992; 85: 1743-50.
3) Castagno D, Skali H, Takeuchi M, et al. Association of heart rate and outcomes in a broad spectrum of patients with chronic heart failure: results from the CHARM (Candesartan in Heart Failure: Assessment of Reduction in Mortality and morbidity) program. J Am Coll Cardiol. 2012; 59: 1785-95.
4) Hasenfuss G, Pieske B. Calcium cycling in congestive heart failure. J Mol Cell Cardiol. 2002; 34: 951-69.
5) Cullington D, Goode KM, Zhang J, et al. Is heart rate important for patients with heart failure in atrial fibrillation? JACC Heart Fail. 2014; 2: 213-20.
6) Fox K, Ford I, Steg PG, et al. Heart rate as a prognostic risk factor in patients with coronary artery disease and left-ventricular systolic dysfunction (BEAUTIFUL): a subgroup analysis of a randomised controlled trial. Lancet. 2008; 372: 817-21.
7) Flannery G, Gehrig-Mills R, Billah B, et al. Analysis of randomized controlled trials on the effect of magnitude of heart rate reduction on clinical outcomes in patients with systolic chronic heart failure receiving beta-blockers. Am J Cardiol. 2008; 101: 865-9.
8) McAlister FA, Wiebe N, Ezekowitz JA, et al. Meta-analysis: beta-blocker dose, heart rate reduction, and death in patients with heart failure. Ann Intern Med. 2009; 150: 784-94.
9) Porapakkham P, Porapakkham P, Krum H. Is target dose of beta-blocker more important than achieved heart rate or heart rate change in patients with systolic chronic heart failure? Cardiovasc Ther. 2010; 28: 93-100.
10) Fiuzat M, Wojdyla D, Pina I, et al. Heart rate or beta-blocker dose? Association with

outcomes in ambulatory heart failure patients with systolic dysfunction: Results from the HF-ACTION Trial. JACC Heart Fail. 2016; 4: 109-15.

11) Bhatt AS, DeVore AD, DeWald TA, et al. Achieving a maximally tolerated beta-blocker dose in heart failure patients: Is there room for improvement? J Am Coll Cardiol. 2017; 69: 2542-50.

12) Fox K, Ford I, Steg PG, et al. Ivabradine for patients with stable coronary artery disease and left-ventricular systolic dysfunction(BEAUTIFUL): a randomised, double-blind, placebo-controlled trial. Lancet. 2008; 372: 807-16.

13) Swedberg K, Komajda M, Bohm M, et al. Ivabradine and outcomes in chronic heart failure (SHIFT): a randomised placebo-controlled study. Lancet. 2010; 376: 875-85.

14) Tardif JC, O'Meara E, Komajda M, et al. Effects of selective heart rate reduction with ivabradine on left ventricular remodelling and function: results from the SHIFT echocardiography substudy. Eur Heart J. 2011; 32: 2507-15.

15) Borer JS, Bohm M, Ford I, et al. Effect of ivabradine on recurrent hospitalization for worsening heart failure in patients with chronic systolic heart failure: the SHIFT Study. Eur Heart J. 2012; 33: 2813-20.

16) Fox K, Komajda M, Ford I, et al. Effect of ivabradine in patients with left-ventricular systolic dysfunction: a pooled analysis of individual patient data from the BEAU-TIFUL and SHIFT trials. Eur Heart J. 2013; 34: 2263-70.

17) 2021年JCS/JHFSガイドライン フォーカスアップデート版. 急性・慢性心不全診療.

18) Swedberg K, Komajda M, Bohm M, et al. Effects on outcomes of heart rate reduction by ivabradine in patients with congestive heart failure: is there an influence of beta-blocker dose?: findings from the SHIFT (Systolic Heart failure treatment with the I(f) inhibitor ivabradine Trial) study. J Am Coll Cardiol. 2012; 59: 1938-45.

19) Bagriy AE, Schukina EV, Samoilova OV, et al. Addition of ivabradine to β-blocker improves exercise capacity in systolic heart failure patients in a prospective, open-label study. Adv Ther. 2015; 32: 108-19.

20) Dominjon F, Henon-Goburdhun C, Pannaux M, et al. Effect of ivabradine in patients with heart failure with preserved ejection fraction: the EDIFY randomized placebo-controlled trial. Eur J Heart Fail. 2017; 19: 1495-503.

〈堀内 優〉

Point

- 慢性心不全に対する fantastic four（ACE 阻害薬 or ARNI/β blcker/MRA/SGLT2 阻害薬）に加えて，2021 年より使用可能になった経口の可溶性グアニル酸シクラーゼ（sGC）刺激薬である．
- 主な作用機序は，血管拡張作用，RAA 系阻害作用などである．
- 肺高血圧症に対して臨床応用されている，リオシグアトも同系統にあたるが，適応が異なる．
- 2021 年，2022 年の欧米のガイドラインでは標準治療を行っている HFrEF 患者に対しては推奨 Class Ⅱ b で，HFpEF 患者に対する効果は証明されていない．
- より適切な患者群の選択や他の心保護薬との併用タイミングに関しては，今後のエビデンスの蓄積が求められている．

A 作用機序

　ベルイシグアト（vericiguat: ベリキューボ®）は，直接的に可溶性グアニル酸シクラーゼを活性化させる sGC 刺激薬である．作用機序のポイントは，cGMP 産生増加による内皮細胞や心筋細胞に対する NO bioavailability（生体利用効率）の改善であり，他の心不全治療薬とは経路の異なる薬剤として国内では 2021 年 9 月に承認された．

　細胞レベルでの薬剤作用機序を図 1 に示す．血管平滑筋細胞や心筋細胞において，NO-sGC-cGMP（nitric oxide-sGC-cycle guanosine monophoshate）系を標的とし，sGC の NO（nitric oxide）感受性の上昇と，sGC を直接刺激する 2 つの作用がある．cGMP 増加により，PKG（protein kinase G）や PDE（phosphodiesterase）が増加し，血管拡張作用や RAA 系阻害作用などが同時に起こるとされる．

　図 1 に示す通り，サクビトリル/バルサルタンも cGMP を増加させる薬剤として知られているが，膜結合型グアニル酸シクラーゼを介した別の機序である

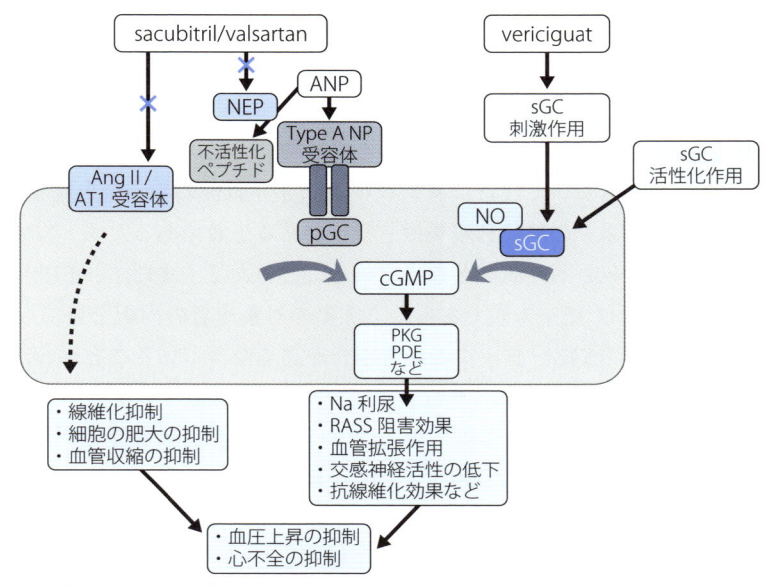

図1 ベルイシグアトの作用機序(Gallo G, et al. High Blood Press Cardiovasc Prev. 2021; 28: 541-5[1]より一部抜粋)

sGC: 可溶性グアニル酸シクラーゼ
ANP: Type A ナトリウム利尿ペプチド
NEP: ネプリライシン
pGC: 粒子状グアニル酸シクラーゼ

NO: 一酸化窒素
cGMP: 環状グアノシンーリン酸
PKG: プロテインキナーゼ G
PDE: ホスホジエステラーゼ

ため, 本剤が心不全に対する新たな経路の薬剤として注目されている[1].

この作用機序を踏まえても, 特定の心疾患や急性期の血行動態改善が薬理的なターゲットではなく, 慢性期心不全治療薬の1つとしての役割が期待される.

B 心不全患者に使用する目的

GDMT（guideline-directed medical therapy）を行った, HFrEF（heart failure with reduced ejection fraction）患者に対し, 心血管死亡と心不全入院予防を目的として使用する.

C 心不全患者における有用性を示すエビデンス

ベルイシグアトに関する臨床試験は多くはなく, 2020 年 5 月の NEJM に掲

載された VICTORIA 試験とそれに付随するサブ解析が主体となる[2].

2016 年 9 月から 2018 年 12 月にかけて 42 カ国を対象に行われた VICTORIA 試験は，ベルイシグアトを用いた第Ⅲ相試験である．対象患者としては，NYHA Ⅱ〜Ⅳ，LVEF＜45％，GDMT を受けている 5,050 名を対象としている．患者選択基準において注目に値する点は，『半年以内の心不全入院歴，または 3 カ月以内の外来での静注利尿薬投与歴』がある患者であるため，自ずとハイリスク患者を対象とした試験となっていることである．また，eGFR 15〜30 mg/mL/m^{2}の患者は 15％未満であった．実際の対象患者の内訳を見ても NT-pro BNP が高く，NYHA Ⅲ〜Ⅳの患者割合が高くなっていることがわかる．平均フォローアップ期間は 10.8 カ月と短い．ただし，主要アウトカムである心血管死亡と心不全入院の複合エンドポイントはベルイシグアト群でプラセボ群より有意に減少（ハザード比 0.90, CI 0.82-0.98, p＝0.02）している．ただし，心血管死亡には有意差を認めてはいない．副作用頻度は高くなく，プラセボ群と比較しても安全性が同等で，標準治療に対する上乗せ効果が示されたとして実臨床での期待が高まっている（図 2）[2].

VICTORIA 試験の詳細を確認するとともに，サブ解析から報告されている点を整理する．

対象となった 5,050 人の患者背景は，年齢は 67.3±12.2 歳，男性が 76.1％を占めており，左室駆出率が 40％未満の患者が 85.7％，NYHA Ⅲ〜Ⅳの患者が 41％であった．さらに，腎機能に関しては，eGFR 61.5±27.2 mL/kg/1.73 m^{2}であった．アジア人は 22.4％含まれ，心不全の初期診断から 5 年前後の患者が対象となっている．GDMT が条件ではあるが，ACE 阻害薬 or ARB/β 遮断薬/MRA の 3 剤併用が行われていたものは，59.7％である．また，試験開始時から ARNI を内服されていた患者は全体の 14.5％にとどまる．試験当初は SGLT2 阻害薬内服がガイドラインで推奨されていなかったことから，母集団における SGLT2 阻害薬内服患者の内訳が表記されていないことに注意が必要である．

VICTORIA 試験の前に行われた，SOCRATES-REDUCED 試験がベルイシグアトに対するランダム化比較試験（第Ⅱ相）にあたる．主要評価項目である，投与開始後から 12 週間の NT-proBNP 値をプラセボ群と比較した場合に，高用量（10 mg）ベルイシグアト群では NT-proBNP 値が有意に低下したと報告された[3].

この結果を踏まえて，VICTORIA 試験では，ベルイシグアトを 2.5 mg から

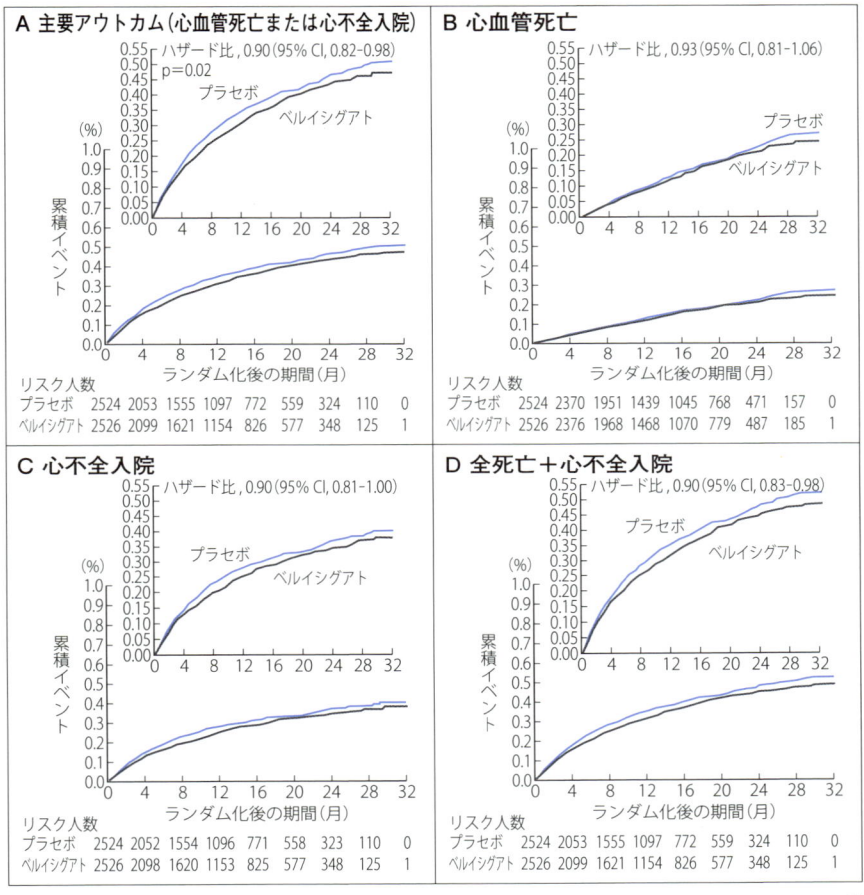

図2　VICTORIA 試験の結果（Armstrong PW, et al. N Engl J Med. 2020; 382: 1883-93[2]）より）

10 mg まで 2 週間ごとに増量するプロトコールであり，対象患者の 89.2％が 10 mg を達成できている．増量にあたり，血圧低下イベントが懸念されるが，低血圧イベントは 9.1％とプラセボ群の 7.9％と有意差を認めていない（p＝0.12）[2]．

　一方で，VICTORIA 試験のサブグループ解析では，試験開始時の NT-proBNP の値を 4 分位で分けた場合，最も NT-proBNP が高い群では主要アウトカムのハザード比 1.16（CI 0.99-1.13）であり，有意差を認めなかった．これを受けた詳細なサブ解析によると，①≦4000 pg/mL 群ではハザード比 0.77（CI

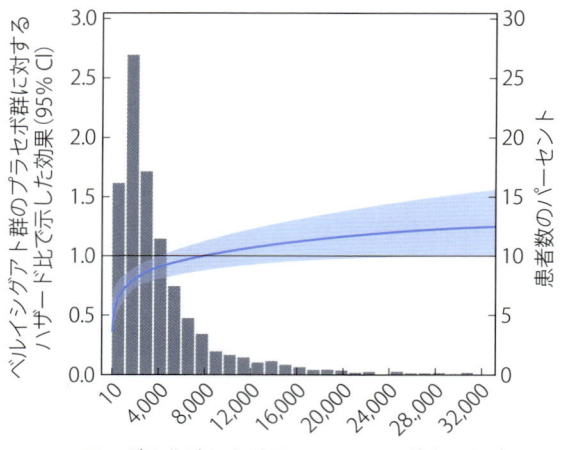

ランダム化時における NT-proBNP 値（pg/mL）

図3 **VICTORIA 試験開始時の NT-proBNP ごとに分けた，ベルイシグアトの一次複合アウトカム**
(Ezekowitz JA, et al. JACC Heart Fail. 2020; 8: 931-9[4]より抜粋)

0.68-0.88），②＜8,000 pg/mL ではハザード比 0.85（CI 0.67-0.94）であったのに対して，③＞8,000 pg/mL では，ハザード比 1.16（CI 0.94-1.66）という結果であった．つまり，NT-pro BNP＞8000 pg/mL では，治療効果が期待しにくいと考えられる（**図3**）[4]．

HFpEF（heart failure with preserved ejection fraction）症例に対して行われた第Ⅱ相試験（VITALITY-HFpEF 試験）では，有効性は認められておらず[5]，HFrEF に対するシステマティックレビューでは，ARNI/β 遮断薬/MRA にベルイシグアトを追加した場合の全死亡に対するハザード比が 0.41（CI 0.32-0.53）と上乗せ効果が注目されている[6]．ただし，SGLT2 阻害薬を含めた他の薬剤との併用時期に関するエビデンスは乏しい．

そのため，各国のガイドラインにおける推奨度に関しても記載は少なく，2021 年の日本循環器学会の心不全フォーカスアップデートでは「今後期待される治療」の1つとしてベルイシグアトが掲載されているが，推奨度クラスに関しては述べられていない[7]．2021 年 ESC Heart Failure guidelines および 2022 年 AHA/ACC/HFSA guidelines では，ACE 阻害薬 or ARNI/β 遮断薬/MRA を加えてもなお悪化傾向の HFrEF に対しベルイシグアトは Class Ⅱb の推奨となっている[8,9]．今後，さらなるエビデンスの蓄積が期待される．

　VICTORIA 試験では，収縮期血圧 100 mg 未満や eGFR が 15 mL/min/1.73 m^2の患者は除外基準となっている．

　前述の通り，最も多い副作用として血圧低下がある．作用機序を考えても，血管拡張作用による血圧低下が予想される．そのため，使用開始時には 2.5 mg などの少量から開始することが推奨されている．一方で，10 mg 用量での NT-proBNP 低下効果が実証された薬剤であり 10 mg まで増量することが望ましく，少量であっても内服継続することの意義に関しては，今後のエビデンスの集積が必要と思われる．

　また，慢性心不全急性増悪の際など，緊急時の硝酸薬使用時には，血圧低下に注意が必要となる．肝代謝・腎排泄の薬剤であり，Child-Pugh 分類 C の重度肝機能障害患者および eGFR 15 mL/kg/1.73 m^2未満や透析中の患者への投与は禁忌ではないが，注意が必要である．

E 同薬剤の使い分け

　ベルイシグアトと同薬効の製剤で左心不全に対して保険適応のある薬剤はない．ただし，肺高血圧症に対して使用される，リオシグアト（riociguat; アデムパス®）は同じ経口の可溶性グアニル酸シクラーゼ刺激薬である．しかし，リオシグアトは短時間作用型であり，HFpEF 患者への有効性を示すエビデンスがなく推奨されない[10]．また，リオシグアトとベルイシグアトの併用は禁忌とされる．

F ベルイシグアトにおける未知

　ベルイシグアトに対する臨床試験はいまだに数が少なく，HFrEF の low-risk 群や透析患者などに対する有効性に関して，十分なエビデンスがないのが実状である．現在進行中の VICTOR 試験はベルイシグアトを用いた，low-risk の HFrEF 患者を対象としたランダム化二重盲検試験である．LVEF≦40%，NYHA Ⅱ～Ⅳの慢性心不全患者を対象とし標準治療が行われている点は VICTORIA 試験と一致するが，6 カ月以内の心不全入院歴と，3 カ月以内の外来静注利尿薬の使用歴が「ない」という点が異なり，より軽症の HFrEF 患者が対象とされているため，今後の報告が待たれる[11,12]．

■文献

1） Gallo G, Rubattu S, Volpe M. Targeting cyclic guanylate monophosphate in resistant hypertension and heart failure: Are sacubitril/valsartan and vericiguat synergistic and effective in both conditions? High Blood Press Cardiovasc Prev. 2021; 28: 541-5.

2） Armstrong PW, Pieske B, Anstrom KJ, et al. Vericiguat in patients with heart failure and reduced ejection fraction. N Engl J Med. 2020; 382: 1883-93.

3） Follmann M, Ackerstaff J, Redlich G, et al. Discovery of the soluble guanylate cyclase stimulator vericiguat （BAY 1021189） for the treatment of chronic heart failure. J Med Chem. 2017; 60: 5146-61.

4） Ezekowitz JA, O'Connor CM, Troughton RW, et al. N-terminal pro-B-type natriuretic peptide and clinical outcomes: Vericiguat heart failure with reduced ejection fraction study. JACC Heart Fail. 2020; 8: 931-9.

5） Armstrong PW, Lam CSP, Anstrom KJ, et al. Effect of vericiguat vs placebo on quality of life in patients with heart failure and preserved ejection fraction: The VITALITY-HFpEF randomized clinical trial. JAMA. 2020; 324: 1512-21.

6） Tromp J, Ouwerkerk W, van Veldhuisen DJ, et al. A systematic review and network meta-analysis of pharmacological treatment of heart failure with reduced ejection fraction. JACC Heart Fail. 2022; 10: 73-84.

7） 筒井裕之. 日本循環器学会/日本心不全学会合同ガイドライン. JCS/JHFSガイドライン フォーカスアップデート版急性・慢性心不全診療. 2021.

8） Task Force M, McDonagh TA, Metra M, et al. 2021 ESC Guidelines for the diagnosis and treatment of acute and chronic heart failure: Developed by the Task Force for the diagnosis and treatment of acute and chronic heart failure of the European Society of Cardiology （ESC）. With the special contribution of the Heart Failure Association （HFA） of the ESC. Eur J Heart Fail. 2022; 24: 4-131.

9） Heidenreich PA, Bozkurt B, Aguilar D, et al. 2022 AHA/ACC/HFSA Guideline for the Management of Heart Failure: A Report of the American College of Cardiology/American Heart Association Joint Committee on Clinical Practice Guidelines. Circulation. 2022; 145: e895-e1032.

10） Bonderman D, Ghio S, Felix SB, et al. Riociguat for patients with pulmonary hypertension caused by systolic left ventricular dysfunction: a phase Ⅱb double-blind, randomized, placebo-controlled, dose-ranging hemodynamic study. Circulation. 2013; 128: 502-11.

11） Butler J, Usman MS, Anstrom KJ, et al. Soluble guanylate cyclase stimulators in patients with heart failure with reduced ejection fraction across the risk spectrum. Eur J Heart Fail. 2022; 24: 2029-36.

12） Liang WL, Liang B. Soluble guanylate cyclase activators and stimulators in patients with heart failure. Curr Cardiol Rep. 2023; 25: 607-13.

〈石井奈津子〉

心筋ミオシン活性化薬

Point

- cyclic AMP シグナル・Ca ハンドリング活性化を介さずに，直接的にミオシン・アクチンの強い結合を促進する化合物 omecamtiv mecarbil が同定された．
- omecamtiv mecarbil は動物モデルだけでなく，心不全患者においても用量・濃度依存性に収縮期駆出時間・駆出量・駆出率・左室内径短縮率を増加させることが実証されている．
- 高用量投与に伴って拡張期の短縮による冠血流の減少・心筋虚血が生じる可能性があり，実際の使用においては血漿中濃度のモニタリング・投与量調整が重要と考えられる．
- 左室駆出率 35％以下を対象とした GALACTIC-HF 試験において，初回の心不全イベント（心不全による入院または緊急受診）または心血管死の複合エンドポイントをプラセボ群と比べ有意に低下させたが，心血管死および全死亡の抑制は認められなかった．

A 作用機序

　ドブタミンのようなアドレナリン受容体作動薬やミルリノンのようなホスホジエステラーゼ阻害薬は cyclic AMP シグナル・Ca ハンドリング活性化を介して心臓収縮を亢進させるが，これらの薬剤の継続的な使用は酸素消費の亢進・心拍数の増加・低血圧を惹起し，結果的に死亡率の増加につながることが知られている[1-3]．そこで，これらを介さずに直接的に心筋サルコメアにおける収縮力を亢進させる薬剤の開発が求められてきた．

　心筋サルコメアによる収縮力の創出は ATP の加水分解により主に制御されている．心筋サルコメアの収縮力を制御するメカニズムを図1にまとめる．まずミオシンヘッドに ATP が結合することでアクチンとの結合が外れる．その後 ATP 加水分解酵素により ATP は ADP と無機リン酸に分解されてミオシンヘッドの伸長が生じる．ミオシンヘッドはアクチン上の適切な結合部位に弱く

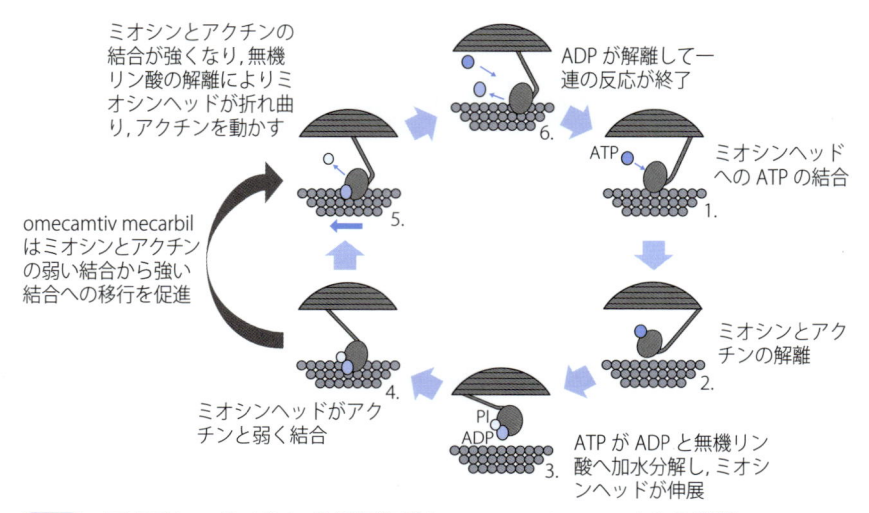

図1 アクチン・ミオシンの相互作用と omecamtiv mecarbil の関係
(Liu LC, et al. Expert Opin Investig Drugs. 2016; 25: 117-27[12])より改変)

結合する．その後ミオシンとアクチンの結合が強まり，無機リン酸の解離とともにミオシンヘッドの首振りにより心筋収縮が生じる．ADP の解離により最初の状態に戻る．

　Morgan らは，この過程で心筋サルコメアの収縮力を規定する分子としてミオシン ATP 加水分解酵素活性（ATPase 活性）をリードアウトとして 40 万程度の化合物のスクリーニングを行い，CK-0156636 という化合物を同定した[4]．その後 1700 以上の化合物を合成して，単離した心筋細胞を用いた in vitro の実験で Ca 濃度に変化を及ぼす薬剤や細胞肥大を誘導する薬剤を除外し，イヌの心不全モデルで心臓機能・血行動態の改善効果が見られるものを選抜することで，当初の化合物よりさらに性能の良い化合物 CK-1827452（omecamtiv mecarbil）を同定することに成功した[5,6]．

B 心不全患者に使用する目的

　omecamtiv mecarbil は収縮期駆出時間，駆出量，左室内径短縮率を増加させ，血行動態を改善することが示されている[5,6]．心臓ポンプ機能の改善を目指して開発された他の強心薬とは異なり，omecamtiv mecarbil は細胞内 cAMP や Ca 濃度を上昇させない[5]．結果として，omecamtiv mecarbil は心筋酸素消

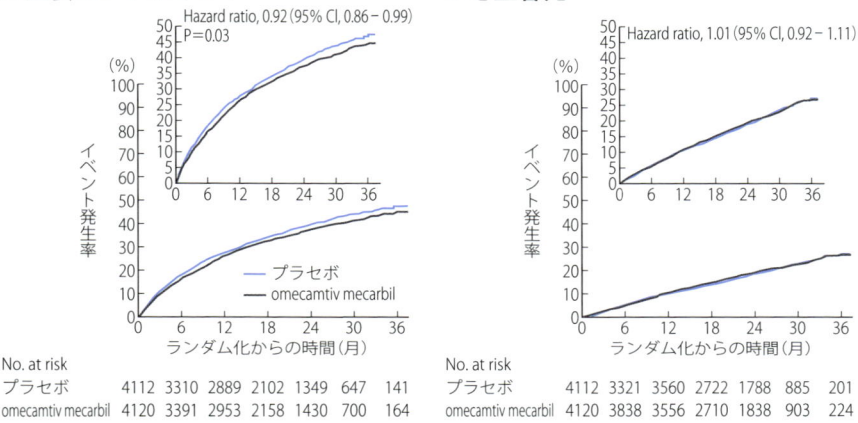

図2 **GALACTIC-HF 試験の結果** (Teerlink JR, et al. N Engl J Med. 2021; 384: 105-16[13]) より著者訳)

主要複合エンドポイントであった初回の心不全イベント（心不全による入院または緊急受診）または心血管死をプラセボ群と比べ有意に低下させたが，全死亡および心血管死の抑制は認められなかった．

費や心拍数を増加させず，不整脈の出現リスクも減弱させる[6]．in vitro の実験により，omecamtiv mecarbil はアクチンとは独立して心筋 ATPase を抑制することが証明されており，これが酸素消費の減少・心機能の改善につながっていると考えられる[5]．ヒトでも omecamtiv mecarbil の投与により，用量・濃度依存性に収縮期駆出時間・駆出量・駆出率・左室内径短縮率を増加させる[7-9]．心拍数には影響を与えないか[7]，もしくは用量依存的に減少傾向が見られる[8]．血漿中濃度＞1200 ng/mL では用量規定毒性として心筋虚血の徴候が出現する可能性があり，気をつける必要がある[8]．冠動脈血流は心臓収縮時に弱まるため，拡張期の長さが十分な心筋灌流において重要である．本薬剤の過剰投与により，収縮期駆出時間の増加に伴って冠血流を規定する拡張期が短くなる可能性がある．しかしながら，薬理学的な有効血中濃度でも適切に血漿中濃度を管理すれば，虚血性心筋症や労作性狭心症などの心筋虚血のハイリスク患者の運動時においても，心筋虚血リスクの増加はまったく見られなかった．

C 心不全患者における有用性を示すエビデンス

1 第Ⅲ相試験（GALACTIC-HF 試験）

2021 年に，第Ⅲ相試験である GALACTIC-HF（Global Approach to Lowering Adverse Cardiac outcomes Through Improving Contractility in Heart Failure）試験の結果が報告された．

LVEF≦35％，18～85 歳，NYHA 心機能分類Ⅱ～Ⅳ度の症候性慢性心不全患者が対象であった．また登録時に入院中または登録前の 1 年間に心不全による救急外来受診歴か入院歴があり，現行ガイドラインに則った心不全標準治療を受けている必要があり，全症例で BNP または NT-proBNP 値の上昇を認めていた．血行動態不安定，収縮期血圧＜85 mmHg，eGFR＜20 mL/min/1.73 m^2，最近の急性冠症候群イベントの既往または心臓デバイス植込み例などは除外対象であった．

本研究では，心不全の標準治療を受けている HFrEF 患者への omecamtiv mecarbil 上乗せ投与が症状の改善，心不全イベント抑制，心血管（CV）死リスクを低減するという仮説を検証した．結果，omecamtiv mecarbil 群では，初回の心不全イベント（心不全による入院または緊急受診）または心血管死の複合エンドポイントはプラセボ群に比べ有意に低下（HR 0.92，p＝0.03）したが，心血管死および全死亡の抑制は認められなかった．

2 第Ⅲ相試験（METEORIC-HF 試験）

METEORIC-HF（the Multicenter Exercise Tolerance Evaluation of Omecamtiv Mecarbil Related to Increased Contractility in Heart Failure）試験は，左室駆出率の低下した慢性心不全患者における omecamtiv mecarbil による運動耐容能の改善効果の検証を目的とする二重盲検無作為化プラセボ対照第Ⅲ相試験であり，2022 年にその結果が報告された（図 3）[10]．

対象は，左室駆出率≦35％，NYHA 心機能分類ⅡまたはⅢ，NT-proBNP 値≧200 pg/mL，peak VO_2 値≦75％（予測値）で，最大耐用量の標準的な薬物療法を受けている患者であった．主要エンドポイントは，ベースラインから 20 週までの運動耐容能（peak VO_2）の変化とされた．

omecamtiv mecarbil 群に 185 例，プラセボ群に 91 例が割付けられたが，ベー

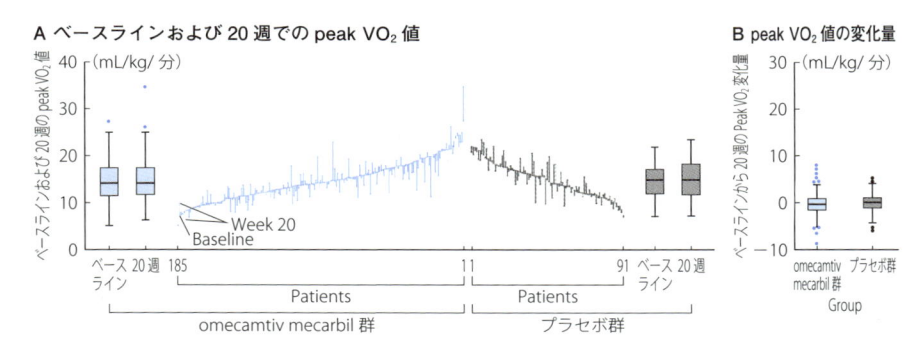

A ベースラインおよび 20 週での peak VO$_2$ 値

B peak VO$_2$ 値の変化量

図3 METEORIC-HF試験の結果(Lewis GD, et al. JAMA. 2022; 328: 259-69[10])より著者訳)
主要エンドポイントであったベースラインから 20 週までの運動耐容能の変化量は,omecamtiv mecarbil 群が-0.24 mL/kg/分,プラセボ群は 0.21 mL/kg/分と,むしろプラセボ群で良好な傾向で,両群間に有意な差は認められなかった.

スラインから 20 週までの peak VO$_2$の平均変化量の最小二乗平均は,omecamtiv mecarbil 群が-0.24 mL/kg/分,プラセボ群は 0.21 mL/kg/分と,むしろプラセボ群で良好な傾向であり,両群間に有意な差は認められなかった.

D 心筋ミオシン活性化薬に関する未知

　心臓収縮能の低下は収縮性心不全の中心的な特徴であるが,これまで心不全の予後を改善する薬剤は変力作用のある薬剤ではなく,アドレナリン系・RAS系阻害薬などの心不全における代償機構を抑制する薬剤である.一方で変力作用のある薬剤はcyclic AMPやCaハンドリングを介して心筋収縮能を向上させる薬剤であり,これらには虚血・不整脈,ひいては死亡のリスクを上昇させるため,継続的な使用は控えられてきた.本稿で紹介したomecamtiv mecarbilはcyclic AMP や Ca ハンドリングを介さず直接ミオシン-アクチン結合を強めることにより心筋収縮力・駆出時間を増加させる薬剤であり,これまでの薬剤とは作用点が大きく異なる.このことを考慮すると,omecamtiv mecarbil は拡張不全(heart failure with preserved ejection fraction: HFpEF)の患者に対する有効性は詳細に検証する必要があるが,収縮性心不全,とりわけ既存の心不全治療を行ってもなお症状が改善しない患者に対して有効であると考えられる.一方で使用の際には,血漿中濃度のモニタリング・投与量調整が重要であり,急性心不全患者に対する高用量投与に伴う心筋虚血の可能性は考慮する必要があるだろう.また慢性心不全においても虚血・心筋症・不整脈・弁膜症など

様々な要因による心不全が存在するため，どのタイプにおいて最も有効性があるのか検証しなければならない．また近年の分子メカニズム解析により，omecamtiv mecarbilがリアノジン受容体を活性化させることが示唆されており[11]，不整脈リスクについて慎重な評価も必要だろう．

GALACTIC-HF 試験の結果を受け米国FDA では承認の検討が行われたが，2024 年 3 月時点では承認は得られていない[14]．今後，心不全治療薬としてミオシンをターゲットとした心筋ミオシン活性化薬や心筋ミオシン阻害薬の位置づけについて検討を続けていく必要がある．

■文献

1) Packer M, Carver JR, Rodeheffer RJ, et al. Effect of oral milrinone on mortality in severe chronic heart failure. The PROMISE study research group. N Engl J Med. 1991; 325: 1468-75.
2) O'Connor CM, Gattis WA, Uretsky BF, et al. Continuous intravenous dobutamine is associated with an increased risk of death in patients with advanced heart failure: insights from the flolan international randomized survival trial (FIRST). Am Heart J. 1999; 138 (1 Pt 1): 78-86.
3) Cuffe MS, Califf RM, Adams KF Jr, et al. Short-term intravenous milrinone for acute exacerbation of chronic heart failure: a randomized controlled trial. JAMA. 2002; 287: 1541-7.
4) Morgan BP, Muci A, Lu PP, et al. Discovery of omecamtiv mecarbil the first, selective, small molecule activator of cardiac myosin. ACS Med Chem Lett. 2010; 1: 472-7.
5) Malik FI, Hartman JJ, Elias KA, et al. Cardiac myosin activation: a potential therapeutic approach for systolic heart failure. Science. 2011; 331: 1439-43.
6) Malik FI, Morgan BP. Cardiac myosin activation part 1: from concept to clinic. J Mol Cell Cardiol. 2011; 51: 454-61.
7) Teerlink JR, Clarke CP, Saikali KG, et al. Dose-dependent augmentation of cardiac systolic function with the selective cardiac myosin activator, omecamtiv mecarbil: a first-in-man study. Lancet. 2011; 378: 667-75.
8) Cleland JG, Teerlink JR, Senior R, et al. The effects of the cardiac myosin activator, omecamtiv mecarbil, on cardiac function in systolic heart failure: a double-blind, placebo-controlled, crossover, dose-ranging phase 2 trial. Lancet. 2011; 378: 676-83.
9) Greenberg BH, Chou W, Saikali KG, et al. Safety and tolerability of omecamtiv mecarbil during exercise in patients with ischemic cardiomyopathy and angina. JACC Heart Fail. 2015; 3: 22-9.
10) Lewis GD, Voors AA, Cohen-Solal A, et al. Effect of omecamtiv mecarbil on exercise capacity in chronic heart failure with reduced ejection fraction: The METEORIC-

HF Randomized Clinical Trial. JAMA. 2022; 328: 259-69.

11） Nánási P Jr, Gaburjakova M, Gaburjakova J, et al. Omecamtiv mecarbil activates ryanodine receptors from canine cardiac but not skeletal muscle. Eur J Pharmacol. 2017; 809: 73-9.

12） Liu LC, Dorhout B, van der Meer P, et al. Omecamtiv mecarbil: a new cardiac myosin activator for the treatment of heart failure. Expert Opin Investig Drugs. 2016; 25: 117-27.

13） Teerlink JR, Diaz R, Felker GM, et al. GALACTIC-HF Investigators. Cardiac myosin activation with omecamtiv mecarbil in systolic heart failure. N Engl J Med. 2021; 384: 105-16.

14） Cytokinetics 社 ホームページ. https://ir.cytokinetics.com/news-releases/news-release-details/cytokinetics-receives-complete-response-letter-fda-new-drug

〈岡田 厚　野村征太郎〉

13. Fabry 病

　Fabry 病はライソゾームにある α ガラクトシダーゼ（α-Gal）の欠損や活性低下を原因とするライソゾーム病である．α-Gal は糖脂質［Gb3（グロボトリアオシルセラミド）］を分解する働きを持つが，α-Gal の欠損もしくは活性低下が生じると「糖脂質」である Gb3 が細胞に蓄積し，さまざまな全身症状を呈する．さらに，X 連鎖劣性遺伝形式をとることも特徴の 1 つであり，男女で症状の出現時期や程度が異なる．男性患者では古典型と亜型の 2 つに分類され，古典型では，幼少期より肢端疼痛，低汗症，無汗症，被角血管腫，角膜混濁などを認めるが，神経症状に関しては 30 歳過ぎ頃から消失することも特徴の 1 つである．一方，予後に関わる「心・腎・脳血管」病変は 30 歳以降から発現すると言われる．亜型では心病変や腎病変など臓器特異的な症状を認め，古典型のように全身症状は認めない．X 染色体ヘテロ接合体を有する女性では，胚発生の初期に細胞で正常または異常遺伝子を持つ X 染色体のどちらか一方が不活化されるため，症状を発現する臓器や程度は個々の症例で異なる．

1.　Fabry 病の心病変

　Fabry 病の心病変の進行を**図 1** に示す[1,2]．糖脂質が蓄積する段階，炎症/心筋細胞の肥大をきたす段階，そして線維化をきたす段階の 3 つの段階に分けられ，心筋の線維化が進行すると収縮能低下や致死性不整脈や伝導障害をきたす．

　心病変合併の Fabry 病における左室肥大は男性では 30 歳過ぎから，女性では 40 歳頃から出現する[3]．早期に酵素補充療法を行った症例では心病変の進行の抑制が報告されており，左室肥大を認める前に酵素補充療法を開始した場合はその後も肥大の進行を抑制できる（**図 2**）[1,4,5]．Fabry 病における心病変の診断は，左室肥大を呈する前に行うことが肝要である．

2.　心病変合併 Fabry 病の診断

　心病変合併 Fabry 病おいて最も重要なことは，病歴・家族歴の確認である．特に，幼少期の神経症状に関しては，診断時には自覚がなく，正確に病歴聴取

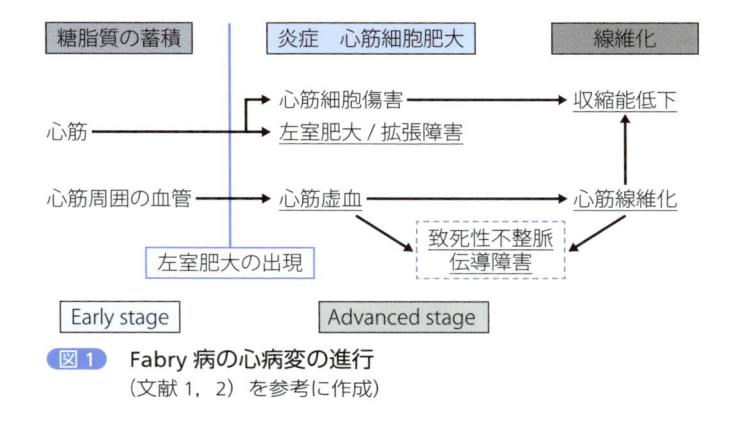

図1 Fabry 病の心病変の進行
（文献 1，2）を参考に作成）

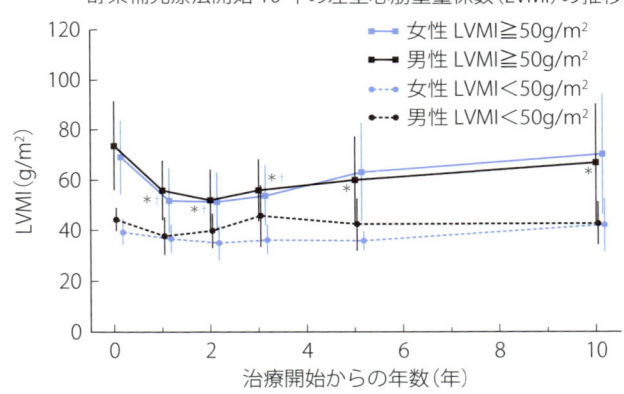

酵素補充療法開始 10 年の左室心筋重量係数（LVMI）の推移

図2 酵素補充療法開始 10 年の左室心筋重量係数（LVMI）の推移
（Kampmann C, et al. Orphanet J Rare Dis. 2015; 10: 125[4]）より引用，改変）

ができないことも多いため，医療者から closed question で具体的に聴取する必要がある．

　次にスクリーニング検査として重要なのは心エコー図検査である．Fabry 病の心病変は下側壁基部から進行すると言われており，特に病初期では肥厚部位に注意して検査する必要がある．また，肥大が進行する前にも心病変は進行しており，左室 longitudinal strain を活用することで早期に病変の進行（下側壁基部から進行）を特定できる可能性がある．ただし，肥大を全周性に認める場合やストレイン計測が施行できない場合は，心臓 MRI が Fabry 病の鑑別診断

の一助となる．典型的な心臓 MRI 所見としては，下側壁基部の遅延造影があげられるが，一方，造影剤を用いなくとも肥大心筋性状の鑑別が可能である．心臓 MRI では T1 mapping という技術を用いて心筋の T1 値（T1 緩和時間）（ms）を測定することで，心筋の組織性状評価が可能である．非造影で測定した心筋の T1 値を native T1 と呼び，浮腫や線維化，炎症などがあると通常 native T1 は延長するが，出血や脂質，鉄の沈着があると native T1 は短縮する．心病変合併 Fabry 病では糖脂質の沈着を反映して，native T1 が短縮するため，心筋梗塞やアミロイドーシスなど native T1 が病変部位で延長する他の疾患とは一線を画す．そのため，たとえ造影剤が使用できなくとも native T1 値が測定できれば心病変合併 Fabry 病かどうかの診断が可能となる．

病歴，心エコー図検査や心臓 MRI から Fabry 病の心病変を疑った場合には病理診断にすすむ．心筋生検においては光学顕微鏡において細胞質の空胞化が，電子顕微鏡では細胞質内封入体が典型的所見である．そして，最終的には遺伝子検査を施行し，確定診断する．

3. Fabry 病の治療

現在日本では 3 つのバイオ医薬品〔アガルシダーゼ α，アガルシダーゼ β，アガルシダーゼベータ BS（アガルシダーゼ β のバイオ後発品）〕がファブリー病の酵素補充療法治療薬として承認されている．いずれも 2 週間に 1 回の点滴投与が必要である．また，シャペロン療法（酵素活性が残存している患者において，α-Gal に結合し，その構造異常を正して安定化させ，酵素活性を回復する経口薬）が適応となる場合がある．日本でもミガーラスタットとして 2018 年より実用化された．しかし，遺伝子検査でシャペロン療法に反応性がある遺伝子型を認めた場合のみ適応となるため使用には注意が必要である．また，酵素補充療法だけではなく，心病変の進行に合わせて，心保護薬や利尿薬の導入，またデバイス治療なども検討する必要がある．

Fabry 病は遺伝病であるがゆえに，患者だけではなく，その家族，特に子ども・孫の代までもフォローしていく必要がある．若年女性（ヘテロ接合体）の場合は，いつ，どこまで精査を行い，どの段階で病気についての教育を行うかが実臨床では悩ましいことが多い．心 Fabry 病は希少疾患ではあるが，治療可能な二次性心筋症の 1 つであり，心不全診療に携わる医師であれば出会う可能性のある疾患であるため，理解を深めておきたい．

■文献

1) Pieroni M, Moon JC, Arbustini E, et al. Cardiac involvement in Fabry disease: JACC Review Topic of the Week. J Am Coll Cardiol. 2021; 77: 922-36.
2) Nordin S, Kozor R, Medina-Menacho K, et al. Proposed stages of myocardial phenotype development in Fabry disease. JACC Cardiovasc Imaging. 2019; 12: 1673-83.
3) Kobayashi M, Ohashi T, Sakuma M, et al. Clinical manifestations and natural history of Japanese heterozygous females with Fabry disease. J Inherit Metab Dis. 2008; 31 Suppl 3: 483-7.
4) Kampmann C, Perrin A, Beck M. Effectiveness of agalsidase alfa enzyme replacement in Fabry disease: cardiac outcomes after 10 years' treatment. Orphanet J Rare Dis. 2015; 10: 125.
5) Beck M, Hughes D, Kampmann C, et al. Fabry Outcome Survey Study Group. Long-term effectiveness of agalsidase alfa enzyme replacement in Fabry disease: A Fabry Outcome Survey analysis. Mol Genet Metab Rep. 2015; 3: 21-7.

〈中川頌子〉

PV loop から考える薬の考え方，使い方

Point

- 圧容積ループの構成，わかることを系統的に理解する．
- 圧容積ループから導かれる心拍出量直線，心拍出量曲線の規定因子を理解する．
- 心拍出量曲線の傾きを規定する因子がどのように寄与するかを理解する．
- 心拍出量曲線と静脈灌流曲線から構成される，循環平衡理論を理解する．
- 心血管作動薬が圧容積関係，心拍出量曲線に与える影響について理解する．

はじめに

　横軸に心室容積，縦軸に心室圧とした心室の圧と容積の関係を表した図を心室の圧容積関係（pressure volume relationship）や圧容積ループ（pressure volume loop: PV loop）という．この PV loop の枠組みは 1890 年代にドイツ人生理学者の Otto Frank（1865〜1944）がカエルの心臓を用いて提唱した[1]．その後，収縮末期圧容積関係や拡張末期圧容積関係，心室−血管カップリングによりこの PV loop の枠組みは発展し[2]，多くの研究者がこの枠組みを用いて基礎から臨床まで多くの研究を行っている．また，循環生理学は，心室力学を主眼とした PV loop のみですべてを語ることはできず，心臓とともに循環系を形成する血管の性質も加味する必要がある．生理学の父と呼ばれる Guyton が提唱した循環平衡理論は，心機能と血管特性を同時に考察する概念であり，これを用いることで病態や薬剤効果の臨床的意義の理解がより深まる．本稿では主に左室の PV loop，および循環平衡理論の枠組みから，心血管作動薬の効果と考え方について述べる．

A 圧容積ループ（pressure volume loop）

　左室圧容積ループは大きく分けて 4 つの心周期に分かれている（図 1A）．4 つの頂点と 4 つの線の意味を説明する．

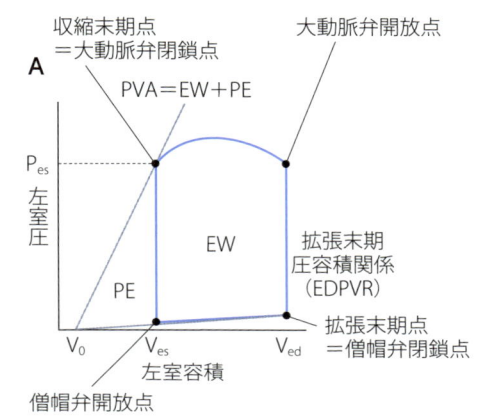
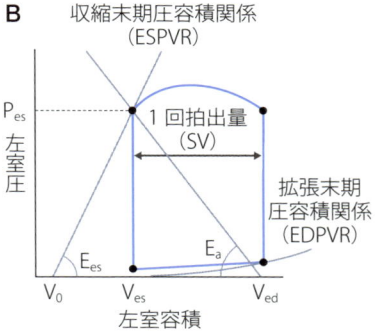

図1 圧容積ループ

①拡張末期点（end-diastole）: ループの右下の点. 左房から左室への血液の流入で左室容積が最大となり, 左室収縮による左室圧が発生する前の点. 左室圧＞左房圧となり, 僧帽弁が閉鎖する. この点の左室容積（左室拡張末期容積: LVEDV）または左室圧（左室拡張末期圧: LVEDP）が左室の前負荷（preload）である.

②等容収縮期（isovolumic contraction）: ループの右の線. 大動脈圧＞左室圧かつ左室圧＞左房圧のため僧帽弁と大動脈弁はともに閉鎖している. このため左室容積は変化せず（等容: isovolumic）, 左室圧が上昇するため, 縦の線となる. 僧帽弁閉鎖不全症があると, 収縮期に左房への逆流により左室容積は小さくなるため縦線は左に傾く.

③大動脈弁開放点（aortic valve open）: ループの右上の点. 左室収縮により左室圧が上昇し, 大動脈圧を超えた時点で大動脈弁が開放する.

④駆出期（ejection phase）: ループの上の線. 大動脈弁の開放から閉鎖するまでの, 左室が血液を大動脈に駆出している心周期. 血液の駆出により左室容積は小さくなる.

⑤大動脈弁閉鎖（aortic valve close）: ループの左上の点. 収縮末期に左室圧＜大動脈圧となることで大動脈弁が閉鎖する.

⑥等容弛緩期（isovolumic relaxation）: ループの左の線. 大動脈圧＞左室圧かつ左室圧＞左房圧のため大動脈弁と僧帽弁ともに閉鎖しており, 心室容積は変化しない. 左室の能動的な弛緩により左室圧が低下するため, 縦の

線となる．大動脈弁閉鎖不全症では，弛緩期に大動脈から左室へ逆流があるため心室容積が増大することになり，縦線は右に傾く．

⑦僧帽弁開放（mitral valve open）: ループの左下の点．左室圧が低下し，左室圧＜左房圧となり僧帽弁が開放する．

⑧流入期（filling phase）: ループの下の線．僧帽弁が開放しており，血液が左房から左室に流入する心周期．流入期の最後に心房収縮により血液を左房から左室に押し出す．

B 圧容積ループからわかること（図 1B）

圧容積関係からわかることとして，収縮能，拡張能，前負荷，後負荷，1 回拍出量や心臓のエナジェティクスなどがある．急性期心不全治療薬は主に心臓特性（収縮性，心拍数），血管特性（血管抵抗，静脈コンプライアンス）に作用するため，圧容積ループ上のこれらの指標を理解することが重要である．

1 収縮末期エラスタンス（end-systolic elastance: Ees）

負荷に依存しない「収縮能」を表す．収縮能評価のゴールデンスタンダードとされている．バルーンを用いた下大静脈閉鎖による前負荷変化などで複数の圧容積関係ループを描き，左上の点を結んだ線を収縮末期圧容積関係（end-systolic pressure volume relationship: ESPVR）と言う．その傾きを収縮末期エラスタンス（end-systolic elastance: Ees）といい，負荷に依存しない心室固有の収縮能を表す．収縮末期圧容積関係と心室容積軸との交点を無負荷容積（volume at zero pressure: V_0）と言う．強心薬により ESPVR は急峻となり，Ees が増加する．

2 拡張末期圧容積関係（end-diastolic pressure volume relationship: EDPVR）

バルーンを用いた下大静脈閉塞による前負荷変化などで複数の圧容積関係ループを描き，複数の拡張末期点を結んだ線を拡張末期圧容積関係（end-diastolic pressure volume relationship: EDPVR）と言う．心室の拡張期スティフネス（またはコンプライアンス）を表し，「拡張能」の指標である．拡張能が悪い心臓では EDPVR が急峻となる．その曲線は指数関数に近似できることが知られている．またその傾きは自律神経や薬剤により影響を受けにくい．心膜の

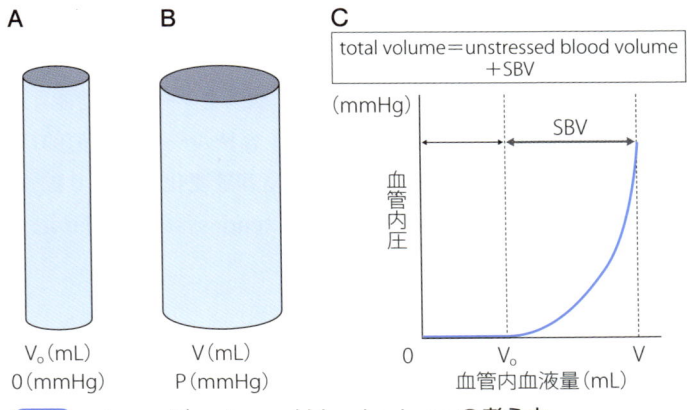

図2　stressed/unstressed blood volume の考え方

影響を受ける.

3 前負荷（preload）

前負荷とは心室が収縮を開始する直前の心臓の負荷状態であり，圧容積ループでは左室拡張末期容積（end-diastolic volume: V_{ed}）もしくは拡張末期圧（end-diastolic pressure: P_{ed}）である.

4 実効動脈エラスタンス（effective arterial elastance: Ea）

後負荷の指標は様々あるが，実効動脈エラスタンスは圧容積関係における心室の「後負荷」の指標である. 上記の収縮能，拡張能，前負荷は心臓に関係する要素であるが，心室からの1回拍出量や心室の仕事量を決めるには，心室の圧容積関係に後負荷としての血管の要素を組み込む必要がある. 1回拍出量とこれにより発生する平均動脈圧との比を実効動脈エラスタンス（effective arterial elastance: Ea）といい，Ea＝平均動脈圧/1回拍出量である. これは血管の硬さであり，「後負荷」である. 血管の平均動脈圧と心室の収縮末期圧（end-systolic pressure: Pes）がほぼ等しいと近似できるため，Ea＝収縮末期圧/1回拍出量となる. これを幾何的に図示すると図1Bのような線になり，その傾きがEaとなる.

なおEa＝全身血管抵抗×心拍数とも近似できる. これによりEaは全身血管抵抗と正の相関関係にあることがわかる[2].

5 1回拍出量（stroke volume: SV）

上記の拡張末期容積（前負荷），収縮末期エラスタンス（収縮能），実効動脈エラスタンス（後負荷）がわかれば，1つの圧容積ループを幾何的に記述可能である．拡張末期から大動脈弁開放までの心室容量変化，つまり拡張末期容積（end-diastolic volume: V_{ed}）と収縮末期容積（end-systolic volume: V_{es}）との差が1回拍出量（stroke volume: SV）である．

6 心室のエナジェティクス（energetics）

圧容積関係と ESPVR で囲まれた圧容積面積（pressure volume area: PVA）は，心筋の酸素消費量と強い相関があり，心室が行っている仕事量を表す[3]．PVA 心室が血液を送り出すことで行っている外的仕事（external work: EW）と内的仕事であるポテンシャルエナジー（potential energy: PE）の合計である．この PVA に心拍数を乗じれば，単位時間当たりの心筋酸素消費量が推定できる．

C 心拍出量直線，心拍出量曲線をイメージする

圧容積ループから前述のような指標の評価ができる．心血管作動薬は α 作用や β 作用などを介して主に心臓（収縮力や心拍数）と血管（動脈や静脈，肺血管）に作用する．これら心臓と血管への作用を理解するだけでなく，その結果として心拍出量曲線にどのように影響するかを理解しておくことが重要である．圧容積関係から得られる指標を用いた心拍出量曲線の成り立ちを説明する．

1 左室拡張末期容積−心拍出量関係: 心拍出量直線[4]

圧容積関係の枠組みを用いると前負荷，収縮能，後負荷がわかれば1つのループを描画することができる．またこのループから幾何的に1回拍出量は定量的に算出可能である．なお収縮性（E_{es}），後負荷（E_a），前負荷（左室拡張末期容積，V_{ed}）を用いて1回拍出量（SV）は以下の式となる．

$$SV = \frac{E_{es}}{E_{es} + E_a}(V_{ed} - V_0)$$

また，1回拍出量に心拍数（heart rate: HR）を乗ずることで心拍出量となるため，左室拡張末期容積と心拍出量の関係は以下の式となる．

$$CO = \frac{E_{es} \times HR}{E_{es} + E_a}(V_{ed} - V_0)$$

また，実効動脈エラスタンス（Ea）を前述の近似のとおり全身血管抵抗（systemic vascular resistance: SVR）と心拍数の積に変換すると以下の式になる．

$$CO = \frac{E_{es} \times HR}{E_{es} + SVR \times HR}(V_{ed} - V_0)$$

この関係は，前負荷を左室拡張末期容積とした心拍出量直線であり，その傾きはカッコの前の分数部分である．この傾きが大きいほど，心臓のポンプ機能が良好であることを意味する．

2 左室拡張末期圧-心拍出量関係: 心拍出量曲線[4]

上記の心拍出量直線は前負荷を左室拡張末期容積（V_{ed}）としたものであり，実践的には前負荷は左室拡張末期圧（end-diastolic pressure: P_{ed}）を用いる．V_{ed}とP_{ed}はともに拡張末期の点であり，その関係は圧容積関係の枠組みでは拡張末期圧容積関係（EDPVR）である（図2）．V_{ed}とP_{ed}は指数関数の関係にあることが知られており，その近似式の1つとして以下がある[5]．

$$P_{ed} = a \times e^{k \times V_{ed}}$$

この式をV_{ed}について変形し，上記の式に代入すると以下の式になる．

$$CO = \frac{1}{k} \cdot \frac{E_{es} \times HR}{E_{es} + SVR \times HR}\{\log_e (V_{ed} - F) + H\}$$

心拍出量は左室拡張末期圧を前負荷としたときに，log関数となるため，曲線となることがわかる．その傾きはカッコの前の分数部分である．拡張型心筋症のような収縮性E_{es}が小さい心臓ではその傾きが小さくなることがわかる．また肥大型心筋症のような拡張能が低下している心臓では，「k」が大きくなるため心拍出量曲線の傾きは小さくなることがわかる．強心薬により心臓特性や血管特性が変化した場合にこの傾きがどのように変化するかをイメージする．

3 心臓および血管特性の変化による心拍出量曲線の変化

心拍出量曲線の傾きに注目すると，心血管作動薬による心臓および血管特性の変化に対する傾きの変化が理解できる．

a. 収縮能

心拍出量曲線の傾き部分の分母分子を E_{es} で割ると，以下のようになる．

$$傾き = \frac{1}{k} \cdot \frac{HR}{1 + \dfrac{SVR \times HR}{E_{es}}}$$

この変形から E_{es} の増加に対して分母の第2項が小さくなるため，分母は小さくなり分数全体としては大きくなることがわかる．つまり収縮能の増加により心拍出量曲線の傾きは急峻になる．ドブタミンや PDE-Ⅲ阻害薬などによる強心作用は心拍出量曲線を急峻にすることがわかる．

b. 心拍数

心拍出量曲線の傾き部分の分母分子を HR で割ると，以下のようになる．

$$傾き = \frac{1}{k} \cdot \frac{E_{es}}{\dfrac{E_{es}}{HR} + SVR}$$

この変形から HR の増加に対して分母の第1項が小さくなるため，分母は小さくなり分数全体としては大きくなることがわかる．つまり心拍数増加により心拍出量曲線の傾きは急峻になる．これは心臓の弛緩が十分な場合であり，不完全弛緩や心筋の酸素消費量増加に伴う相対的な心筋虚血状態などがある場合にはこの限りではない．

c. 血管抵抗

心拍出量曲線の傾き部分の分母分子を HR で割ると，以下のようになる．

$$傾き = \frac{1}{k} \cdot \frac{E_{es} \times HR}{E_{es} + SVR \times HR}$$

SVR の上昇により，分母が大きくなり心拍出量曲線の傾きは小さくなることがわかる．またこの式をさらに分母と分子を E_{es} で割り以下のように変形すると，

$$傾き = \frac{1}{k} \cdot \frac{HR}{1 + \dfrac{SVR \times HR}{E_{es}}}$$

E_{es} が小さい心臓では，SVR 変化に対する心拍出量曲線の傾き変化が大きく

なることが読み取れる．つまり収縮能が低下した心臓（E_{es}が小さい心臓）では後負荷の変化に対して心拍出量曲線の傾きが変化しやすいということがわかる．

d. 拡張特性

左室圧容積ループの拡張末期圧容積関係（EDPVR）の拡張期 stiffness の指標である「k」はそのまま心拍出量曲線の傾きに影響する．拡張能の低下した心臓では「k」は高いため，心拍出量曲線の傾きは小さくなることがわかる．

D 循環平衡理論

圧容積ループの枠組みによる心血管作動薬の効果の理解には限界がある．例えば収縮力を増加させると，E_{es}が大きくなり1回拍出量が増加する．しかしこれは前負荷（左室拡張末期容積）が一定という仮定のもとの応答である．実際には収縮力の増加により左室拡張末期容積は小さくなる．これを理解するためには心拍出量曲線と静脈灌流曲線よりなる循環平衡理論の理解が必要であり，臨床的な薬剤効果を理解するにはより重要な概念である．

1 負荷血液量 （stressed blood volume）

全身の血管を集めて1つの筒状の血管と仮定し，その容積を V_0 とする（図2A）．この血管に血液を入れていくと，V_0 までは血管内圧は発生しないが，V_0 を超えて血液を入れると，血管が伸びて中に圧が発生する（図2B）．この圧を発生させた血液量を負荷血液量（stressed blood volume），V_0 を無負荷血液量（unstressed blood volume）という（図2C）[2]．血管作動薬により静脈収縮が起きると，無負荷血液量が減少し，その分負荷血液量が増加する．逆に静脈拡張では無負荷血液量が増加し，その分負荷血液量が減少する．静脈の交感神経調節でも同様のことが起きる．なお輸液では負荷血液量が増加し，利尿薬により負荷血液量が減少する．

2 心拍出量曲線と静脈灌流曲線からなる循環平衡理論

Guyton が提唱した循環平衡理論は，心拍出量曲線と静脈灌流曲線を用いて，心拍出量と心内圧を同一次元で考える，循環器診療のみならず全身管理を行うにあたって非常に有用な概念である[6]．心拍出量曲線の成り立ちは前述のとおりである．静脈灌流曲線は体循環および肺循環からの静脈灌流について記述し

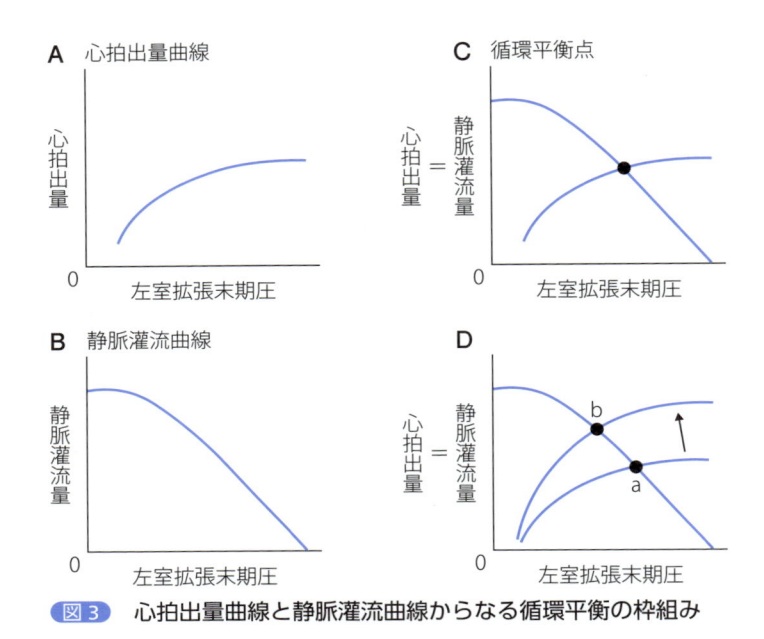

図3 心拍出量曲線と静脈灌流曲線からなる循環平衡の枠組み

た曲線であり，心房圧が上昇すると静脈から血液が戻ってきにくいことが読み取れる．この静脈灌流曲線の上下は stressed blood volume により主に規定される．循環が平衡している状態では心臓への静脈灌流量と心臓からの心拍出量は等しいので，2つの曲線の交点（循環平衡点）で心房圧および心拍出量が決定する．この枠組みを用いると，収縮能が増加して心拍出量曲線の傾きが大きくなると**図3D** の点 a から点 b に循環平衡点が移動し，左室拡張末期圧が低下し，心拍出量が増加することがわかる．この左室拡張末期圧（≒左房圧）は収縮能が増加した場合の前負荷であり，圧容積関係に組み込むことで正確な圧容積ループと1回心拍出量が決まる．

E 圧容積ループ，循環平衡理論から考える心不全治療薬の効果

心血管作動薬の血行動態への影響を理解するためには，各薬剤が心臓特性（収縮性，心拍数）と血管特性（血管抵抗，負荷血液量）に与える影響を理解する必要がある．

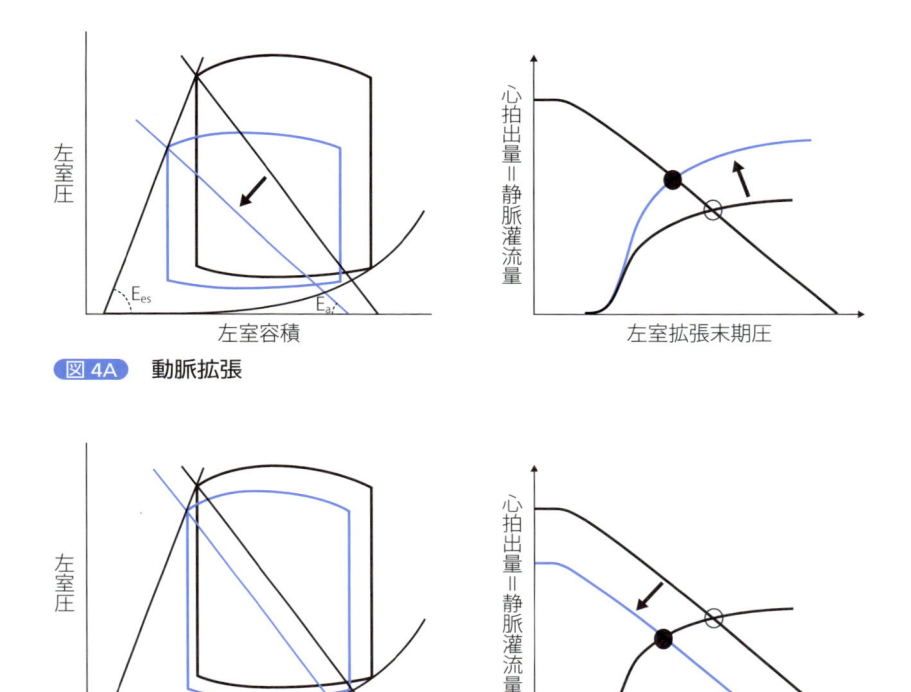

図 4A 動脈拡張

図 4B 静脈拡張

1 動脈拡張作用 (図 4A)

　動脈拡張の効果は，SVR を低下させることになり，圧容積ループにおいては後負荷である E_a を低下させることになるため，1 回拍出量が増加する．結果，循環平衡理論では心拍出量曲線が急峻になり，左室拡張末期圧は低下する．

2 静脈拡張作用 (図 4B)

　静脈拡張の効果は，循環平衡理論において，心機能曲線には直接的に影響をあたえず，静脈灌流曲線を下にシフトさせることとなる．PV loop においては，E_a の傾きは変えずに，E_a のラインが左にシフトするかたちになる．

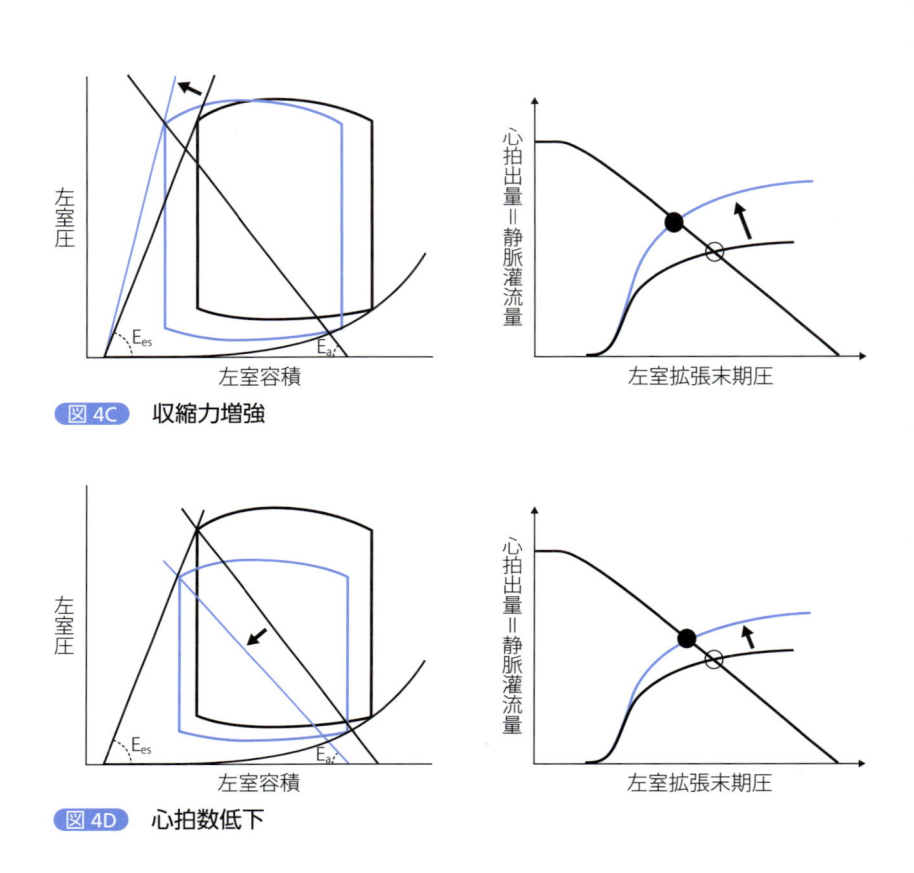

図 4C 収縮力増強

図 4D 心拍数低下

3 収縮力増強作用 （図 4C）

　収縮性増強により PV loop においては E_{es} が急峻となるため，1 回拍出量が増加する．結果，循環平衡理論においては心拍出量曲線の傾きが急峻となる．

4 心拍数調整作用 （図 4D）

　心拍数の血行動態への影響は大きく，かつ複雑である．PV loop においては E_a の構成要素として加味されるため，心拍数低下により E_a が低下し，1 回拍出量が増加する．したがって心拍出量曲線を上昇させる方向にはたらく．一方，心拍数自体は前述のとおり心拍出量曲線の式に含まれるため，心拍数低下は傾きを低下させる方向にも作用する．これら相反する 2 つの効果のバランスで最終的な平衡点が決定する．一般的には 1 回拍出量増加よりも，直接的な心拍出

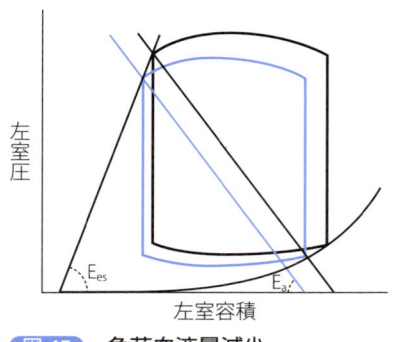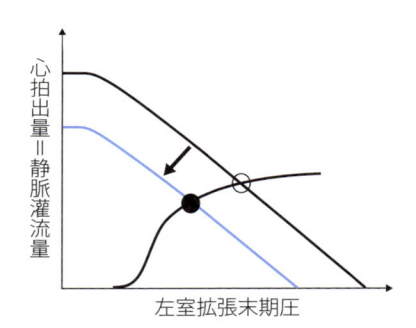

図 4E　負荷血液量減少

量低下に大きく寄与し，**図 4D** のように変化することが多いが，これらは心拍数の絶対値や収縮性などにも依存する．また，心筋酸素消費量の減少により血行動態を改善させる可能性もあるため，個々の症例に応じて考察する必要がある．

5 負荷血液量減少（**図 4E**）

　負荷血液量の減少は，循環平衡理論において静脈灌流曲線が下にシフトすることとなり，心拍出量は減少し，左室拡張末期圧も減少する．

　心血管作動薬を使用する際には，それぞれの薬剤がどの循環平衡の枠組みに対してどのような効果をもたらしているかを考慮することで，介入点を考えることができる．

　急性うっ血性心不全で使用される硝酸薬は，強い静脈拡張作用と適度な動脈拡張作用を有する．したがって，**1** と **2** の効果の血行動態変化をきたし，強い左室拡張末期圧低下効果をもたらす（**図 5A**）．一方，同じく血管拡張薬であるカルシウム拮抗薬は，静脈拡張よりも主として動脈拡張作用を有するため，**1 ＞ 2** の効果となり，硝酸薬ほどの左室拡張末期圧低下効果をもたらさない（**図 5B**）．これが，硝酸薬がうっ血性心不全で第一選択とされる理由であると考えられる．

　強心剤として使用されるドブタミンは，**3** の効果に加え，脾臓収縮などによる負荷血液量増加効果がしられている．したがって，**図 5C** のように循環平衡点が移動し，心拍出量は増加する一方，左室拡張末期圧低下効果は大きくない．

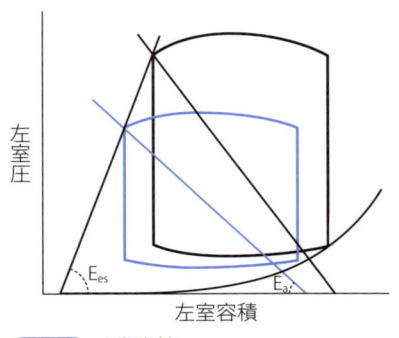
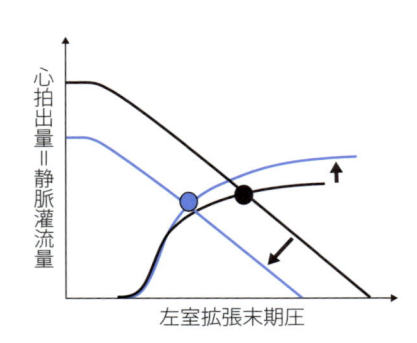

図 5A 硝酸薬

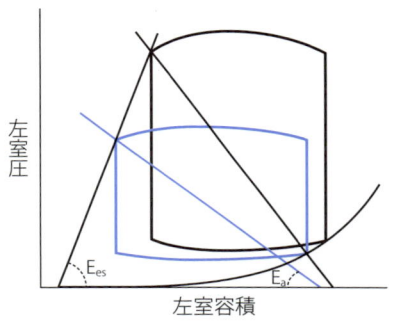
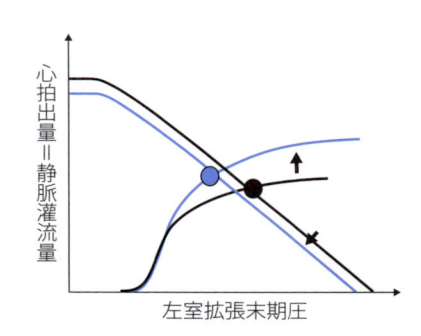

図 5B カルシウム拮抗薬

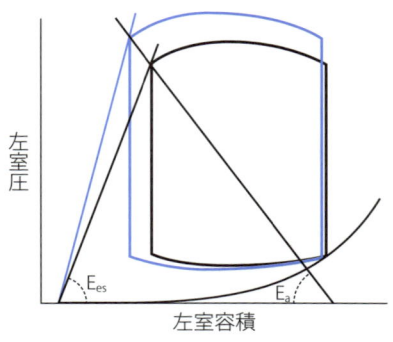
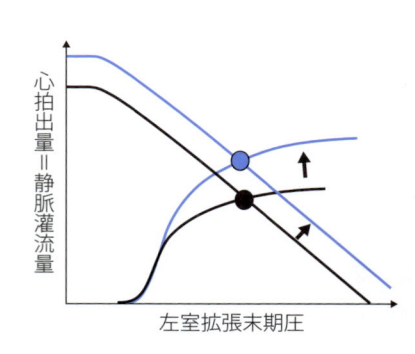

図 5C ドブタミン

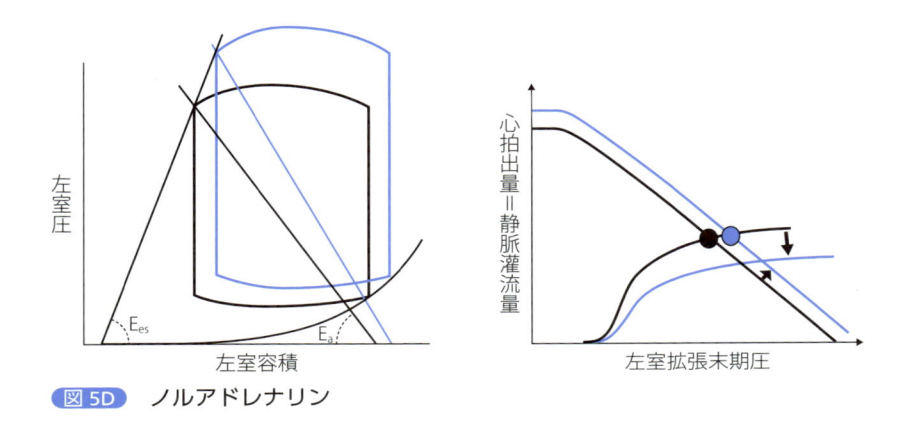

図 5D ノルアドレナリン

　ノルアドレナリンは動脈収縮作用を示す．動脈収縮により，SVR は上昇するため左室にとっては後負荷が上昇する．これにより一回拍出量が低下し，心拍出量曲線の傾きを小さくするため，循環平衡理論より心拍出量は減少，左室拡張末期圧は上昇する（**図 5D**）．

　薬理学的には，それぞれの薬剤がどの効果をもつかは明らかになっているものもあるが，薬効は患者の状態により変化するため（たとえばノルアドレナリンの心拍数上昇効果が強く出た場合は心拍出量は増加するなど），薬剤使用後に循環平衡がどのように変化するかを常にイメージしながら対応することが必要である．

まとめ

　心血管作動薬の血行動態応答を理解するために必要な圧容積ループ，循環平衡理論について概説した．薬理学的な作用の理解も必要であるが，血行動態への効果を理解することは心不全管理において重要である．実際には各薬剤は複数の作用を有しており，その効果も基礎疾患や病態により異なるが，各薬剤の薬理作用を理解していれば血行動態応答は想像しやすい．本稿が心不全治療の一助となることを期待したい．

■文献

1) Frank O. Die Grundform des arteriellen pulses. Z Biol. 1899; 37: 483-526.

2) Sagawa K, Maughan L, Suga H, et al. Cardiac contraction and the pressure-volume relationship. Oxford University Press; 1988.

3) Suga H. Ventricular energetics. Physiol Rev. 1990; 70: 247-77.

4) Sakamoto T, Kakino T, Sakamoto K, et al. Changes in vascular properties, not ventricular properties, predominantly contribute to baroreflex regulation of arterial pressure. Am J Physiol Heart Circ Physiol. 2015; 308: H49-58.

5) Zile MR, Baicu CF, Gaasch WH. Diastolic heart failure—abnormalities in active relaxation and passive stiffness of the left ventricle. N Eng J Med. 2004; 350: 1953-9.

6) Guyton AC. Determination of cardiac output by equating venous return curves with cardiac response curves. Physiol Rev. 1955; 35: 123-9.

〈横田翔平　坂本隆史〉

266　9. PV loop から考える薬の考え方，使い方　　JCOPY 498-13659

Chapter 10

心不全に合併する電解質異常の治療

Point

- 電解質異常は心不全患者に頻繁にみられる合併症である.
- 電解質異常は心不全患者の予後に関連する.
- 臨床上重要である電解質異常は Na と K の異常である.

はじめに

　心不全患者における電解質異常は，頻繁に遭遇する合併症であるばかりでなく，心不全患者の予後に大きく関与する因子であることが報告されている. 心不全における電解質異常の原因は様々であり，神経体液性因子の異常，腎機能障害，利尿薬を中心とした薬剤性，そして種々の合併疾患に伴うものなどである. これらは心不全治療の経過で大きく変化し，前述のように予後にも影響するため心不全患者では定期的に電解質の異常を検査することがガイドラインで推奨されている[1,2]. 電解質異常の背景にある心不全の病態生理を踏まえ，診断・治療を考えていく必要がある.

　心不全治療において，最もよく遭遇し臨床上重要な電解質異常は，Na と K の異常である. この他，酸塩基平衡（重炭酸），Mg，Ca，亜鉛など心不全に伴って異常をきたす経路は多いが，Na および K に焦点を当てて述べていく.

A 低 Na 血症

　心不全患者の最大 30％が低 Na 血症（Na＜135 mmol/L）を併発している[1]. 低 Na 血症は急性ならびに慢性心不全患者における予後不良と関連し，予後予測モデルである GWTG-HF（Get With The Guideline-Heart Failure）リスクスコアや SHFM（Seattle Heart Failure Model）における予後予測因子の 1 つである[3,4]. 心不全では，有効循環血漿量の低下により糸球体濾過量（GFR）低下や交感神経系，レニン-アンジオテンシン-アルドステロン系（RAAS），抗利尿ホルモン分泌（ADH）などが亢進する[5]. 心拍出量減少による交感神経系の過緊張が，末梢血管抵抗の増加と更なる心拍出量の低下を招き，水分と Na の貯留そしてレニン分泌を引き起こす. RAAS の活性化は，腎血管収縮による

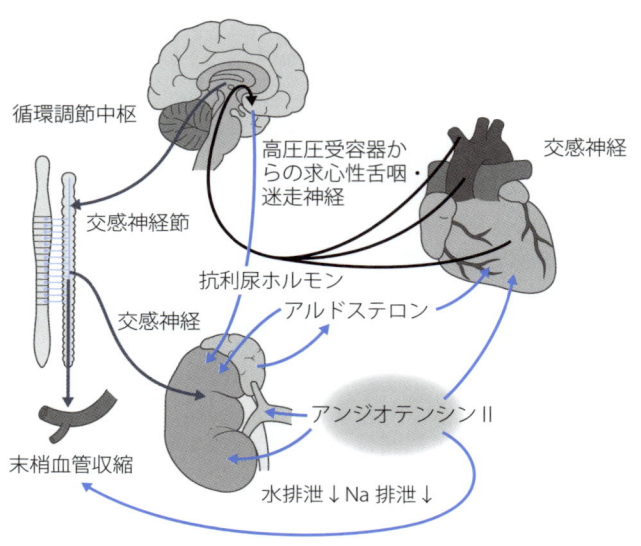

循環調節中枢

高圧圧受容器か
らの求心性舌咽・
迷走神経

交感神経

交感神経節

抗利尿ホルモン

交感神経

アルドステロン

アンジオテンシン II

末梢血管収縮

水排泄↓Na 排泄↓

図1 心不全での交感神経, レニン-アンジオテンシン-
アルドステロン系, 抗利尿ホルモンの働き

　GFR 低下, 近位尿細管や集合管での水および Na の再吸収, ADH 分泌を生じ,
Na 貯留を上回る自由水の貯留をもたらす. 結果として, 心不全における過剰な
神経体液性因子の亢進が, 自由水ならびに Na の排泄を障害し, 低張性低 Na 血
症の原因となる悪循環を形成する (**図1**)[5].

　低 Na 血症 (Na≦130 mmol/L) を合併した急性心不全患者のレジストリー研
究 (HN Registry) では, 44％の患者に飲水制限が試みられているが, 血清 Na
濃度の上昇はわずかだった[6](**図2**). 一方で, 生理食塩水, 高張食塩水, トルバ
プタンの使用は Na 濃度上昇と関連していた. 高張食塩水とフロセミドの併用
療法はフロセミド単独療法と比較して, 低 Na 血症の改善のみならず利尿薬反
応性の向上やうっ血軽減効果があることも示されている[7]. EVEREST 試験に
おいて, バゾプレシン受容体拮抗薬であるトルバプタン (サムスカ®) は自由
水排泄を増加させることで, 投与開始 7 日後の Na 値をプラセボに比し有意に
増加させることを示した[7]. しかし, 予後の改善には至っておらず, 長期的に
も低 Na 血症を補正できるのかについては明らかとなっていない[8].

　心不全における低 Na 血症は前述のように, 体液貯留ならびに過剰な RAAS
の活性化を背景としており, 重症心不全例であってもループ利尿薬とともに

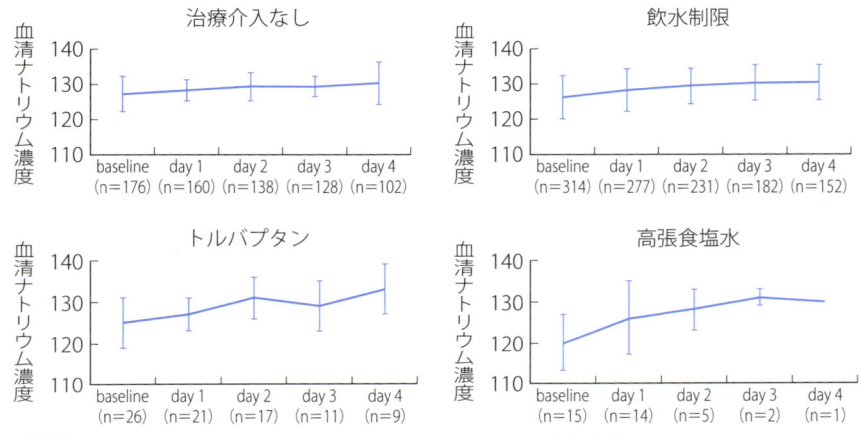

図2 低 Na 血症合併心不全への治療介入別の Na 濃度変化

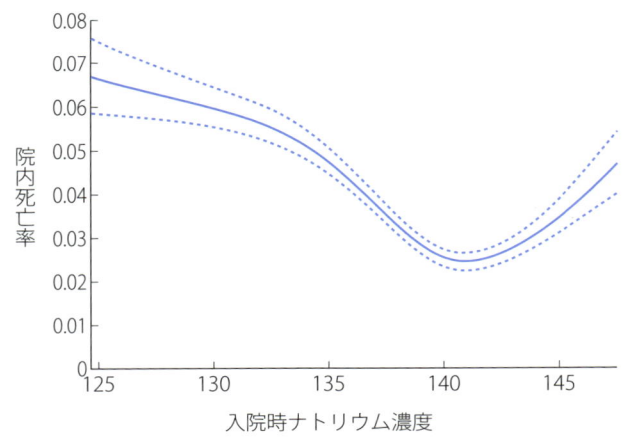

図3 心不全患者における血清 Na 濃度と予後の関係

ACE 阻害薬を少量から使用することで結果的に低 Na 血症が改善したとする報告もあり，治療を見直す機会としても重要である[9]．血清 Na 値は 140〜142 mmol/L がもっとも予後良好であることが知られているが，現時点で低 Na 血症を上記の範囲に補正することが重症心不全症例における血行動態の改善や予後改善につながるというエビデンスはない（**図3**）[10]．

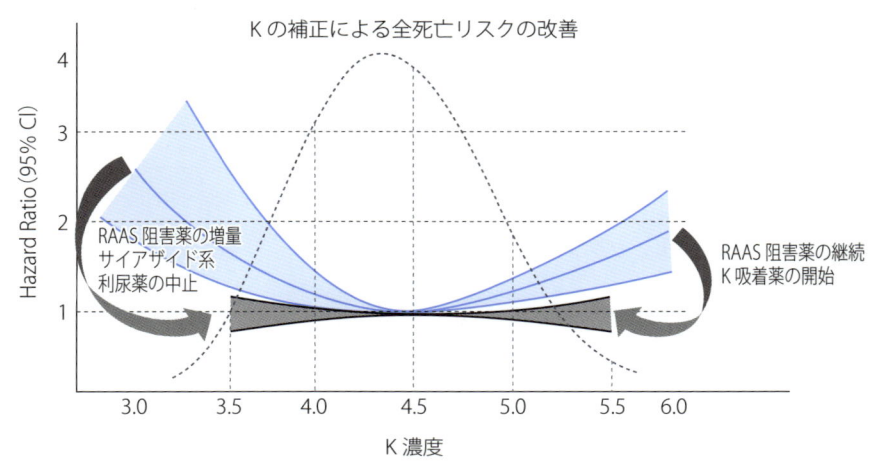

図4 の上部ラベル: K の補正による全死亡リスクの改善

Hazard Ratio (95% CI)

RAAS 阻害薬の増量
サイアザイド系
利尿薬の中止

RAAS 阻害薬の継続
K 吸着薬の開始

K 濃度

図4 心不全患者における血清 K 濃度と予後の関係と，治療介入のメリット
RAAS: レニン-アンジオテンシン-アルドステロン系

Ｂ K 代謝異常（低 K 血症/高 K 血症）

　心不全患者における血清 K 値は，死亡率と U 字型の関係にあり，4.0〜5.0 mmol/L の比較的狭い範囲で死亡リスクが最も低く，この範囲でコントロールすることが推奨されている（**図4**）[11]．低 K 血症（K<3.5 mmol/L）・高 K 血症（K>5.0 mmol/L）を含めた概念として dyskalemia が注目を浴びている[11]（**図4**）．

　心不全に合併する低 K 血症は，ループ系およびサイアザイド系利尿薬の投与による K 排泄の増加などが原因となる．低 K 血症は，致死的な心室性不整脈の誘引となり，血清 K 値 3.5〜4.0 mmol/L の正常下限であっても全死亡の増加と関連することが知られているため，早期介入が重要である[11]．治療には，ACE 阻害薬や MRA などの RAAS 阻害薬の投与や K 製剤による補充を行う．軽度の低 K 血症（K 3.0〜3.4 mmol/L）であっても，40〜100 mEq/日のカリウム補充が必要なことが多い[12]．

　高 K 血症は，軽度（5.0〜5.5 mmol/L 以上），中等度（5.5〜6.0 mmol/L），高度（6.0 mmol/L 以上）に分類され，低 K 血症同様死亡リスクの上昇，致死性不整脈の出現と関連している[10]．心不全治療薬として ACE 阻害薬や MRA を使用している症例が多く K 値が上昇しやすい．特に慢性腎臓病（CKD）合併患

者でこの傾向が強く，K 値が高いために至適薬物療法の導入を躊躇する場面も経験する．EMPHASIS-HF 試験ではエプレレノン（セララ®）群において，治療開始後の腎機能悪化と高 K 血症がプラセボに比し有意に増加していた[13]．MRA は HFrEF 患者に対する予後改善効果が示され，ガイドラインでも推奨されている薬剤であるが，ACE 阻害薬や β 遮断薬と比較して処方率は低い[14]．その原因の 1 つが，高 K 血症である[14]．高 K 血症の患者では緊急時はグルコン酸カルシウム（カルチコール®）の投与や利尿薬，インスリン投与などを行うことになり，RAAS 阻害薬の中止も検討される．しかしながら，高 K 血症そのものよりも，その後の RAAS 阻害薬の中止が心不全患者の予後悪化と関連したという報告もあり，K を上手くコントロールしながら心不全治療薬を継続することが重要である[15]．慢性期の K 管理においては，K 摂取の制限や K 吸収を減らすため K 吸着薬使用を検討する[11]．ポリマー性 K 吸着薬である，ポリスチレンスルホン酸ナトリウム（ケイキサレート®）やポリスチレンスルホン酸カルシウム（カリメート®）が経験的に用いられているが，消化器症状や飲みづらさのためにアドヒアランス不良となることも経験する．一方で，非ポリマー性吸着薬であるジルコニウムシクロケイ酸ナトリウム水和物（SZC, ロケルマ®）および patiromer（2023 年 4 月現在，本邦未承認）は消化器症状が出にくく，K の吸着力も従来薬に比べ強力である[16,17]．ステージ 3 の CKD 患者において，SZC は治療開始後 48 時間以内の血清 K 値を有意に低下させた[16]．投与開始 1 時間以内に臨床的に有意な治療効果が認められており，心不全，CKD，糖尿病などのサブグループにおいても同等の有効性が示されている[16]．DIAMOND 試験では，RAAS 阻害薬を服用している高 K 血症合併 HFrEF 患者における patiromer の有効性が検証された[18]．partiromer 群において，高 K 血症イベントの再発が少なく，MRA の目標用量を継続できた患者の割合が高かったことが示された[18]．これらの新規高 K 血症治療薬の登場により，心不全患者における RAAS 阻害薬の導入および増量が安全に行えることが期待される．

　また，新規心不全治療薬である ARNI は MRA と併用した際に ACE 阻害薬に比べ高 K 血症の発現率が低かった[19]．さらに SGLT2 阻害薬であるエンパグリフロジンは，プラセボに比べ高 K 血症の出現および K 吸着薬の開始を有意に減らし，低 K 血症および K 製剤の開始も少ない傾向にあったことが示された[20]．そのため，ARNI/SGLT2 阻害薬を含めた至適薬物療法を導入することは，将来起こりうる dyskalemia にも対応しうることを意味する．

最後に

　電解質異常は心不全の予後と関連が多く報告されている一方で，治療介入の有効性を示すのが難しい分野である．目先の電解質異常の数値に惑わされるのではなく，その背景にある病態生理を意識することが重要である．あくまで"見た目の数値"の補正だけに捉われるのではなく，予後不良を再認識し，治療を見直す機会としても捉えるようにしていただきたい．

■文献

1) McDonagh TA, Metra M, Adamo M, et al. 2021 ESC Guidelines for the diagnosis and treatment of acute and chronic heart failure. Eur Heart J. 2021; 42: 3599-726.
2) Heidenreich PA, Bozkurt B, Aguilar D, et al. 2022 AHA/ACC/HFSA guideline for the Management of Heart Failure. J Card Fail. 2022; 28: 810-30.
3) Peterson PN, Rumsfeld JS, Liang L, et al. A validated risk score for in-hospital mortality in patients with heart failure from the American Heart Association get with the guidelines program. Circ Cardiovasc Qual Outcomes. 2010; 3: 25-32.
4) Levy WC, Mozaffarian D, Linker DT, et al. The Seattle Heart Failure Model: prediction of survival in heart failure. Circulation. 2006; 113: 1424-33.
5) Schrier RW, Abraham WT. Hormones and hemodynamics in heart failure. N Engl J Med. 1999; 341: 577-85.
6) Dunlap ME, Hauptman PJ, Amin AN et al. Current management of hyponatremia in acute heart failure: a report from the hyponatremia registry for patients with euvolemic and hypervolemic hyponatremia (HN Registry). J Am Heart Assoc. 2017; 6: e005261.
7) Covic A, Copur S, Tapoi L, et al. Efficiency of hypertonic saline in the management of decompensated heart failure: A systematic review and meta-analysis of clinical studies. Am J Cardiovasc Drugs. 2021; 21: 331-47.
8) Konstam MA, Gheorghiade M, Burnett JC Jr., et al. Effects of oral tolvaptan in patients hospitalized for worsening heart failure: the EVEREST Outcome Trial. JAMA. 2007; 297: 1319-31.
9) Dzau VJ, Hollenberg NK. Renal response to captopril in severe heart failure: role of furosemide in natriuresis and reversal of hyponatremia. Ann Intern Med. 1984; 100: 777-82.
10) Gheorghiade M, Abraham WT, Albert NM, et al. Relationship between admission serum sodium concentration and clinical outcomes in patients hospitalized for heart failure: an analysis from the OPTIMIZE-HF registry. Eur Heart J. 2007; 28: 980-8.
11) Ferreira JP, Butler J, Rossignol P, et al. Abnormalities of potassium in heart failure: JACC State-of-the-Art Review. J Am Coll Cardiol. 2020; 75: 2836-50.
12) Krogager ML, Kragholm K, Thomassen JQ, et al. Update on management of hypokalaemia and goals for the lower potassium level in patients with cardiovascular dis-

ease: a review in collaboration with the European Society of Cardiology Working Group on Cardiovascular Pharmacotherapy. Eur Heart J Cardiovasc Pharmacother. 2021; 7: 557-67.

13) Rossignol P, Dobre D, McMurray JJ, et al. Incidence, determinants, and prognostic significance of hyperkalemia and worsening renal function in patients with heart failure receiving the mineralocorticoid receptor antagonist eplerenone or placebo in addition to optimal medical therapy: results from the Eplerenone in Mild Patients Hospitalization and Survival Study in Heart Failure (EMPHASIS-HF). Circ Heart Fail. 2014; 7: 51-8.

14) Maggioni AP, Anker SD, Dahlstrom U, et al. Are hospitalized or ambulatory patients with heart failure treated in accordance with European Society of Cardiology guidelines? Evidence from 12,440 patients of the ESC Heart Failure Long-Term Registry. Eur J Heart Fail. 2013; 15: 1173-84.

15) Rossignol P, Lainscak M, Crespo-Leiro MG, et al. Unravelling the interplay between hyperkalaemia, renin-angiotensin-aldosterone inhibitor use and clinical outcomes. Data from 9222 chronic heart failure patients of the ESC-HFA-EORP Heart Failure Long-Term Registry. Eur J Heart Fail. 2020; 22: 1378-89.

16) Packham DK, Rasmussen HS, Lavin PT, et al. Sodium zirconium cyclosilicate in hyperkalemia. N Engl J Med. 2015; 372: 222-31.

17) Bridgeman MB, Shah M, Foote E. Potassium-lowering agents for the treatment of nonemergent hyperkalemia: pharmacology, dosing and comparative efficacy. Nephrol Dial Transplant. 2019; 34 (Suppl 3): iii45-50.

18) Butler J, Anker SD, Lund LH, et al. Patiromer for the management of hyperkalemia in heart failure with reduced ejection fraction: the DIAMOND trial. Eur Heart J. 2022; 43: 4362-73.

19) Desai AS, Vardeny O, Claggett B, et al. Reduced risk of hyperkalemia during treatment of heart failure with mineralocorticoid receptor antagonists by use of sacubitril/valsartan compared with enalapril: A secondary analysis of the PARADIGM-HF Trial. JAMA Cardiol. 2017; 2: 79-85.

20) Ferreira JP, Zannad F, Butler J, et al. Empagliflozin and serum potassium in heart failure: an analysis from EMPEROR-Pooled. Eur Heart J. 2022; 43: 2984-93.

〈西崎公貴　北井 豪〉

心不全に合併する貧血の治療

Point

- 心不全患者において貧血の合併は多く見受けられ，予後不良因子の1つである．
- 貧血の原因は多岐にわたり，原因に合わせた治療介入が必要である．
- 貧血に対して鉄補充と赤血球造血刺激因子製剤（ESA）投与を漫然と行っても，予後は改善しないばかりか，合併症のリスクが上がるのみであり注意が必要である．

A 心不全と貧血

　心臓の仕事とは，究極的には臓器や筋肉にエネルギーを運ぶことである．そして，そのエネルギーの運び屋はヘモグロビン（Hb）である．心臓の仕事効率はHbの量に大きく左右され，それだけに貧血の存在は心不全患者の管理において，重要な要素の1つである．そして，貧血は心不全患者において最も多い併存疾患の1つである．

　貧血は，おおよそ1/3～1/2の患者に合併するといわれている．日本の疫学研

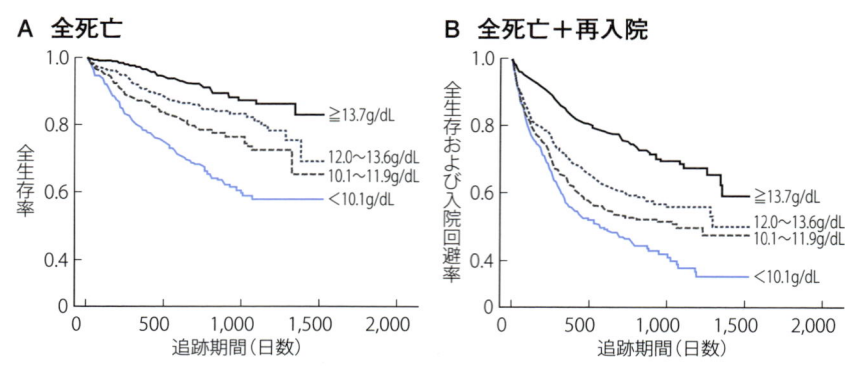

図1 退院時の Hb 値と予後（JCARE-CARD）

(Hamaguchi S, et al. Circ J. 2009; 73: 1901-8)[2]

究である ATTEND[1] と JCARE-CARD[2] では，全登録患者の約 60% に貧血の合併を認めた．貧血は，心不全が重症であればあるほど併存率が高くなり，また退院時の Hb 値が低ければ低いほど予後が悪いことが知られている（図 1）.

　心不全患者における貧血の原因は希釈，鉄欠乏，慢性腎臓病合併によるエリスロポエチン生成の低下，炎症性サイトカイン活性刺激による骨髄造血能の低下，低栄養，薬剤など多岐にわたり，単一の病態では説明がつかないことも多い．心不全患者で貧血の合併が多い以上，その対応を熟知しておく必要がある．1 つ 1 つエビデンスを示しながら薬剤について説明していく.

B 心不全と鉄代謝

　近年，鉄欠乏と心不全の関係が注目されている．鉄動態は十二指腸腸上皮細胞からの鉄吸収と赤血球からのリサイクルから成るが，心不全患者においては，この調節機構に異常をきたすことが報告されている．具体的には，心不全ラットにおいてフェロポルチン（FPN）をはじめとした鉄輸送膜蛋白の発現低下が見られること[3]，末期心不全患者の 73% に骨髄の貯蔵鉄枯渇[4]が，さらに慢性心不全患者（NYHA II〜IV）の 37% に鉄欠乏の合併[5]が生じることなどが示されている．興味深いことに，そのうち約 1/3 の症例は貧血を認めなかったにもかかわらず，鉄欠乏合併例は非合併例に比べ予後不良であることが報告され，心不全患者の予後において，鉄欠乏は貧血とは独立した重要性が示されている.

　また，生体内の鉄の約 2/3 はヘモグロビン（Hb）のヘム鉄として存在し，その他は主に網内系マクロファージ，肝細胞内に貯蔵されるが，鉄欠乏時にはこれらの貯蔵鉄が鉄輸送膜蛋白である FPN を介して血中に供給される．この FPN を制御するのが主に肝臓で産生されるヘプシジンである．慢性腎不全ではヘプシジン排泄低下や慢性炎症などにより，血中ヘプシジン値が上昇することはすでに知られているが，心不全においても，いまだ正確な機序は明らかではないもののヘプシジン値の上昇を認め，結果として血中への鉄供給減少により機能的鉄欠乏を呈することが知られている.

C 鉄補充

　前述のように，心不全患者において鉄欠乏は多くみられ，予後とも密接に関連している．したがって，鉄を補充することで予後が改善する可能性を考える

のは，至極まっとうである．

　経口鉄剤の有効性について検討した大規模ランダム化二重盲検試験としては，IRONOUT-HF trial がある．同試験は，ejection fraction（EF）40％以下の鉄欠乏（血清フェリチン 100 以下もしくはトランスフェリン飽和度 20％以下かつ血清フェリチン 100〜299）を有する心不全患者（Hb 値: 9〜15 mg/dL）に対して経口鉄剤を投与した群とプラセボ群での 16 週間後の NYHA や 6 分間歩行距離，QOL score などを評価したものであるが，経口鉄剤による有効性は示されなかった[6]．上述のように，心不全患者は鉄吸収能が低下しているため，経口鉄剤の内服では十分な鉄補充がなされなかった可能性も指摘される．

　静脈内投与鉄剤の有効性を検討したランダム化二重盲検試験も報告されている．代表的なものとして FAIR-HF trial があり，これは症候性（NYHA Ⅱ〜Ⅲ）で左室収縮障害（EF 45％以下）を有し，鉄欠乏がある Hb 値 9.5〜13.5 g/dL の患者を静注群とプラセボ群に分け，NYHA クラスや QOL score，心不全症状の改善があるかを調べたものである．鉄剤はカルボキシマルトース鉄 200 mg を毎週投与し目標値に達するまで投与した．結果，NYHA や QOL score だけでなく 6 分間歩行距離も改善させたが，予後に影響はなかった[7]．2020 年に，FAIR-HF trial を急性心不全患者に拡張した AFFIRM-AHF trial が発表された．本試験では，急性心不全で入院した鉄欠乏を有する EF＜50％の患者に，退院後にルボキシマルトース鉄の投与が与える効果が検討された．結果は，同様に心血管死への効果は示せなかった一方で，心不全入院は有意に抑制された[8]．

　以上より，心不全患者における鉄剤補充療法は，静注に関しては症状改善や心不全入院抑制効果が見込める可能性はあるが，経口，静注のいずれも心血管死改善効果までは示されていない．また，鉄不足はエネルギー代謝異常をきたしうるが，鉄過剰は免疫力低下や悪性腫瘍の形成にかかわるため注意を要する．したがって，血中 Hb 値正常化を目指して漫然と鉄補充を行えばよいわけではない．

Ｄ 輸血療法

　現在のところ，心不全患者に対する輸血療法の有効性を検討した大規模ランダム化比較試験はない．Hb 値が 7.0 g/dL 未満の症例であれば，血行動態が安定していても赤血球輸血の妥当性が報告されている[9]．しかし心不全患者では

心拍出量が低下しているため，Hb 値が 7.0 g/dL 以上でも貧血による症状が出現しうるため，Hb 値が 7.0 g/dL 以上であっても貧血が心不全に影響を与えており，輸血により改善が期待される場合には輸血の適応がある可能性がある．

輸血療法の注意点としては，体液量過剰，高 K 血症，アレルギーなどがある．輸血は思っている以上に循環血液量増加作用がある（生理食塩水の約 4 倍といわれる）ため，うっ血増悪に注意する．またまれではあるが死亡率の高い非心原性肺水腫（TRALI: 輸血関連急性肺障害）の副作用があることも知っておく必要がある．

筆者は，輸血療法施行時の循環血液量増加が心不全増悪を招くと予想される際は，輸血前後に適宜ループ利尿薬静注を併用し対応している．また，非代償性心不全症例に合併した貧血に対する赤血球輸血を行うかの判断に，混合静脈血酸素飽和度（SvO_2）や中心静脈酸素飽和度（$ScvO_2$）を参考にすることもある（ただし，肺動脈カテーテルや，中心静脈カテーテル挿入時に限る）．

E 心腎貧血症候群

心腎貧血症候群とういう概念が Silverberg らによって提唱され[10]，心不全・腎不全・貧血がお互いに影響しあって悪循環を形成することが明らかになっている．

心腎貧血症候群では，腎機能低下によるエリスロポエチン生成低下，骨髄におけるエリスロポエチン抵抗性などが，貧血進行にかかわっている．そのため，心腎貧血症候群における貧血治療の中心は，赤血球造血刺激因子製剤（ESA）の投与となる．

F ESA（erythropoiesis stimulating agent）

ESA の有効性について検討した大規模ランダム化二重盲検試験としては，RED-HF trial[11]が知られている．RED-HF 試験は，軽症〜中等度の貧血（ヘモグロビン値: 9.0〜12.0 g/dL）の慢性収縮期心不全患者 2,278 例を対象とし，ダルベポエチン（商品名: ネスプ®）を使用して Hb 13 g/dL を目標にした群とプラセボ群（Hb 値 9〜12 g/dL）での差をみた試験である．結果，死亡率や心不全再入院などに差がないばかりか，血栓塞栓症の発症がダルベポエチン群で多いという結果であった（図 2）[11]．この理由としては，ESA による血圧上昇作用や血液粘稠度上昇作用の関与が疑われている．

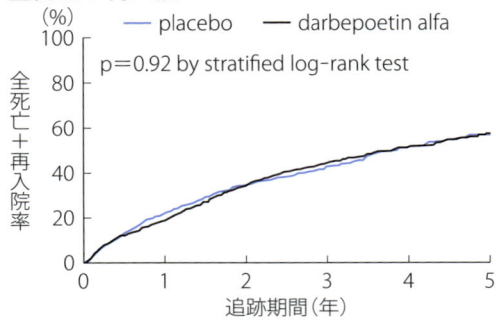

全死亡＋再入院

図2　ダルベポエチンの HFrEF 患者を対象とした臨床試験（RED-HF trial）

(Swedberg K, et al. N Engl J Med. 2013; 368: 1210-9)[11]

G HIF-PH（hypoxia-inducible factor-prolyl hydroxylase）

HIF は，erythropoietin（EPO）や vascular endothelial growth factor（VEGF）などの発現を制御する転写因子であるが，低酸素分圧下で活性を持つ一方，通常酸素分圧下では HIF-PH により不活化されるという特徴を持つ．HIF-PH 阻害薬は，HIF-PH を阻害することで酸素濃度にかかわらず HIF を安定化し，内因性の EPO 産生を高めるほか，間接的にヘプシジン産生を抑制することで血中への鉄供給を増加させ，鉄代謝を改善する薬剤である．

現時点では，HIF-PH 阻害薬の心不全に対する直接的な安全性と有効性を示した報告はないが，従来の ESA と比較し，より生理的な濃度の EPO で Hb を上昇させ，かつ機能的鉄欠乏を改善するため，心不全患者への効果が期待されている．一方で，HIF の多面的効果ゆえに，HIF-PH 阻害薬には特有の副作用が存在することが知られている[12,13]．なかでも，血栓塞栓症に関しては，使用開始後に鉄利用能が改善し鉄欠乏が生じうることに加え，急速な Hb の上昇がその誘因となるため，適切な増量間隔ならびに定期的な鉄動態（フェリチンとトランスフェリン飽和度）の評価が必要である．

新たな腎性貧血の治療薬である HIF-PH 阻害薬は，その多彩な作用から従来の ESA を上回る効果が期待されている．しかし，特に心不全に対する安全性と有効性については未知の部分が多く，さらなるエビデンスの蓄積が待たれる．

おわりに

　貧血は心不全患者の独立した予後規定因子ではあるが，予後改善を目指した貧血に対する有効な治療戦略は今のところ確立していない．今までの研究結果からみても，漫然とした治療介入は予後を改善しないばかりか，合併症のリスクのみ増やしてしまう可能性すらあるので注意が必要である．心不全に合併する貧血をみた際は，まずその原因をきちんと診断し，原因に合わせた治療を行う必要があると考える．

　心不全患者における貧血治療に関するエビデンスはまだまだ乏しい．心不全にとって貧血は切っても切れない病態であり，どのような治療アプローチが最も望ましいのか，さらなる研究が望まれる．

■文献

1) Kajimoto K, Sato N, Sakata Y, et al. Relationship between systolic blood pressure and preserved or reduced ejection fraction at admission in patients hospitalized for acute heart failure syndromes. Int J Cardiol. 2013; 168: 4790-5.
2) Hamaguchi S, Tsuchihashi-Makaya M, Kinugawa K, et al. Anemia is an independent predictor of long-term adverse outcomes in patients hospitalized with heart failure in Japan. Circ J. 2009; 73: 1901-8.
3) Naito Y, Tsujino T, Fujimori Y, et al. Impaired expression of duodenal iron transporters in Dahl salt-sensitive heart failure rats. J Hypertens. 2011; 29: 741-8.
4) Nanas JN, Matsouka C, Karageorgopoulos D, et al. Etiology of anemia in patients with advanced heart failure. J Am Coll Cardiol. 2006; 48: 2485-9.
5) Jankowska EA, Rozentryt P, Witkowska A, et al. Iron deficiency: an ominous sign in patients with systolic chronic heart failure. Eur Heart J. 2010; 31: 1872-80.
6) Gregory D, Rajeev M, Adrian F, et al. Effect of oral iron repletion on exercise capacity in patients with heart failure with reduced ejection fraction and iron deficiency. The IRONOUT HF Randomized Clinical Trial. JAMA. 2017; 317: 1958-66.
7) Stefan D, Josep C, Gerasimos F, et al. Ferric carboxymaltose in patients with heart failure and iron deficiency. N Engl J Med. 2009; 361: 2436-48.
8) Ponikowski P, Kirwan BA, Anker SD, et al. Ferric carboxymaltose for iron deficiency at discharge after acute heart failure: a multicentre, double-blind, randomised, controlled trial. Lancet. 2020; 396: 1895-904.
9) Guidelines for diagnosis and treatment of acute and chronic heart failure (JCS 2017/JHFS 2017).
10) Silverberg DS, Wexler D, Iaina A. The importance of anemia and its correction in the management of severe congestive heart failure. Eur J Heart Fail. 2002; 4: 681-6.
11) Swedberg K, Young JB, Anand IS, et al. RED-HF Committees; RED-HF Investigators. Treatment of anemia with darbepoetin alfa in systolic heart failure. N Engl J

Med. 2013; 368: 1210-9.

12) 内田啓子, 南学正臣, 阿部雅紀, 他. 日本腎臓学会. HIF-PH 阻害薬適正使用に関する recommendation. 日腎会誌. 2020; 62: 711-6.

13) Yap DYH, McMahon LP, Hao CM, et al. Recommendations by the Asian Pacific Society of Nephrology（APSN）on the appropriate use of HIF-PH inhibitors. Nephrology (Carlton). 2021; 26: 105-18.

〈増田真由香　藤本 恒〉

12 心不全に合併する高尿酸血症の治療

Point

- 心不全に合併する高尿酸血症は，予後不良の指標となる．
- 心不全に合併する高尿酸血症に対する尿酸降下薬による治療が，心不全の症状や予後の改善をもたらすというエビデンスは限定的である．
- 現時点では，心不全の症状や予後改善を目標とした尿酸降下薬の積極的な使用は推奨されていない．
- 心不全に合併する高尿酸血症に対する薬剤治療の有効性については，大規模な質の高い前向き介入研究が求められている．

　心不全に合併する高尿酸血症は，予後不良の指標になることが知られている．一方で，心不全に合併する高尿酸血症への介入が，心不全の症状や予後の改善をもたらすエビデンスは限定的である．痛風・高尿酸血症の治療ガイドライン第3版においても，心不全に対する高尿酸血症に対する治療について，「現時点では積極的には推奨しない」とされている．

　本稿では，最近のエビデンスを含め，心不全に合併する高尿酸血症の原因，治療の考え方について解説する．

A 高尿酸血症の定義

　本邦では高尿酸血症は，血清尿酸値 7.0 mg/dL を超えるものと定義され，性・年齢を問わないとされている．これは，尿酸の生理的溶解度は 6.4 mg/dL であるが，ヒトの血液内では尿酸結合性蛋白があるため，7.0 mg/dL を超えるまでは過飽和状態とならずに存在できるという背景による．なお，高尿酸血症のリスクは連続的であり，7.0 mg/dL 以下であっても尿酸値の上昇とともにリスクが上がることに留意が必要である．

B 高尿酸血症の病型分類と，尿酸降下薬の作用機序

　尿酸は核酸・プリン体の最終代謝産物である．生体内での体内尿酸プールは男性で 1,200 mg，女性で 600 mg とされる．食事や生体内のプリン体合成や細

胞崩壊の結果，700〜800 mg/日の尿酸が尿酸プールに入り，ほぼ同量が体外に排泄されてバランスをとっているとされる．この平衡が崩れたときに高尿酸血症は生じるとされ，主に尿酸産生亢進型と尿酸排泄低下型に分類される．尿酸の産生においては，キサンチンオキシダーゼ（XO）が関与しており，XO を阻害する薬剤がアロプリノールやフェブキソスタットである．尿酸排泄においては 2/3 を腎臓が，1/3 を腸管が担っているとされている．脱水や腎機能低下などにより，尿からの尿酸排泄が低下するものを腎性の排泄低下型高尿酸血症，腸管にある尿酸トランスポーター ABCG2 の障害により[1]，腸管からの尿酸排泄が低下するものを腎外性の排泄低下型高尿酸血症と分類するが，厳密な分類を臨床現場で行うことは難しいことも多い．尿酸排泄低下型の高尿酸血症に対しては，腎からの尿酸排泄を促進するベンズブロマロンまたはプロベネシドが推奨されているが，近年，尿酸排泄低下型の高尿酸血症に対しても，フェブキソスタットの有効性が報告されており，判別が困難な場合は同薬の使用も考慮される．心不全に合併する高尿酸血症の機序としては，心不全に伴う低酸素が尿酸前駆物質の産生を亢進させる影響や，ループ利尿薬が近位尿細管での尿酸排泄を抑制することが考えられる．

C 適応・禁忌，使用するのに注意すべき点，有用な患者・注意すべき患者

高尿酸血症の治療においては，痛風関節炎や痛風結節の既往がある場合は血清尿酸値 >7.0 mg/dL で治療介入を行うことが推奨される．一方で，無症候性高尿酸血症に関しての治療介入を支持するエビデンスは乏しく，<9.0 mg/dL の場合はルーチンでの介入は推奨されていない．無症候であっても，血清尿酸値 >9.0 mg/dL の場合は痛風発症頻度が高まると考えられており治療介入が検討される．なお，米国ガイドラインにおいては無症候性高尿酸血症への治療介入は推奨されていないことや，近年のエビデンスからも，治療介入を行う場合は必要性やリスクベネフィットをよく勘案すべきである[2,3]．

尿酸降下薬を使用する際には，副作用である痛風発作に注意しなければならない．尿酸降下薬開始後に痛風発作が生じやすい理由としては，血清尿酸値の急激な変動により，関節内にできた尿酸結晶が剝がれ落ちやすくなるためである．痛風発作が認められたときには，尿酸降下薬は中止せずに継続し（血清尿酸値の変動を抑制するため），疼痛や炎症に対して NSAIDs やステロイド，コ

ルヒチンを使用して対症療法で対応する.

D 薬剤の心不全患者における代表的なエビデンス（ガイドライン）

心不全患者に合併する高尿酸血症が予後不良因子であることはこれまでに複数の観察研究で示されてきた[4]. JCARE-CARD においては，血清尿酸値 7.4 mg/dL 以上の群で，全死亡・心死亡のハザード比が 1.4 と，高尿酸血症が心不全の予後規定因子として示された[5]. HFpEF を対象とした JASPER 研究においても血清尿酸値は有意に予後不良と関連していることが示され，血清尿酸値 1 mg/dL 上昇の全死亡のハザード比は 1.23 mg/dL とされている[6].

一方で，心不全に合併する高尿酸血症の治療を積極的に勧める前向き研究のエビデンスは乏しい. 左室駆出率 40% 以下で血清尿酸値が 9.5 mg/dL 以上の有症状の重症心不全患者を対象とし，1 日 600 mg のアロプリノール内服を目標とした前向きのプラセボ対照二重盲検多施設共同介入研究（EXACT-HF）が行われたが，アロプリノール内服群で有意な血清尿酸値の低下は認めるものの，24 週間の時点では両群間に臨床症状，総死亡，再入院，6 分間歩行試験，左室駆出率の変化に有意な差を認めなかった[7].

また，以前より無症候性高尿酸血症に対する治療介入で腎保護作用がもたらされるのではないかと議論されていたが，近年複数の大規模検討で腎保護作用は示されなかったため，腎保護目的の介入のエビデンスは限定的である[8,9].

さらに，ALL-HEART Trial では，心不全や痛風の既往のない虚血性心疾患患者を対象にアロプリノールとプラセボの内服でランダム化比較試験が行われたが，両群間では心臓死や心不全，非致死性心筋梗塞などの発症率に差を認めなかった[10].

これらの結果から，心不全患者における血清尿酸値は予後不良因子のサロゲートマーカーとしてのエビデンスは確立しているが，積極的降下療法による予後改善効果は限定的であるものと考えられる[11].

E 具体的な使用方法

心不全患者に対する尿酸降下療法を行う際には，これまでの研究結果を総合的に踏まえると，XO 阻害薬であるフェブキソスタットかアロプリノールが良いと考えられる. 2018 年に発表された CARES 試験では，フェブキソスタット内服がアロプリノール内服と比較して，心血管死亡・全死亡が有意に多かった

ことが報告されていたが[12]，2020 年に発表された FAST 試験においては両者において心血管死亡・全死亡の両者の差がなかったことが報告されている[13]．米国での第 1 選択薬はアロプリノールとされているが，腎機能不良患者には留意が必要である．フェブキソスタットは腎機能による用量調節が基本的に不要で 1 日 1 回内服という利点があることなどから，総合的観点から薬剤選択をすべきである．また，ARB の中でもロサルタンとイルベサルタンは尿酸値を下げる方向に働き，心不全患者の尿酸コントロールを期待できる良い選択肢となる．同様に，心不全の予後改善のエビデンスの豊富な SGLT2 阻害薬も，血清尿酸値を下げることが報告されているため，同薬剤を導入する場合は導入後の経過を見てから更なる尿酸への介入を行うか検討することも選択肢となる[14]．

まとめ

高尿酸血症に伴う痛風発作などの予防を考えると，血清尿酸値 9 mg/dL 以上で生活習慣の改善を行いつつ，それでも血清尿酸値が下がらなければ尿酸降下薬の治療が検討される．ただし，心不全に合併する高尿酸血症は，予後悪化の指標になるが，尿酸降下薬による治療が心不全の症状や予後の改善をもたらすエビデンスは十分ではない．尿酸降下薬による腎保護作用のエビデンスも限定的であり，心不全に合併する無症候性高尿酸血症に対する介入は要否をよく検討すべきである．

■文献

1) Ichida K, Matsuo H, Takada T, et al. Decreased extra-renal urate excretion is a common cause of hyperuricemia. Nat Commun. 2012; 3: 764.
2) FitzGerald JD, Dalbeth N, Mikuls T, et al. 2020 American College of Rheumatology guideline for the management of gout. Arthritis Care Res（Hoboken）. 2020; 72: 744-60.
3) Hisatome I, Li P, Miake J, et al. Uric acid as a risk factor for chronic kidney disease and cardiovascular disease-Japanese guideline on the management of asymptomatic hyperuricemia. Circ J. 2021; 85: 130-8.
4) Miao L, Guo M, Pan D, et al. Serum uric acid and risk of chronic heart failure: A systematic review and meta-analysis. Front Med（Lausanne）. 2021; 8: 785327.
5) Hamaguchi S, Furumoto T, Tsuchihashi-Makaya M, et al. Hyperuricemia predicts adverse outcomes in patients with heart failure. Int J Cardiol. 2011; 151: 143-7.
6) Kobayashi Y, Omote K, Nagai T, et al. Prognostic value of serum uric acid in hospitalized heart failure patients with preserved ejection fraction（from the Japanese

Nationwide Multicenter Registry). Am J Cardiol. 2020; 125: 772-6.

7) Givertz MM, Anstrom KJ, Redfield MM, et al. Effects of xanthine oxidase inhibition in hyperuricemic heart failure patients: The xanthine oxidase inhibition for hyperuricemic heart failure patients (EXACT-HF) study. Circulation. 2015; 131: 1763-71.

8) Badve SV, Pascoe EM, Tiku A, et al. Effects of allopurinol on the progression of chronic kidney disease. N Engl J Med. 2020; 382: 2504-13.

9) Doria A, Galecki AT, Spino C, et al. Serum urate lowering with allopurinol and kidney function in type 1 diabetes. N Engl J Med. 2020; 382: 2493-503.

10) Mackenzie IS, Hawkey CJ, Ford I, et al. Allopurinol versus usual care in UK patients with ischaemic heart disease (ALL-HEART): a multicentre, prospective, randomised, open-label, blinded-endpoint trial. Lancet. 2022; 400: 1195-205.

11) Saito Y, Tanaka A, Node K, et al. Uric acid and cardiovascular disease: A clinical review. J Cardiol. 2021; 78: 51-7.

12) White WB, Saag KG, Becker MA, et al. Cardiovascular safety of febuxostat or allopurinol in patients with gout. N Engl J Med. 2018; 378: 1200-10.

13) Mackenzie IS, Ford I, Nuki G, et al. Long-term cardiovascular safety of febuxostat compared with allopurinol in patients with gout (FAST): a multicentre, prospective, randomised, open-label, non-inferiority trial. Lancet. 2020; 396: 1745-57.

14) Doehner W, Anker SD, Butler J, et al. Uric acid and sodium-glucose cotransporter-2 inhibition with empagliflozin in heart failure with reduced ejection fraction: the EMPEROR-reduced trial. Eur Heart J. 2022; 43: 3435-46.

〈小林雄太〉

アドヒアランスを意識した薬剤使用とポリファーマシー

1 アドヒアランスを意識した薬剤使用

> **Point**
> - 服薬アドヒアランスは心不全の予後を左右する.
> - 患者側, 医療者側の双方の協力によって取り組むべき問題である.
> - 服薬アドヒアランスの問題に気づくこと, そして理由を探ること.
> - できる限りシンプルな処方を心がけることが重要である.

薬物治療は心不全治療の要である. 服薬の自己中断は心不全増悪の主因の1つ[1,2]であり, 服薬管理は心不全セルフケアの基盤をなす. かつて "服薬コンプライアンス" という言葉が使用されていた時代があった. この言葉の背景には, 「医師の指示に患者が従う」という父権主義的な価値観があり, 服薬していないことを患者自身の問題であるかのようなニュアンスで論じられていた. しかし時代は進み, 「患者が積極的に治療方針の決定に参加し, その決定に従って治療を受ける」という意味で, "服薬アドヒアランス" という言葉が使われるようになり, 現在では "エンゲージメント" や "エンパワーメント" といった表現も用いられるようになった[3]. 患者・家族と医療者は心不全治療に共に取り組むパートナーであり, 服薬アドヒアランスは患者だけの責任ではなく, その改善を目指して両者が協力していくことが求められている.

A 心不全患者と服薬アドヒアランス

服薬アドヒアランスの高さは救急外来受診率や入院率の低下, 入院期間の短縮, 全死亡の減少と関連しており[4], 実際, 服薬アドヒアランス改善のための介入を行うと, 心不全患者の再入院率は低下し, 死亡リスクが軽減することが知られている[5]. 一般的には, 服薬アドヒアランスが70～80%あれば "保たれている" と評価されることが多いが, 心不全においては服薬アドヒアランス88%以上が予後改善のカットオフポイントであったという報告もあり[6], より

高い服薬アドヒアランスが求められる.

B 服薬アドヒアランスを高めるためには？

まず処方医が服薬アドヒアランスの問題に気づくことが重要である. 服薬アドヒアランスの代表的な評価方法として，残薬カウントや Morisky Medication Adherence Scales（MMAS-4）[7]（表 1）のような自己評価尺度が知られている. 患者は処方薬をきちんと内服できていないことに罪悪感を持ったり，良い患者であろうとしたりして真実を隠してしまうことが少なくない. 患者を叱責したり非難したりするのは逆効果であり，服薬アドヒアランスについてのサポートが必要な状態ととらえ，非審判的態度でのオープンなコミュニケーションが重要である（例: 私も全部の薬を飲むのは大変なことだと思っています. どれくらいの頻度で飲み忘れが起こりますか？）.

服薬アドヒアランス向上を考える際の最初のステップは，「なぜ患者が内服できないのか？」を知ることである. 服薬アドヒアランス不良の原因は複雑であり[8]，意図的に内服していないというよりも，意図せずして服薬アドヒアランスが低下してしまっていることが多いといわれている[9]. 世界保健機関（WHO）は服薬アドヒアランスに影響を与えるものとして表 2 のような因子を挙げているが，原因は多岐にわたっている. また，過去の報告から，精神心理的要因（特にうつ）が服薬アドヒアランスの低下と関連することが知られており[10]，精神科介入が必要な状況はしっかりと区別する必要がある.

心不全治療における服薬アドヒアランスの向上には主に以下の 3 つが重要である.

①心不全がどのような病気かを理解していること

②心不全治療薬の役割を理解していること

表 1　Morisky Medication Adherence Scales （MMAS-4）

1. 薬を飲み忘れたことがある
2. 薬を飲むことに関して無頓着である
3. 調子が良いと薬を飲むのをやめる
4. 体調が悪くなると薬を飲むのをやめる

それぞれ「はい（1 点）」「いいえ（0 点）」の 2 段階で評価し，合計点（0〜4 点）を算出する

表2 服薬アドヒアランスを左右する因子

社会・経済的要因（Social and economic factors）
治療費の問題，経済的困窮
取り巻く社会環境（介護環境，地域の医療資源など）
医療チーム・システム関連要因（Health care team and system-related factors）
医療システム自体の問題（医療機関へのアクセスなど）
患者-医療者間の関係性
定期的なフォローアップの状況
複数の医療機関への受診
症状関連要因（Condition-related factors）
疾患の特徴
重症度
急性疾患か慢性疾患か
治療関連要因（Therapy-related factors）
内服薬の多さ
内服方法の複雑さ
内服薬の副作用
患者関連要因（Patient-related factors）
治療に対する患者の理解度
認知機能低下の有無
ヘルスリテラシーの高さ
セルフケアに対するモチベーション
社会支援の状況

WHO. Adherence to Long-Term Therapies-Evidence for Action, http://apps.who.int/medicinedocs/pdf/s4883e/s4883e.pdf を参考に作成

③内服薬が管理しやすいこと

　冠動脈疾患の予防的治療に関する研究ではあるが，一次予防（心筋梗塞の既往なし）よりも二次予防（心筋梗塞の既往あり）の方が，服薬アドヒアランスが良好な傾向にあった[11]．このことから，過去の心血管イベントは治療への関心を高め，一方で治療の実感がないことは服薬アドヒアランスを損なっている可能性が示唆されている．心不全の"時間軸"の中で，ステージや症状によって服薬アドヒアランスが変動しうることを認識し，心不全患者教育に反映させる必要がある．

C 内服薬の管理のしやすさを目指す

1 服薬法の簡便化

　服薬数，服薬日数，服薬タイミングのいずれも1日1回の内服が最もアドヒアランスに優れており[12]，1日の内服回数が増えれば増えるほど服薬アドヒアランスが低下する[13]．医師は100%内服していることを前提として，様々なさじ加減で分割処方を行っていると考えられるが，そもそも内服薬をきちんと服用していなければ意味がない．可能な限り1日1回の内服にまとめることは，服薬アドヒアランスの向上につながる．その1回についても，本人や介護者の生活スタイルを確認し，飲みやすい時間への配慮を心がけた方がよいだろう．また，分割投与せざるを得ない場合でも，食前，食直後，食後30分などの服薬方法の混在をできる限り避けることも必要である．

2 薬剤数を減らす

　詳細はポリファーマシーの項で別途述べるが，合剤の使用は服薬薬剤数の減少に有効であり，合剤にすることで服薬アドヒアランスが向上することが示されている[14,15]．また，その効果は併用薬の数が多いほど大きい[16]．単剤同士の組み合わせよりも薬価が安くなることも服薬アドヒアランスの改善に寄与するであろう．ただし，細かい用量調整のできない合剤への移行はあくまで安定期に行うものである．急性期や安全域が狭い低心機能症例などの場合は，心不全のキードラッグ中心に忍容性や必要量を慎重に判断し，単剤で微調整する必要があるだろう．

3 その他

　薬剤師や家族・介護スタッフと連携し，一包化調剤や服薬カレンダーを導入することも服薬アドヒアランスの向上に有用である．また，高齢者の"飲み込めない"という問題は過小評価されがちであり，嚥下障害があると直径11 mmを超える薬剤の内服は困難になる[17]と言われている．そのような患者では剤形の工夫（OD錠やテープ剤などの選択）に配慮することも必要である．また，できる限りかかりつけ医による処方の一元管理を目指し，もしそれが難しければせめて調剤薬局を一本化することが，継続的な服薬指導や残薬確認，薬に関

する相談の窓口を作るうえで重要である．最近ではスマートフォンのアプリケーションなどのデジタルヘルス技術を用いた介入による服薬アドヒアランスの向上効果も注目されている[18,19]．

■文献

1) Tsuchihashi M, Tsutsui H, Kodama K, et al. Medical and socioenvironmental predictors of hospital readmission in patients with congestive heart failure. Am Heart J. 2001; 142: E7.
2) Wu J-R, Moser DK. Medication adherence mediates the relationship between heart failure symptoms and cardiac event-free survival in patients with heart failure. J Cardiovasc Nurs. 2018; 33: 40-6.
3) Fumagalli LP, Radaelli G, Lettieri E, et al. Patient empowerment and its neighbours: clarifying the boundaries and their mutual relationships. Health Policy. 2015; 119: 384-94.
4) Hood SR, Giazzon AJ, Seamon G, et al. Association between medication adherence and the outcomes of heart failure. Pharmacotherapy. 2018; 38: 539-45.
5) Ruppar TM, Cooper PS, Mehr DR, et al. Medication adherence interventions improve heart failure mortality and readmission rates: Systematic review and meta-analysis of controlled trials. J Am Heart Assoc. 2016; 5 (6). pii: e002606.
6) Wu JR, Moser DK, De Jong MJ, et al. Defining an evidence-based cutpoint for medication adherence in heart failure. Am Heart J. 2009; 157: 285-91.
7) Morisky DE, Green LW, Levine DM. Concurrent and predictive validity of a self-reported measure of medication adherence. Med Care. 1986; 24: 67-74.
8) Dolansky MA, Hawkins MA, Schaefer JT, et al. Association between poorer cognitive function and reduced objectively monitored medication adherence in patients with heart failure. Circ Heart Fail. 2016; 9: e002475.
9) Riegel B, Dickson VV. A qualitative secondary data analysis of intentional and unintentional medication nonadherence in adults with chronic heart failure. Heart Lung. 2016; 45: 468-74.
10) Osterberg L, Blaschke T. Adherence to medication. N Engl J Med. 2005; 353: 487-97.
11) Naderi SH, Bestwick JP, Wald DS. Adherence to drugs that prevent cardiovascular disease: meta-analysis on 376,162 patients. Am J Med. 2012; 125: 882-7. e1.
12) Coleman CI, Roberts MS, Sobieraj DM, et al. Effect of dosing frequency on chronic cardiovascular disease medication adherence. Curr Med Res Opin. 2012; 28: 669-80.
13) Claxton AJ, Cramer J, Pierce C. A systematic review of the associations between dose regimens and medication compliance. Clin Ther. 2001; 23: 1296-310.
14) Bangalore S, Kamalakkannan G, Parkar S, et al. Fixed-dose combinations improve medication compliance: a meta-analysis. Am J Med. 2007; 120: 713-9.
15) Thom S, Poulter N, Field J, et al. Effects of a fixed-dose combination strategy on adherence and risk factors in patients with or at high risk of CVD: the UMPIRE

randomized clinical trial. JAMA. 2013; 310: 918-29.

16) Gerbino PP, Shoheiber O. Adherence patterns among patients treated with fixed-dose combination versus separate antihypertensive agents. Am J Health Syst Pharm. 2007; 64: 1279-83.

17) Liu F, Ghaffur A, Bains J, et al. Acceptability of oral solid medicines in older adults with and without dysphagia: A nested pilot validation questionnaire based observational study. Int J Pharm. 2016; 512: 374-81.

18) Gray R, Indraratna P, Lovell N, et al. Digital health technology in the prevention of heart failure and coronary artery disease. Cardiovasc Digit Health J. 2022; 3 (6 Suppl): S9-16.

19) Farwati M, Riaz H, Tang WHW. Digital health applications in heart failure: a critical appraisal of literature. Curr Treat Options Cardiovasc Med. 2021; 23: 12.

〈柴田龍宏〉

２ ポリファーマシー

Point

- ポリファーマシーの問題点は薬物有害事象の増加，不適切処方の増加，アンダーユーズの増加である.
- 新たな心不全薬の出現により心不全患者のポリファーマシーの頻度は増加している.
- 疾患予防を目標とする薬剤の減薬に関しては，必要に応じ Time to Benefit（TTB）と生命予後を考慮してメリット・デメリットを議論する.
- ポリファーマシーに至る個々の状況に応じて，多職種で連携して処方を最適化するというプロセスが重要である.

A　ポリファーマシーの定義とその問題点

　心不全の外来診療において，「先生この薬，一生続けるんですか？」と質問された経験はないだろうか．本書の示す通り，心不全患者では循環器疾患だけでも多くの薬剤が必要となり，さらに高齢者では併存症により複数の診療科を受診し，結果として多剤内服が起こる．心不全の患者の平均年齢が上昇し，その70%が 65 歳以上の高齢者であり現在の日本[1]おいて，ポリファーマシー（polypharmacy）は目を背けることのできない問題である.

　ポリファーマシーとは多く（poly-）の薬剤（pharmacy）という意味の造語で，何剤からポリファーマシーと呼ぶかという厳密な定義はない．75 歳以上の高齢者の 45% が 5 種類以上の薬剤を服用中であるとの報告や[2]，65 歳以上の高齢者の 50〜70% が 5 種類以上の薬剤を服用中であるとの報告がある[3]．

　日本でも，薬物有害事象は服用薬剤数が増えるほど増加し，6 種類以上はリスクが増加するという報告がある[4]．様々な研究から 5〜6 種類以上の薬剤がポリファーマシーの目安と考えられ，海外では 5 種類以上を polypharmacy と定義する研究が多い.

　ではポリファーマシーは何が問題なのか？　ポリファーマシーの問題点として，薬物有害事象（ADEs: adverse drug events）の増加，潜在的に不適切な処方（PIMs: potentially inappropriate medications）の増加，アンダーユーズの増加があげられる．6 剤以上の多剤併用患者では ADEs の頻度が 2 倍以上増加するという報告もあり，また ADEs の原因薬剤の 67% がワルファリン，インスリン，抗血小板薬，経口血糖降下薬である[5]という報告があり，循環器科の処方と密接に関連していると言える．潜在的に不適切な処方（PIMs）とはまだ有害な事象を引き起こしていないものの，処方継続により今後有害事象を起こす可能性が高いものを指し，アンダーユーズとは開始を考慮すべきなのに使用していない薬剤を指す．これらを検出するツールとして，欧米では Beers criteria，STOPP criteria，START criteria が使用されており，日本でも高齢者の安全な薬物療法ガイドライン 2015 が使用されている.

B　心不全におけるポリファーマシーの実態とその介入法

　ARNI や SGLT2 阻害薬など新たな心不全薬の出現により，心不全と診断されるとガイドラインに基づく治療（GDMT）により多くの薬剤が導入される．最適な GDMT の処方により死亡や心不全入院など多くの心血管イベントを防ぐことができる一方で，米国高齢の心不全患者の多くは退院時に 10 種類以上の薬を処方されていると報告されており，この割合は 2003〜2006 年の 41% から 2011〜2014 年の 68% に増加している[6]．

　日本でもポリファーマシー対策として，段階的に処方の総合的な評価および内容を変更し療養上必要な患者指導を行う取り組みを行うと「薬剤総合評価調整加算」（退院時 1 回 100 点），さらに退院時に処方する内服薬が 2 種類以上減

少した場合に「薬剤調整加算」（150 点）が算定されている[7]．日本では患者が疾患ごとに大学病院などの専門診療科をかけ持ちすることも多く，全体の処方内容すら把握が困難なことも多い．そのような患者の病態が安定した時点で一般内科医に紹介されることが多いが，専門医から引き受けた処方を一般内科医が内服薬を中止するという判断は容易ではない．心不全の緊急入院時などは処方が入院診療科に一元化されるため，処方実態を把握しやすく介入しやすいタイミングと言える．

では実際にポリファーマシーに対していかに介入するか．ポリファーマシーに対する減薬方法として Scott らが提唱するプロトコール[8]は心不全診療においても有用と言える．

1. 患者が現在服用しているすべての薬剤とその理由を確認する．
2. 個々の患者における薬剤による有害事象のリスクを総合的に考える．
3. 各薬剤について現在および将来のリスク・ベネフィットを勘案して，服薬を中止することが患者に適しているかを評価する．
4. 中止する薬に優先順位をつける．
5. 薬を中止した後も，患者を注意深く観察する．

特に 3. の各薬剤を中止することが患者に適しているかどうかは，実際には以下の点に注意しながら判断する．

まずは処方カスケードという，薬剤の有害事象に対して別の処方がなされ，さらに有害事象が次の処方に繋がるという悪循環に至っていないか，注意する．具体的には，心不全治療のサイアザイド系利尿薬による高尿酸血症に対する尿酸降下薬の追加など，処方カスケードを防ぐためには新たに出現した身体徴候が薬物有害事象でないか，疑う必要がある．次に症状に対する対症療法としての処方の場合，症状改善後も漫然と処方されていないか確認し，不要なものは中止を検討する．最後に疾患予防を目標とする薬剤に関しては，必要に応じ Time to Benefit（TTB）と生命予後を考慮して薬剤の継続服用時および中止時のメリットとデメリットについてチームで議論する必要がある．

TTB とは，予防的治療による効果が得られるまでの時間であり，例えば，スタチン系薬剤による一次予防の TTB は 2〜5 年であり，心血管予防のためのアスピリンの TTB は 10 年などの報告がある[9]．TTB が生命予後より長い場合は，予防的治療による効果を得られない可能性が高く，逆に生命予後より短い場合は予防的治療の意義が大きくなる．一方で，心不全では身体機能の増悪と

寛解を繰り返しながら病気が進行するため，生命予後の予測が難しく，その判断も難しい可能性もある.

　ポリファーマシーに対する減薬介入は予後改善につながるのか．STOPP/START criteriaで処方整理を行った研究のシステマティックレビューでは，転倒やせん妄，入院期間，薬剤費の減少を認めたが，QOLや死亡率は改善しなかった[10]．また別の研究では多職種連携による服薬調整が処方数や不適切処方を減らすが，死亡率やQOLは改善しなかった[11]．患者の処方がポリファーマシーに至るまでには様々な紆余曲折があると推測され，その背景を理解せずに介入することが必ずしも予後改善に寄与するとは言えない．問題の本質は薬剤が多いことではなく，個々の薬剤，個々の状況ごとの判断であり，患者を中心として多職種で連携して処方を最適化するというプロセスが重要である.

■文献

1) Tsutsui H, Tsuchihashi-Makaya M, Kinugawa S, et al. Clinical characteristics and outcome of hospitalized patients with heart failure in Japan: rationale and design of Japanese Cardiac Registry of Heart Failure in Cardiology (JCARE-CARD). Circ J. 2006; 70: 1617-23.
2) Banerjee A, Mbamalu D, Ebrahimi S, et al. The prevalence of polypharmacy in elderly attenders to an emergency department-a problem with a need for an effective solution. Int J Emerg Med. 2011; 4: 22.
3) Nobili A, Licata G, Salemo F, et al. Polypharmacy, length of hospital stay, and in-hospital mortality among elderly patients in internal medicine wards. The REPOSI study. Eur J Clin Pharmacol. 2011; 67: 507-19.
4) Kojima T, Akishita M, Kameyama Y, et al. High risk of adverse drug reactions in elderly patients taking six or more drugs: analysis of inpatient database. Geritar Gerontol Int. 2012; 12: 761-2.
5) Budnitz DS, Lovegrove MC, Shehab N, et al. Emergency hospitalizations for adverse drug events in older Americans. N Engl J Med. 2011; 365: 2002-12.
6) Unlu O, Levitan EB, Reshetnyak E, et al. Polypharmacy in older adults hospitalized for heart failure. Circ Heart Fail. 2020; 13: e006977
7) 厚生労働省. 診療報酬の算定方法の一部を改正する件. 令和2年告示第57号第2章医学管理.
8) Scott IA, Hilmer SN, Martin JH, et al. Reducing inappropriate polypharmacy: the process of deprescribing. JAMA Intern Med. 2015; 175: 827-34.
9) Lee SJ, Kim CM. Individualizing prevention for older adults. J Am Geriatr Soc. 2018; 66, 229-34.
10) Hill-Taylor B, Walsh KA, Stewart S, et al. Effectiveness of the STOPP/START cri-

teria: systematic review and meta-analysis of randomized controlled studies. J Clin Pharm There. 2016; 41: 158-69.

11）Aldred DP, Kennedy MC, Hughes C, et al. Interventions to optimize prescribing for older people in care homes. Cochrane Database Syst Rev. 2016; 2: CD009095.

〈齋藤秀輝〉

Chapter 14 麻薬，鎮静薬の考え方，使い方と心不全緩和ケア

Point

- 医療用麻薬は心不全の呼吸困難に一定の有効性と安全性が示唆されているが，投与法や副作用についての知識が求められる.
- 鎮静薬は末期心不全の緩和的鎮静で使用し得るが，開始前に妥当性を多職種で検討することが重要である.
- 麻薬や鎮静薬を検討するにあたり，適切な心不全治療がなされているかについても見直すことが大事である.
- 心不全診療にあたる際に，緩和ケアの概念やスキルを身に着けておくことが望まれる.

　心不全患者は，呼吸困難や全身倦怠感などの様々な苦痛を経験する[1]．特に末期心不全に対しては，適切な心不全治療にも抵抗性の呼吸困難にはモルヒネなどの医療用麻薬，耐えがたい苦痛が存在する場合には妥当性を判断したうえで緩和的鎮静薬の使用を検討することが選択肢となる．本稿では，心不全患者に対する医療用麻薬と鎮静薬の考え方，使い方について概説する．また，それらを検討するにあたり，緩和ケアの概念についても触れたい.

A 心不全における医療用麻薬の考え方，使い方

1 "急性心不全" への医療用麻薬の考え方，使い方

　多くの急性心不全患者は肺水腫による呼吸困難を伴い，それらに対して医療用麻薬，特にモルヒネ投与が1つの選択肢である．病態生理学的には，モルヒネは前負荷および後負荷を下げ，肺うっ血を軽減させ得る．急性心不全へのモルヒネの使い方については，本邦のJCS/JHFSガイドラインではモルヒネ塩酸塩5～10 mgを希釈して2～5 mgを3分かけて静注する方法が提示されている[2].

　一方で麻薬の使用は，過度な血管拡張や呼吸抑制の懸念もあり，使用には注意を要する．後向き研究で因果の断定は困難だが，急性期の麻薬の使用は入院

期間の延長や予後悪化と関連するとの報告も存在する[3]．実際に，ヨーロッパの ESC ガイドラインでは急性心不全患者へのルーチンの麻薬使用はクラスⅢ（推奨しない）であり，重度の苦痛や不安があるような限定的な場合にのみ使用を考慮となっている[4]．

2 "末期心不全" への医療用麻薬の考え方，使い方

a. 考え方とエビデンス

　末期心不全患者において呼吸困難は最も頻度の高い症状である[5]．心不全の病状悪化に伴うものが主体となるが，他の要因で出現することもあるため，併存疾患の評価や，心理社会的苦痛を含む包括的評価を行う必要がある．次に，心不全の病態に合わせて，薬物治療や非薬物治療が適切かについて改めて見直すことが重要である．ポジショニング，顔面への冷気送風，環境調整，呼吸訓練と有酸素運動，心理的介入などの非薬物療法も検討の余地がある．そして，必要な薬物治療・非薬物治療を十分に検討しつつ，それらに抵抗性の呼吸困難の場合，モルヒネなどの医療用麻薬の適応と考えられる．

　末期心不全への麻薬のエビデンスは限定的であるが，筆者らは入院中のStage D 心不全患者 43 名に対するモルヒネの使用に関して，単施設後向き実態調査を行った[6]．本実態調査では，血圧や脈拍はモルヒネ投与後に有意な変化はなかった．定量的な症状評価が行われたのは 8 例のみであったが，そのなかでは有意な呼吸困難症状の改善があった[6]．呼吸困難を呈する，心不全 10 名を含む非がんの終末期患者 13 名に医療用麻薬を使用した別の後向き研究でも，麻薬投与後に他覚的に評価した呼吸困難症状の低下があり，重篤な副作用はなかったと報告されている[7]．いずれも後向きの検討であり，今後は前向きデータの蓄積が必要だと思われるが，本稿執筆時点では末期心不全へのモルヒネ投与は，一定の有効性と安全性があることが示唆されている．

b. 使い方

　末期心不全の呼吸困難に対する医療用麻薬の使い方についてはデータが乏しく，本邦や海外の心不全ガイドラインで使用法は明記されていない[2,4]．がん患者の呼吸器症状の緩和に関するガイドラインによると，モルヒネであれば，10〜20 mg/日の内服か，5〜10 mg/日の皮下注または静注を標準的な処方例としている[8]．非がん性呼吸器疾患緩和ケア指針では，呼吸困難に対してはモル

表1　本邦の保険適応を考慮したオピオイド使用

一般名	用量	備考
コデインリン酸塩*¹	10 mg/回　頓用 もしくは 1 日 3 回使用	処方量によっては麻薬扱い
経口モルヒネ塩酸塩*²	2.5 mg/回　頓用 もしくは 1 日 4 回使用	腎障害時は半量より開始
モルヒネ塩酸塩注*²	5〜10 mg/日 持続静注/皮下注投与	腎障害時は半量より開始 高度腎障害時は 1/4 量も検討

*¹呼吸器疾患に伴う鎮咳は保険適応だが，心不全では保険適応はない．
*²心不全では保険適応はないが，激しい咳嗽の症状に対して使用可能．
　本邦で使用可能な経口モルヒネ塩酸塩は 10 mg 錠であり，粉末での使用を要する．

ヒネ 10 mg/日以下の内服か，0.25 mg/h（6 mg/日）の注射から開始すること
が記載されている．

　末期心不全に対しては，ヨーロッパの緩和ケアの提言では，経口モルヒネ 10
mg/日から開始と記載されている[9]．今後，末期心不全の呼吸困難に対するモ
ルヒネの使用方法についてはさらなる検討が必要と思われるが，現時点でのモ
ルヒネの使い方としては，静注や皮下注であれば 5〜10 mg/日，内服であれば
10〜20 mg/日の定期内服か，2.5〜5 mg の頓用で開始するのが妥当と思われる．
循環器疾患における緩和ケアについての提言を参考に，具体的に本邦で使用可
能な医療用麻薬と開始時の投与方法について，表 1 にまとめる[10]．

　表 1 に記載の薬剤以外に，オキシコドンやヒドロモルフォンも末期心不全へ
の呼吸困難に対して有効であったとの症例報告があるが[11]，本稿執筆時点の本
邦においては保険適応外の使用になることに注意を要する．

c. 副作用とその対策

　医療用麻薬の使用に当たっては，副作用のモニタリングと必要に応じた対処
が重要である．表 2 にオピオイド投与に伴う副作用と対処法についてまとめ
る[10]．自覚症状の程度と副作用を評価しながら適宜麻薬の用量調整を行うこと
になるが，呼吸困難を完全に消失することを目標にするのではなく，症状が改
善し，食事，会話や排泄などの軽労作の際に呼吸困難が出現せず QOL が維持
できるのであれば十分であると考えるのも副作用軽減の点からは重要なのかも
しれない．

表2　オピオイド使用の副作用対策

症状	対処法
悪心	体動時→ジフェンヒドラミン 1 回 1 錠 1 日 3 回 食後→メトクロプラミド（プリンペラン®）5〜10 mg 1 日 3 回 1 日中→ハロペリドール（セレネース®）0.75〜1 mg 1 日 1 回眠前
便秘	酸化マグネシウム 1.5〜3 g, ラクツロース 30〜60 mL センノシド（プルゼニド®）1〜4 錠, ピコスルファートナトリウム 3〜30 滴
眠気	数日以内に自然軽減 オピオイド以外の原因（制吐薬, 向精神薬, 低酸素血症）探索と治療
せん妄	オピオイド以外の原因探索と治療 向精神薬〔ハロペリドール（セレネース®）など〕の投与
不随意運動	ジアゼパム（セルシン®, ホリゾン®）, ミダゾラム（ドルミカム®）5 mg ロラゼパム（ワイパックス®）0.5 mg
痛覚過敏	アセトアミノフェン（カロナール®） ガバペンチン（ガバペン®）
呼吸抑制	オピオイド減量・中止, ナロキソン（オピオイド拮抗薬）投与

（日本医師会, 監修. 新版がん緩和ケアガイドブック. 2017, Twycross R, 著. 武田文和, 監訳. トワイクロス先生のがん緩和ケア処方薬. 2013 より改変）

　腎機能障害例では, モルヒネやその代謝産物の蓄積により副作用の発現リスクが高くなるため, 半量や 1/4 量に減量するなど注意して使用することが必要である[12]. 実際に, 末期心不全へのモルヒネ使用における副作用を検討した単施設の後向き研究でも, eGFR<32 mL/min/1.73 m^2 は副作用の発現と有意に関連していたと報告されており[13], 腎機能障害を有する患者へのモルヒネ使用にあたっては, より慎重な投与が望まれるだろう.

Ｂ 心不全患者における鎮静薬の考え方, 使い方

1 "急性心不全"への鎮静薬の考え方, 使い方

　急性心不全治療中に, 挿管管理や非侵襲的陽圧換気療法（NPPV）を使用する際, 鎮静薬の投与が必要となる場合がある. 一般的に使用される注射薬剤として, ミダゾラム, デクスメデトミジン, プロポフォールがあげられる. 急性心不全患者に限定した鎮静薬の比較研究は乏しいが, 敗血症で挿管中の患者に対する鎮静薬の比較試験では, 特定の薬剤が他より有効ということはないよう

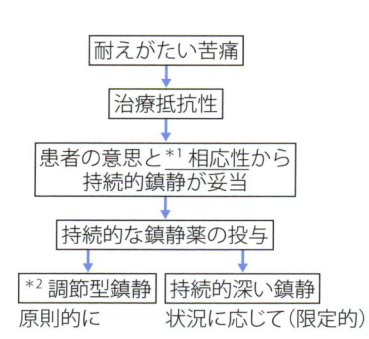

図1 治療抵抗性の耐え難い苦痛に対しての鎮静薬の投与（palliative sedation）
（文献 10 より作成）

であり[14]，各薬剤の特性や鎮静の目標に応じて使い分けることが必要と筆者は考えている．ミダゾラムは腎代謝であり，腎障害患者において蓄積する可能性があること，デクスメデトミジンは使用に伴う呼吸抑制が少なく，一方で徐脈をきたすリスクが高いこと，深い鎮静レベルの維持は一般的に難しいことが特徴としてあげられる．

2 "末期心不全"への鎮静薬の考え方，使い方

a. 考え方と妥当性の判断

　末期心不全患者が，治療抵抗性の倦怠感や苦痛を訴えることは日常臨床でもしばしば経験する．この場合にも，心不全に対する薬物治療・非薬物治療が適切かを改めて検討する．加えて，改善可能な倦怠感の誘因（貧血，感染，抑うつなど）がないかも検討する．それらを行った上でも耐え難い苦痛が残存する場合には，鎮静薬が1つの選択肢であり，緩和的鎮静（palliative sedation）と呼ばれる．緩和的鎮静は基本的には退院を前提にしておらず，多職種での慎重かつ十分な適応検討が必要である．図1に治療抵抗性の耐え難い苦痛に対する鎮静薬の投与フローを示す[10]．緩和医療学会の「苦痛緩和のための鎮静に関するガイドライン」も参考にすると，①耐えがたい倦怠感や苦痛があること，②治療抵抗性であること，③全身状態・生命予後が評価され，限定的であること，④患者や家族が鎮静の負の側面（生命予後が短縮し得る可能性，コミュニケーションが取れなくなる可能性）を理解していること，を多職種で検討する必要があると筆者は考えている．

b. 使い方

　末期心不全患者において緩和的鎮静に用いる薬剤に関しては，急性心不全と同様にデータが乏しい領域である．本邦の JCS/JHFS ガイドラインでは，引用文献がないなかでミダゾラムが第 1 選択と記載されている[2]．一方で，心不全緩和ケアに関する全国実態調査では，鎮静薬としてデクスメデトミジンが最も用いられている薬剤であった[15]．筆者らが終末期心不全患者に対する緩和的鎮静薬の使用実態を調査した単施設後向き研究の結果では，デクスメデトミジン，ミダゾラムのいずれも過度の血圧低下や脈拍低下をきたすことなく鎮静が得られており，緩和的鎮静に一定の役割があることが示唆されている[16]．使い方としては，デクスメデトミジンであれば 200 μg/50 mL を 2 mL/h で開始，ミダゾラムであれば20 mg/50 mL を 2 mL/h で開始する方法が例としてあげられる．患者ごとに目標となる鎮静深度を Richmond Agitation-Sedation Scale（RASS）で評価し，用量を調整することが望まれる．

C 心不全患者に対する緩和ケア

　本稿で概説した医療用麻薬や鎮静薬を，特に末期心不全患者に使用するに当たり，緩和ケアの概念を最後に押さえておきたい．心不全患者は，呼吸困難や倦怠感だけではなく，様々な全人的苦痛と呼ばれる，身体的・精神的・心理社会的苦痛を有している[1,17]．緩和ケアは，それらの問題を評価し対応することで患者とその家族の QOL を向上させるアプローチである．つまり，麻薬や鎮静薬を使用することだけが緩和ケアではなく，身体症状の緩和に加えて心理的サポートや社会支援なども緩和ケアの一部であり，それらは心不全の経過に合わせて提供されるべきものである[2,10]．

　現在高齢化に伴って，心不全患者の有病率は増加の一途を辿り，心不全緩和ケアの需要が着実に増加している．そのなかで，基本的な心不全緩和ケアは循環器内科医が診療の場で実践する必要がある．日本循環器学会と日本心不全学会から循環器疾患における緩和ケアについての提言が出され[10]，心不全緩和ケアにおいて望まれる指標も複数提案されている[18,19]．また，基本的心不全緩和ケアのスキルを学ぶトレーニングコースが開発され，その有効性が実証されている[20]．データが乏しかった領域である心不全緩和ケアにも，徐々にエビデンスが蓄積され，学ぶ場が広がってきている．

　緩和ケアの本質は，患者のゴール設定とゴール実現の過程における苦痛への

対処と支援であると考えられる．その意味では，循環器内科医の一人一人が，基本的な緩和ケアのスキルを身に着けるのが望まれると筆者は考えている．それが実現したときに，前版で問われた，「緩和ケアが心不全診療に内包される時代」を迎えることができるのではないだろうか？

■文献

1) Hamatani Y, Iguchi M, Ikeyama Y, et al. Comprehensive symptom assessment using Integrated Palliative care Outcome Scale in hospitalized heart failure patients. ESC Heart Fail. 2022; 9: 1963-75.
2) Tsutsui H, Isobe M, Ito H, et al. JCS 2017/JHFS 2017 Guideline on Diagnosis and Treatment of Acute and Chronic Heart Failure—Digest Version. Circ J. 2019; 83: 2084-184.
3) Pratama NR, Anastasia ES, Wardhani NP, et al. Clinical outcomes of opioid administration in acute and chronic heart failure: A meta-analysis. Diabetes Metab Syndr. 2022; 16: 102636.
4) McDonagh TA, Metra M, Adamo M, et al. 2021 ESC Guidelines for the diagnosis and treatment of acute and chronic heart failure. Eur Heart J. 2021; 42: 3599-726.
5) Nordgren L, Sörensen S. Symptoms experienced in the last six months of life in patients with end-stage heart failure. Eur J Cardiovasc Nurs. 2003; 2: 213-7.
6) Kawaguchi J, Hamatani Y, Hirayama A, et al. Experience of morphine therapy for refractory dyspnea as palliative care in advanced heart failure patients. J Cardiol. 2020; 75: 682-8.
7) Murakami M. Opioids for relief of dyspnea immediately before death in patients with noncancer disease: A case series study. Am J Hosp Palliat Care. 2019; 36: 734-9.
8) Yamaguchi T, Goya S, Kohara H, et al. Treatment recommendations for respiratory symptoms in cancer patients: Clinical Guidelines from the Japanese Society for Palliative Medicine. J Palliat Med. 2016; 19: 925-35.
9) Sobanski PZ, Alt-Epping B, Currow DC, et al. Palliative care for people living with heart failure: European Association for Palliative Care Task Force expert position statement. Cardiovasc Res. 2020; 116: 12-27.
10) Anzai T, Sato T, Fukumoto Y, et al. JCS/JHFS 2021 Statement on Palliative Care in Cardiovascular Diseases. Circ J. 2021; 85: 695-757.
11) Tanaka M, Maeba H, Senoo T, et al. Efficacy of oxycodone for dyspnea in end-stage heart failure with renal insufficiency. Intern Med. 2018; 57: 53-7.
12) Ohmori T, Mizuno A, Kawai F, et al. Morphine use for heart failure patients with renal insufficiency. J Palliat Med. 2019; 22: 617-8.
13) Gotou M, Suzuki A, Shiga T, et al. Adverse drug reactions in Japanese patients with end-stage heart failure receiving continuous morphine infusion: A single-center retrospective cohort study. Drugs Real World Outcomes. 2022; 9: 1-8.
14) Hughes CG, Mailloux PT, Devlin JW, et al. Dexmedetomidine or propofol for sedation

in mechanically ventilated adults with sepsis. N Engl J Med. 2021; 384: 1424-36.

15) Kuragaichi T, Kurozumi Y, Ohishi S, et al. Nationwide survey of palliative care for patients with heart failure in Japan. Circ J. 2018; 82: 1336-43.

16) Hamatani Y, Nakai E, Nakamura E, et al. Survey of palliative sedation at end of life in terminally ill heart failure patients—A single-center experience of 5-year follow-up. Circ J. 2019; 83: 1607-11.

17) Hamatani Y, Iguchi M, Ikeyama Y, et al. Prevalence, temporal change, and determinants of anxiety and depression in hospitalized patients with heart failure. J Card Fail. 2022; 28: 181-90.

18) Mizuno A, Miyashita M, Kohno T, et al. Quality indicators of palliative care for acute cardiovascular diseases. J Cardiol. 2020; 76: 177-83.

19) Hamatani Y, Takada Y, Miyamoto Y, et al. Development and practical test of quality indicators for palliative care in patients with chronic heart failure. Circ J. 2020; 84: 584-91.

20) Shibata T, Oishi S, Mizuno A, et al. Evaluation of the effectiveness of the physician education program on primary palliative care in heart failure. PLoSOne. 2022; 17: e0263523.

〈濱谷康弘　大石醒悟〉

Chapter 15 成人先天性心疾患患者の心不全

Point

- 成人先天性心疾患は出生時から構造異常を伴う状態であり，心不全リスクが長期にわたり持続する．
- 成人先天性心疾患における心不全は右心不全が多い．
- 成人先天性心疾患合併心不全における薬物療法のエビデンスは限定的であるが，病態に応じてリスク・ベネフィットを勘案して，使用を検討する．

A 成人先天性心疾患患者の心不全とその特徴

先天性心疾患は，成人となっても経過フォローや治療が必要なことが少なくない．外科治療の発達と内科管理の向上により，現在，先天性心疾患のうち90％以上が成人期を迎えることが可能となり，わが国でも，すでに45万人以上の成人先天性心疾患（ACHD）患者がいる．その数は年々増加しており，そのうち綿密な経過観察が必要とされる中等度以上の患者は，全体の32％を占めている[1]．

心不全のステージ分類を考慮すると，ACHD患者では術前，術後にかかわらず多くの患者が出生時から構造異常を伴っており，stage Bに相当する状態にある[2]．この心不全リスクが長期にわたり持続する病態であるという点を認識しておくことは，ACHDの診療において重要である．そのため，運動耐容能の低下に慣れて症状の訴えが少ないことから，本人および医療者が病態を過小評価することが多い[3]．また，ACHDにおいてはBNP値の明確なカットオフ値を設定することが困難で，心不全の診断が難しい．早期の，心不全症状が出現する前からの治療介入に関して，ACHD領域では十分な根拠のある治療法が少ないため成人心疾患と同様に考えるわけにはいかないが，構造異常への外科的介入はstage Cの治療であるのみならず，stage Bの治療でも考慮されうる治療である点に注意が必要である．

心不全が進行したstage DにおいてもACHD特有の問題がある．ACHD患

者は幼少期から生涯にわたって慢性疾患を抱えて過ごし，重症例は若年で死亡することもあるため，意思決定における両親の意向が強い[4]．また，疾患ごとの個別性が強く正確な生命予後の予測が難しいため，人生最期の入院中に積極的治療を受けていることが多いという特徴がある[5]．ACHD 患者は Advance Care Planning（ACP）に強い関心を示している一方で，実際に ACP が行われた患者はごくわずかであったという報告もある[6]．ACHD 患者の stage B から stage C，stage D まで生涯を通じて支える枠組み作りが急務であるといわれている．

B 心不全をきたす主な先天性疾患とそのポイント

ACHD における心不全の特徴として右心不全が多いことがあげられる．表1 に右心不全になりやすい主な ACHD をあげる．Fallot 四徴症は最も頻度の高い複雑性心疾患で，大動脈弁が心室中隔に騎乗することにより心室中隔欠損症（VSD）と右室流出路の低形成，それに伴う右室肥大をきたす．心内修復術は VSD の閉鎖と右室流出路の狭窄の解除であり，多くの術後患者は正常心と同様の二心室循環であるが，遠隔期に肺動脈弁閉鎖不全などによる右心拡大が知られており，手術やカテーテルでの弁置換術を必要とする場合が多い．体循環右室疾患では，経年的に三尖弁閉鎖不全が増悪し，右室機能の低下が進行する．Fontan 循環では慢性的な体うっ血を伴う前負荷依存の循環動態であることから，様々な特有の合併症をきたす．欠損孔の大きい心房中隔欠損症でも，右心系の容量負荷をきたし，右心不全が問題となる．

また残存シャントがある場合，チアノーゼを伴う ACHD も多い．チアノーゼ性心疾患では組織における酸素飽和度および酸素運搬能が低下しているため，ヘモグロビン値は酸素飽和度に適合した高めの値で推移することが多い．酸素

表1 ACHD にみられる主な右心不全と血行動態

①心房中隔欠損症
②Fallot 四徴症
③Ebstein 病
④右室流出路狭窄
⑤体循環心室が右室である患者
　　（完全大血管転位心房位転換術後，修正大血管転位）
⑥Fontan 循環

飽和度 85%の患者の Hb 値は 20 g/dL 以上必要であり，鉄欠乏性貧血を誤診する可能性があり注意が必要である．

C ACHD 合併心不全における薬物療法の立ち位置とその考え方

　ACHD を対象にした RAS 阻害薬のエビデンスを**表2**に示す．ランダム化比較試験では有意差が出ないものが多いが，体心室右室症例への投与で線維化を抑制するという報告もある．容量負荷を示す疾患など RAS 阻害薬の血管拡張作用が有用な症例も多い一方で，心房の拡張性が悪い病態や restrictive physiology を呈する病態（拡張末期に右室圧が肺動脈圧より高い右室拘束性循環動態）では逆効果の可能性もあり，症例を慎重に選ぶ必要がある[7]．

　β 遮断薬に関してのエビデンスを**表3**に示す．ACHD 症例では前述のごとく

表2 ACHD における RAS 阻害薬のエビデンス

研究	対象	介入薬剤	研究デザイン	n数	治療期間	結果
Am J Cardiol 2001 (Lester, et al)	体循環右室	ロサルタン	前向き	7	2カ月	RVEF 改善，運動時間延長，逆流量減少
Am J Cardiol 2001 (Hechter, et al)	体循環右室	ACE-I	後ろ向き	14	半年	RVEF，RV 容積，peakVO$_2$変わりなし
Circulation 2005 (Dore, et al)	体循環右室	ロサルタン	前向き	29	15 週	peakVO$_2$，運動時間，NT-proBNP 変わりなし
Int J Cardiol 2008 (Therrien, et al)	体循環右室	ラミプリル	前向き	17	1 年	RVEF，RV 容積，peakVO$_2$変わりなし
Int J Cardiol 2012 (Tutarel, et al)	体循環右室	エナラプリル	後ろ向き	14	1 年	NT-proBNP 低下，運動耐容能改善
Circulation 2013 (Van der Bom, et al)	体循環右室	バルサルタン	RCT	88	3 年	右室拡張末期容量低下
Int J Cardiol 2012 (Babu-NarayanSV, et al)	TOF/PR	ラミプリル	RCT	72	6カ月	RVEF 改善なし，RV と LV の長軸短縮率改善

表3　ACHD におけるβ遮断薬のエビデンス

研究	対象	介入薬剤	研究デザイン	n 数	治療期間	結果
JAMA 2007 (Shaddy, et al)	様々な CHD	カルベジロール	RCT	161	8 カ月	有意差なし
Am J Cardiol 2007 (Doughan, et al)	体循環右室	カルベジロール, メトプロロール	後ろ向き	60	10 カ月	NYHA 低下
Can J Cardiol 2006 (Josephson, et al)	体循環右室	カルベジロール, メトプロロール, ソタロール	後ろ向き	8	10 年	RVEF 改善
Int J Cardiol 2007 (Giardini, et al)	体循環右室	カルベジロール	前向き	8	1 年	右室拡張末期容量低下, RVEF 改善
Cardiol Young 2007 (Norozi, et al)	TOF	ビソプロロール	RCT	33	6 カ月	有意差なし
Circ J 2011 (Ishibashi, et al)	単心室	カルベジロール	前向き	50	11 カ月	EF 改善

表4　ACHD における肺高血圧治療薬のエビデンス

研究	対象	介入薬剤	n 数	治療期間	結果
Circulation. 2014 (Hebert, et al)	Fontan 術後	ボセンタン	75	3.5 カ月	peakVO$_2$改善
Eur Heart J. 2008 (Giardini, et al)	Fontan 術後	シルデナフィル	27	1 時間	peakVO$_2$改善, CI 改善
Congenit Heart Dis. 2015 (Derk, et al)	Fontan 術後	ボセンタン	7	4 カ月	6 分間歩行改善, NYHA 改善

　右心不全の頻度が多く，右室心筋に対しても左室と同様の効力を発揮するかはわかっていない．ACHDにおいてもβ遮断薬は神経内分泌因子の亢進抑制に有効な可能性がある一方で，ACHD 領域では運動に対する心拍増加反応不良（chromotropic incompetence）を有することが多く，徐拍化には注意が必要である[7]．

　また，Fontan 循環においては心室収縮機能，拡張機能の低下や，肺血管抵抗の上昇による前負荷不足でも心不全を発症しうるため，表4 のように肺高血圧治療薬の投与で運動耐容能や自覚症状の改善を得た報告を認める．

一口に ACHD と括られるが，単純型から複雑型まで臨床像は多様化しており，その特性から大規模臨床試験での予後評価を行うことが難しく，どの薬剤も十分エビデンスが確立した治療とは言えない．現時点では，各薬剤の薬理学的特性に配慮し個々の症例ごとにリスクとベネフィットを勘案しつつ，症例を選んでの慎重な投与が必要である．

D ACHD 合併心不全における SGLT2 阻害薬・ARNI の立ち位置

　ACHD に対する SGLT2 阻害薬や ARNI などの新規心不全薬の使用に関して，大規模な臨床試験はなく，さらにエビデンスは限定的である．

　単施設研究ではあるが，体心室右室の有症候性心不全（体心室 EF＜35%）に対して RAS 阻害薬を ARNI へ置換すると，NT-proBNP や QOL スコア，体心室心機能は有意に改善したという報告がある[8]．一方で，複雑型 ACHD に対して ARNI を投与しても心機能や NYHA 分類を改善しなかったという報告もある[9]．RAS 阻害薬と同様に ARNI の血管拡張作用の有益性と不利益を病態ごとに評価して，その有効性を判断する必要がある．

　SGLT2 阻害薬に関しては，修正大血管転位に伴う体心室右室症例の心不全に有効であったという事例報告があり[10]，また後方視的に評価した研究で重篤な有害事象なしに NT-proBNP および体重の減少をもたらしたという報告もある[11]．左室収縮能が保持された HFpEF に近い病態の多い ACHD 合併心不全において，HFpEF にも有効性が証明されている SGLT2 阻害薬の使用を検討することは理にかなっているかもしれない．

E 成人循環器科医としての ACHD にどう携わるべきか？

　ACHD 患者は成人年齢に達した時点で成人循環器科医へ移行することが望ましいが，現実には疾患の特殊性から複雑性 ACHD であるほど小児科医が継続して診療する事例も多い．現在，ACHD 専門医制度が開始となり，専門医の育成が本邦でも進められているが，その数はまだまだ不十分である．一般心不全における薬物療法や緩和医療の知識を活かして，専門医以外の成人循環器医も ACHD の診療に積極的に関わっていくことが重要である．

■文献

1) Shiina Y, Toyoda T, Kawasoe Y, et al. Prevalence of adult patients with congenital heart disease in Japan. Int J Cardiol. 2011; 146: 13-6.
2) Stout KK, Broberg CS, Book WM, et al. Chronic heart failure in congenital heart disease: A scientific statement from the American Heart Association. Circulation. 2016; 133: 770-801.
3) Diller GP, Dimopoulos K, Okonko D, et al. Exercise intolerance in adult congenital heart disease: comparative severity, correlates, and prognostic implication. Circulation. 2005; 112: 828-35.
4) Hoeper MM, Galié N, Murali S, et al. Outcome after cardiopulmonary resuscitation in patients with pulmonary arterial hypertension. Am J Respir Crit Care Med. 2002; 165: 341-4.
5) Tobler D, Greutmann M, Colman JM, et al. End-of-life care in hospitalized adults with complex congenital heart disease: care delayed, care denied. Palliat Med. 2012; 26: 72-9.
6) Ludmir J, Steiner JM, Wong HN, et al. AAHPM Research Committee Writing Group. Palliative care opportunities among adults with congenital heart disease—A systematic review. J Pain Symptom Manage. 2019; 58: 891-8.
7) Stout KK, Broberg CS, Book WM, et al. American Heart Association Council on Clinical Cardiology, Council on Functional Genomics and Translational Biology, and Council on Cardiovascular Radiology and Imaging. Chronic heart failure in congenital heart disease: A scientific statement from the American Heart Association. Circulation. 2016; 133: 770-801.
8) Zandstra TE, Nederend M, Jongbloed MRM, et al. Sacubitril/valsartan in the treatment of systemic right ventricular failure. Heart. 2021; 107: 1725-30.
9) Maurer SJ, Pujol Salvador C, Schiele S, et al. Sacubitril/valsartan for heart failure in adults with complex congenital heart disease. Int J Cardiol. 2020; 300: 137-40.
10) Egorova AD, Nederend M, Tops LF, et al. The first experience with sodium-glucose cotransporter 2 inhibitor for the treatment of systemic right ventricular failure. ESC Heart Fail. 2022; 9: 2007-12.
11) Saef J, Sundaravel S, Ortega-Legaspi J, et al. Safety and treatment experience with sodium/glucose cotransporter-2 inhibitors in adult patients with congenital heart disease. J Card Fail. 2023: S1071-9164 (23) 00104-5.

〈齋藤秀輝〉

Chapter 16 心不全における免疫抑制療法

　心不全を始めとした循環器疾患において免疫抑制療法が必要となる場面は多くはない．しかし心筋炎など炎症・免疫学的機序を基盤とする疾患は必ず出会うはずであり，対応を知っておくことは重要である．本稿では心不全領域における免疫抑制療法の適応となる疾患と使用法を概説する．循環器診療における免疫抑制療法のエビデンスは，適応となる疾患がまれであることもあり限られている．よって知見の集積やエキスパートオピニオンによって治療の推奨が決定されていることは念頭に置く必要がある．また免疫抑制治療に習熟していない読者も多いことを想定し，ステロイドを中心とした免疫抑制治療を行う際の注意点を併せて解説する．

A 心筋炎

　心筋炎は，心筋を主座とした炎症をきたす疾患の総称である．軽症例では自然軽快することも多いため，心筋炎自体に対する治療は行わないことが多い．しかし発症から 30 日以内と定義される急性心筋炎のうち主に血行動態不安定な症例に免疫抑制療法が検討される．急性心筋炎の原因・分類は多岐にわたるが，免疫抑制療法の適応を考える上では心筋組織学的特徴による分類が重要であるため，組織分類ごとに分けて概説する．また日本循環器学会によるガイドラインで提示されている免疫抑制療法のプロトコルを中心に実際の治療レジメンを表 1 に提示する[1]．

1 急性リンパ球性心筋炎

　リンパ球性心筋炎は急性心筋炎で最も高頻度に見られる．リンパ球性心筋炎に対するステロイド治療は過去の報告で生存率，左室駆出率いずれも改善できていない[2,3]．他の免疫抑制治療の有効性は後述するように慢性リンパ球性心筋炎へは限定的に存在するものの，急性リンパ球性心筋炎においては明確でない．このため膠原病など基礎疾患に対する場合を除いて，国内外の推奨では急性リンパ球性心筋炎に対するルーチンの免疫抑制療法は推奨されていない[1,4]．

表1　急性心筋炎への免疫抑制治療プロトコル

	初期治療	後療法（〜1 年）	付記
急性リンパ球性心筋炎	ステロイドパルス療法（メチルプレドニゾロン 1 g/日×3 日間）	プレドニゾロン 0.5〜1 mg/kg/日. 7 日ごとに 5 mg/日ずつ減量. 漸減中止を考慮	治療抵抗例では以下を検討 ・シクロスポリン 100〜150 ng/mL ・タクロリムス 5〜10 ng/mL ・アザチオプリン 1.5〜2.0 mg/kg/日
急性好酸球性心筋炎	血行動態不安定: ステロイドパルス療法（上記） 血行動態安定: プレドニゾロン 0.5〜1 mg/kg/日	プレドニゾロン 0.5〜1 mg/kg/日. 7 日ごとに 5 mg/日ずつ減量. 漸減中止を考慮	好酸球性多発血管炎性肉芽腫症もしくは好酸球症候群では原疾患の治療に準じる
巨細胞性心筋炎	ステロイドパルス療法（上記）に加え以下のいずれかを用いる	プレドニゾロン 0.5〜1 mg/kg/日. 7 日ごとに 5 mg/日ずつ減量. 最低用量 5 mg/日で維持	1 年以降は経過を見ながら漸減中止を検討
	①シクロスポリン 150〜300 ng/mL（〜3 カ月まで）＋アザチオプリン 1.5〜2.0 mg/kg/日 ②タクロリムス 10〜15 ng/mL（〜6 カ月まで）＋ミコフェノール酸モフェチル 1.0〜2.0 g/日	①シクロスポリン 75〜100 ng/mL（3 カ月以降） アザチオプリンは同量継続 ②タクロリムス 5〜10 ng/mL（6 カ月以降） ミコフェノール酸モフェチルは同量継続	1 年以降 ①シクロスポリン 75〜100 ng/mL ②タクロリムス 5〜10 ng/mL 併用薬剤は経過を見ながら中止を検討
	③抗胸腺細胞グロブリン 100 mg/日×3 日間	シクロスポリン 150〜300 ng/mL	シクロスポリン 75〜100 ng/mL

※急性リンパ球性心筋炎へのルーチン投与は推奨されない. 劇症型心筋炎など血行動態不安定例で考慮
※巨細胞性心筋炎ではステロイド＋最低他の免疫抑制剤 1 剤は初期から使用するべき. 国内のガイドラインでは 3 剤併用は 2 剤併用後反応が乏しい場合としているが, 欧米のガイドラインでは初期からの 3 剤併用を推奨

一方で, 国内の劇症型心筋炎レジストリ研究の結果からは, リンパ球性であってもステロイド治療が半数以上の症例で行われている[5]. 欧米のコンセンサスステートメントでは, リンパ球性心筋炎へのルーチンの免疫抑制使用は推奨されないとしながら, 心原性ショックを伴うなど劇症型心筋炎に準じる症例で

は，組織分類によらずエンピリックなステロイド治療も提案されている[4]．その場合はステロイドパルス療法から開始し，以後は組織分類や反応性に応じて後療法を行うとしている．以上より，急性リンパ球性心筋炎へのルーチンの免疫抑制療法は行わないのが世界的なコンセンサスではあるものの，劇症型心筋炎においてどうするかはいまだ議論が必要なところである．現在急性心筋炎へのステロイド治療の有効性を検証するランダム化試験（Myocarditis Therapy With Steroids: MYTHS）が行われており，結果が望まれるところである．

2 急性好酸球性心筋炎

心症状を伴う好酸球性心筋炎ではステロイド治療を開始し，炎症所見の推移を見ながら漸減する．心原性ショックなどの血行動態不安定な例ではステロイドパルス療法を行う．後療法はプレドニゾロン 0.5〜1.0 mg/kg/日で開始し漸減していく[1]．ただし好酸球性増加症候群や好酸球性多発血管性肉芽腫症では早期からステロイド以外の治療を併用するなど，原疾患に応じた治療プロトコルが必要である．後述する巨細胞性心筋炎と比較すると，好酸球性心筋炎の免疫抑制治療の反応性は良好とされるが，反応性に乏しい症例ではアザチオプリンなどの他剤併用が検討される[2]．

3 巨細胞性心筋炎

巨細胞性心筋炎は重症化しやすく予後不良であることが多いため，早期から免疫抑制治療を行う[6]．ステロイド単独療法では効果不十分であることが示唆されているため，初期から多剤併用治療が行われる．ステロイドに追加される免疫抑制薬では，カルシニューリン阻害薬であるシクロスポロンもしくはタクロリムスを基本とし，3剤目にはシクロスポリンの場合アザチオプリンの追加するプロトコルが使用されているデータが多くあるが[7,8]，近年ではタクロリムス＋ミコフェノール酸モフェチルのレジメンも使われるようになっており，シクロスポリンに比べ副反応が少ないことが示唆されている[1,2]．一方で欧米のステートメントでは劇症型心筋炎の場合に，ステロイドに抗胸腺細胞グロブリンを行ったのちにシクロスポリンを長期投与するレジメンが 1st-line として提唱されている[4]．また再燃例など治療抵抗性の症例にはアレムツズマブの投与が提唱されている[9]．巨細胞性心筋炎は再燃のリスクが高く，また再燃例の予後は不良であるため，発症 1 年以降もシクロスポリンもしくはタクロリムスの少

量継続が推奨されている[1].

4 免疫チェックポイント阻害薬に伴う心筋炎

　組織分類に基づくものではないが，近年頻度が増えている免疫チェックポイント阻害薬による心筋炎は免疫抑制治療の推奨が異なるため独立して扱う．アメリカ臨床腫瘍学会のガイドラインでは，症候性の心筋炎に対してはプレドニゾロン換算で1〜2 mg/kg のステロイド治療が推奨され，効果不十分の症例では早期からのステロイドパルス治療が推奨される[10].　また原則免疫チェックポイント阻害薬は中止される．後ろ向きレジストリ報告では心筋炎と診断された段階で，早期から高用量でのステロイド治療を行った症例で予後良好であることが示されており，早期からの積極的な介入が望ましい可能性がある[11,12].　ステロイドの減量基準に明確なものは存在しないが，症状やトロポニンなどのバイオマーカーを見ながら3カ月から1年程度かけて減量していくことが推奨されている[12].

5 静注免疫グロブリン（IVIG）

　IVIG も抗炎症作用を持ち，急性心筋炎に対して以前よりしばしば使われている．国内の多施設研究でも死亡率の低下やサイトカインの低下が示されている[13]，一方で IVIG による死亡率軽減効果がないという報告もあり[14]，結果は一貫していない．そのため急性心筋炎への IVIG の推奨は病態に応じて考慮するに留まっている．

6 慢性心筋炎

　慢性心筋炎への免疫抑制療法は，ウイルスゲノム陰性例と HLA 発現例の慢性心筋炎へのプレドニゾロン＋アザチオプリンはプラセボに比べ左室駆出率の改善を示している[15,16].　ただしいずれも小規模であり，イベント低減までは示されていない．以上よりエビデンスは十分とはいえず，現状では慢性心筋炎への免疫抑制療法は原則推奨されない．

B 心臓サルコイドーシス

　心臓サルコイドーシスは炎症に伴い心筋障害が生じ心機能低下，不整脈など
が出現する疾患である．そのため炎症に対する免疫抑制治療が行われる代表的
な心疾患の1つである．

1 ステロイド治療〜開始時〜

　免疫抑制治療の主体となるのはステロイドである．何らかの心臓所見があれ
ば原則治療は早期から開始するべきである．プレドニゾロン換算で0.5 mg/kg/
日から開始し，4週間後に病状をみながら漸減していくプロトコルが一般的で
ある[17]．サルコイドーシスの活動性が著しく高いと判断されるときは，前述の
心筋炎と同様にステロイドパルス療法が行われることもある[18]．その場合は3
日間のパルス療法後，通常の開始量で後療法を行う．何をもって高い活動性か
を客観的に定めることは容易ではないが，筆者は伝導障害などが急激に進むな
ど症状変化の速度を重要な所見と位置づけている．

2 ステロイド治療〜維持期〜

　ステロイドの漸減は4週間おきにプレドニゾロン換算で5 mg/日ごとに行う
のが一般的である．漸減後の維持量は5〜10 mg/日を継続することが多い．漸
減の速度や再増量はサルコイドーシスの活動性を見ながら判断する．活動性の
判断に関してはFDG-PETが高感度であるため推奨されているが，簡便に行え
る検査でないことやPETの所見のみでは判断に悩む症例もあり，自覚症状や
12誘導心電図，心エコー図などを含めた総合的な判断を行うべきである．どの
タイミングで活動性の評価を行うかであるが，ガイドラインレベルでの推奨は
存在しない．そのため各施設で異なるのが現状であるが，治療開始から1〜3カ
月以内に初回評価を行い，その後3〜6カ月おきに評価していく手法が多く見ら
れる印象である．その後安定している症例では1年ごとの評価に切り替えてい
く．ステロイドの中止に関しては明確な推奨はないが，少量で継続するのが一
般的である．

3 ステロイドの代替療法

　ステロイド抵抗性もしくは副作用のため継続や増量が困難なケースでは免疫

抑制剤の併用が行われる．最も用いられているのはメトトレキサートである[17]．メトトレキサート使用に際しては，間質性肺炎や血球減少の副作用と保険適応外である点は注意が必要である．第3選択としては抗 TNF-α 製剤であるインフリキシマブが有効であったという報告があることから，使用が考慮される．

C ステロイド・免疫抑制薬の使い方と注意点

　グルココルチコイド（GC）は抗炎症作用と，多彩な免疫細胞への抑制作用に優れ，多くの炎症性疾患で使用される薬剤である．一方で多彩な副作用のため，原疾患よりも重篤な状態に至る場合がある．疾患のコントロールのための用量の選択と副作用の適切なモニタリングと対策が重要である．

1 グルココルチコイドの2つの作用点

　GC の薬理作用には細胞質受容体と結合して核内へ移動し，遺伝子発現に影響を与える genomic effect と，核外細胞質内受容体や細胞膜受容体に結合することで効果を発現する non-genomic effect がある．前者は核内まで移動してから遺伝子転写に作用するため，効果発現に数十分から数時間かかるが，後者は投与後，数分以内（少なくとも 30 分以内）に効果を発現する[19]．抗炎症作用，免疫調整作用は基本的には genomic effect の影響だが，non-genomic effect はその効果発現の速さから，genomic effect が発現するまでの間のストレス対応のための機構と考えられている．

2 グルココルチコイドの用量と効果

　genomic effect は GC の用量依存的に増加するが，プレドニゾロン（PSL）換算で 50〜100 mg/日（通常 1 mg/kg/日以上）で受容体が飽和するため，追加効果は期待できない．一方 non-genomic effect は PSL 換算で 100 mg/日（超高用量）を超えて初めて効果が付加される[20]．パルス療法（PSL 換算で 250 mg/日以上）が緊急性の高い病態で使用されるのは non-genomic effect の上乗せ効果が期待できるためである．

3 グルココルチコイド使用前のチェック項目

　低用量でも長期使用する場合，結核，B 型肝炎，骨粗鬆症，糖尿病，脂質異

常症のスクリーニングを行う．PSL 換算で 15 mg/日以上，4 週間以上使用する可能性がある患者では潜在結核の再活性化のリスクがあるため胸部 X 線，IGRA（インターフェロンγ遊離試験）を実施する[21]．B 型肝炎は HBs 抗原を測定し，陰性である場合にはさらに HBs 抗体，HBc 抗体をチェックする（詳細は免疫抑制・化学療法により発症する B 型肝炎対策ガイドラインを参照）．3 項目のうちいずれかが陽性の場合は消化器内科に相談する．高齢者では骨粗鬆症が必発するため，骨密度を測定し，Fracture Risk Assessment tool（FRAX）(https://frax.shef.ac.uk/FRAX/tool.aspx?lang=jp) を計算する．その他，治療開始前の HbA1c や TG，LDL-chol などの測定が開始後の参考となる．

4 グルココルチコイドの副作用発現の時期と用量

GC 開始当日から出現する可能性がある副作用は不眠である．不眠を不安に感じる患者もいるが，日中の傾眠や倦怠感は少なく，過度に心配しないよう事前に説明する．数日から数週間経過すると血圧，血糖，脂質などの代謝異常が出現するため，バイタルや血液検査をチェックする．PSL 10 mg/日以上，累積 700 mg 以上では感染症のリスクが増大する[22]．特に PSL 15〜30 mg/日以上を 2〜4 週間以上使用する場合はニューモシスチス肺炎の予防を行う[21]．骨粗鬆症は数カ月以上の長期使用でリスクが増大するが，高齢者では開始時点で併存している可能性が高く，精査の上で治療を開始する．

用量依存性副作用は個々人によって異なる場合があるが，PSL 5 mg/日未満の低用量でも不眠や白内障，皮膚の菲薄化，斑状出血[23]，PSL 2.5 mg/日未満でも 3 カ月以上の長期使用の場合は骨粗鬆症のリスクが上昇する[24]．治療には『ステロイド性骨粗鬆症の管理と治療のガイドライン』が参考になる．心サルコイドーシス患者を対象とした研究では PSL 17.5 mg 以上の使用は静脈血栓塞栓症のリスクに関連したとされる[25]．また，パルス療法では non-genomic effect による心血管イベント（心不全，不整脈）が起こる可能性があり，特に高齢患者などではモニター心電図装着や心不全徴候を確認する事が望ましい．

5 グルココルチコイド減量・中止の際の注意点

GC は即効性や用量調整の利便性に優れている反面，免疫抑制薬のなかで最も副作用が多い薬剤でもあるため，実臨床では十分量で寛解導入し，疾患活動性の消退を確認後，漸減し，中止することが望ましい．しかし，疾患活動性の

表2 心筋炎・心サルコイドーシスで使用する免疫抑制薬・生物学的製剤

一般名	メトトレキサート	アザチオプリン	シクロスポリン	インフリキシマブ
用法用量	・6～8 mg/週（高齢では4 mg/週）から開始し、忍容性を確認しながら2 mg/1～2週ずつ漸増。 ・8 mg以上では2～3回に分割することが多い。 ・関節リウマチでは16 mg/週が保険適応量の上限。	・25～50 mg 分1から開始し、忍容性を確認しながら25 mg/1～2週ずつ2 mg/kg/日を目標に漸増。 ・上限は3 mg/kg/日。	・2～5 mg/kg/日相当量を1日2回に分けて投与。 ・少量から開始し症状や忍容性を確認しながら漸増。 ・投与12時間後の血中トラフ値を100～150 ng/mLにする。	・5 mg/kgを0, 2週に投与、以降4週毎に投与[28]
禁忌	・胸腹水貯留などのある患者 ・肝障害（AST, ALT）基準値の2倍） ・腎障害（eGFR<30 mL/min/1.73 m²） ・骨髄抑制のある患者 ・活動性結核感染症 ・本剤の成分に対し過敏症の既往	・本剤またはメルカプトプリンに対して過敏症の既往がある患者 ・白血球≤3000/mm³以下の患者 ・フェブキソスタットまたはトピロキシスタットを投与中の患者	CYP3A4により代謝されるため、併用禁忌・注意薬多数あり（スピロノラクトン、ボセンタンなど）。必ず添付文書を確認すること。	重篤な感染症、活動性結核、本剤に対する過敏症の既往歴のある患者、脱髄疾患、うっ血性心不全の患者
副作用	感染症、骨髄障害、（間質性肺炎）、肝障害、リンパ増殖性疾患、嘔気、口内炎など	感染症、骨髄抑制、肝障害、消化器症状、脱毛	悪心、嘔吐、腹痛、下痢などの消化器症状、高カリウム血症、腎機能障害、高血圧症、脂質異常症、多毛、歯肉腫脹、肝障害、血栓性微小血管障害、可逆性後白質脳症症候群、高血圧性脳症などの中枢神経系障害、感染症	感染症、結核、infusion reaction、脱髄疾患、ループス様症状
妊婦・授乳婦への投与	禁忌	有益性投与	有益性投与	有益性投与

表2 つづき

一般名	メトトレキサート	アザチオプリン	シクロスポリン	インフリキシマブ
保険適応	関節リウマチ，乾癬性関節炎，尋常性乾癬，若年性特発性関節炎	治療抵抗性全身性エリテマトーデス，ANCA 関連血管炎，結節性多発動脈炎，高安動脈炎，皮膚筋炎・多発性筋炎，全身性強皮症，混合性結合組織病，および難治性リウマチ疾患	骨髄移植における拒絶反応および移植片対宿主病の抑制，Behçet 病，非感染性ぶどう膜炎，尋常性乾癬，膿疱性乾癬，乾癬性紅皮症，関節症性乾癬，再生不良性貧血，赤芽球癆，ネフローゼ症候群，全身型重症筋無力症，アトピー性皮膚炎	関節リウマチ，Behçet 病による難治性網膜ぶどう膜炎，尋常性乾癬，乾癬性関節炎，膿疱性乾癬，乾癬性紅皮症，強直性脊椎炎，腸管型 Behçet 病，神経型 Behçet 病，血管型 Behçet 病，川崎病，クローン病，潰瘍性大腸炎
備考	・葉酸代謝を拮抗することで免疫細胞の増殖を抑える. ・禁忌，有害事象が多く，慎重なかつ繊細な使用が望まれる. ・嘔気，口内炎，骨髄抑制，肝機能障害などの副作用は葉酸を併用することで予防可能. 少量からでも併用が望ましい. ・有効性や安全性の観点から 8 mg 以上は分割投与が推奨されているが近年の研究では有意な差はない[29] ・患者用パンフレットがあり，配布して説明することが望ましい. ・すでに間質性肺炎を合併している患者への使用は避けることが多い. ・適正使用ガイドラインがあるため使用前に必ず参照する.	・DNA や RNA 合成に必要なプリン体の合成を阻害することで T・B 細胞の増殖を抑える薬剤. ・NUDT15 遺伝子多型検査が血球減少，脱毛などの副作用の予測に有用であり，使用前に確認するのが望ましい. ・特に Cys/Cys（ホモ接合体）では血球減少，脱毛の副作用は必発であるため本薬剤を回避する. ・尿酸産生抑制薬は併用禁忌であり，細心の注意を払う必要がある.	・T 細胞内のシグナル伝達の一部を担う酵素であるカルシニューリンを阻害することで炎症のシグナルがそれ以上進まないようにする薬剤. ・CYP3A4 により代謝されるため，併用注意薬多数.	・本剤はマウスとヒトのキメラ抗体であるため，投与中あるいは投与終了後2時間以内に infusion reaction の（アナフィラキシー，痙攣）が起こることがある. 緊急時に十分な対応のできる準備をした上で投与を開始し，投与終了後も十分な観察を行うこと. 重篤な infusion reaction が発現した場合には，本剤の投与を中止し，適切な処置を行うこと. ・メトトレキサート 6 mg/週と併用することで本剤への抗体産生が抑制できる.

抑制と副作用のバランスを取ることが重要で，早すぎる減量は疾患再燃と関連し，遅すぎる減量は副作用出現と関連して治療が難渋する．心筋炎や心サルコイドーシスなどの GC を必要とする循環器疾患においては，疾患活動性指標（症状，心電図，心筋逸脱酵素，画像検査など）を評価し，適切な減量スピードが求められる．循環器疾患における GC 中止に関して十分なエビデンスはなく，中止に際して高率に再燃する可能性が報告されている[26]．原疾患の再燃以外の問題点として副腎不全が挙げられる．PSL 5 mg でも 2〜4 週以上使用する場合はリスクが上昇することが知られている[27]．特に高齢者の場合，不可逆的な副腎機能低下が生じやすいため，漸減中に PSL 5 mg を切る際には倦怠感，意欲低下，低血圧，低ナトリウム血症などに注意する．

6 心筋炎・心サルコイドーシスで使用する免疫抑制薬・生物学的製剤

　累積投与によって生じる副作用を予防するために早期より GC 減量効果が示されている免疫抑制薬・生物学的製剤を併用することが望ましい．心筋炎・心サルコイドーシスで用いられる免疫抑制薬・生物学的製剤を**表 2** に示す．使用する前には添付文書を熟読することが重要である．

■文献

1) 永井利幸，猪又孝元，河野隆志，他．2023 年改訂版心筋炎の診断・治療に関するガイドライン．日本循環器学会．2023.
2) Kociol RD, Cooper LT, Fang JC, et al. Recognition and initial management of fulminant myocarditis: A scientific statement from the American Heart Association. Circulation. 2020; 141: e69-92.
3) Basso C. Myocarditis. N Engl J Med. 2022; 387: 1488-500.
4) Ammirati E, Frigerio M, Adler ED, et al. Management of acute myocarditis and chronic inflammatory cardiomyopathy: An expert consensus document. Circ Hear Fail. 2020; 13: E007405.
5) Kanaoka K, Onoue K, Terasaki S, et al. Features and outcomes of histologically proven myocarditis with fulminant presentation. Circulation. 2022; 146: 1425-33.
6) Okura Y, Dec GW, Hare JM, et al. A clinical and histopathologic comparison of cardiac sarcoidosis and idiopathic giant cell myocarditis. J Am Coll Cardiol. 2003; 41: 322-9.
7) Cooper LT, Berry GJ, Shabetai R. Idiopathic giant-cell myocarditis—Natural history and treatment. N Engl J Med. 1997; 336: 1860-6.
8) Kandolin R, Lehtonen J, Salmenkivi K, et al. Diagnosis, treatment, and outcome of giant-cell myocarditis in the era of combined immunosuppression. Circ Hear Fail.

2013; 6: 15-22.

9）Bang V, Ganatra S, Shah SP, et al. Management of patients with giant cell myocarditis: JACC review topic of the week. J Am Coll Cardiol. 2021; 77: 1122-34.

10）Schneider BJ, Naidoo J, Santomasso BD, et al. Management of immune-related adverse events in patients treated with immune checkpoint inhibitor therapy: ASCO Guideline Update. J Clin Oncol. 2021; 39: 4073-126.

11）Zhang L, Zlotoff DA, Awadalla M, et al. Major adverse cardiovascular events and the timing and dose of corticosteroids in immune checkpoint inhibitor—Associated myocarditis. Circulation. 2020; 141: 2031-4.

12）Zhang L, Reynolds KL, Lyon AR, et al. The evolving immunotherapy landscape and the epidemiology, diagnosis, and management of cardiotoxicity. JACC Cardio Oncol. 2021; 3; 35-47.

13）Kishimoto C, Shioji K, Hashimoto T, et al. Therapy with immunoglobulin in patients with acute myocarditis and cardiomyopathy: analysis of leukocyte balance. Heart Vessels. 2014; 29: 336-42.

14）Isogai T, Yasunaga H, Matsui H, et al. Effect of intravenous immunoglobulin for fulminant myocarditis on in-hospital mortality: propensity score analyses. J Card Fail. 2015; 21: 391-7.

15）Frustaci A, Russo MA, Chimenti C. Randomized study on the efficacy of immunosuppressive therapy in patients with virus-negative inflammatory cardiomyopathy: The TIMIC study. Eur Heart J. 2009; 30: 1995-2002.

16）Wojnicz R, Nowalany-Kozielska E, Wojciechowska C, et al. Randomized, placebo-controlled study for immunosuppressive treatment of inflammatory dilated cardiomyopathy: two-year follow-up results. Circulation. 2001; 104: 39-45.

17）寺崎文夫, 我妻安良太, 安斎俊久, 他. 2016 年度版心臓サルコイドーシスの診療ガイドライン. 2016. p.1-75.

18）Hashimura M, Ikeda Y, Koitabashi T, et al. Cardiac sarcoidosis presenting with cardiogenic shock successfully recovered by Impella and corticosteroid pulse therapy: a case report. Eur Heart J. Case reports 2023 Feb; 7（2）.

19）Panettieri RA, Schaafsma D, Amrani Y, et al. Non-genomic effects of glucocorticoids: An updated view. Trends Pharmacol Sci. 2019; 40: 38-49.

20）Buttgereit F, Straub RH, Wehling M, et al. Glucocorticoids in the treatment of rheumatic diseases: an update on the mechanisms of action. Arthritis Rheum. 2004; 50: 3408-17.

21）Fragoulis GE, Nikiphorou E, Dey M, et al. 2022 EULAR recommendations for screening and prophylaxis of chronic and opportunistic infections in adults with autoimmune inflammatory rheumatic diseases. Ann Rheum Dis. 2022; ard-2022-223335.

22）Stuck AE, Minder CE, Frey FJ. Risk of infectious complications in patients taking glucocorticosteroids. Rev Infect Dis. 1989; 11: 954-63.

23）Huscher D, Thiele K, Gromnica-Ihle E, et al. Dose-related patterns of glucocorticoid-induced side effects. Ann Rheum Dis. 2009; 68: 1119-24.

24）Buckley L, Guyatt G, Fink HA, et al. 2017 American College of Rheumatology Guideline for the prevention and treatment of glucocorticoid-induced osteoporosis. Arthritis Care Res (Hoboken). 2017; 69: 1095-110.

25) Kolluri N, Elwazir MY, Rosenbaum AN, et al. Effect of corticosteroid therapy in patients with cardiac sarcoidosis on frequency of venous thromboembolism. Am J Cardiol. 2021; 149: 112-8.

26) Rosenthal DG, Parwani P, Murray TO, et al. Long-term corticosteroid-sparing immunosuppression for cardiac sarcoidosis. J Am Heart Assoc. 2019; 8: e010952.

27) Prete A, Bancos I. Glucocorticoid induced adrenal insufficiency. BMJ. 2021; 374: n1380.

28) Bakker ALM, Mathijssen H, Azzahhafi J, et al. Effectiveness and safety of infliximab in cardiac sarcoidosis. Int J Cardiol. 2021; 330: 179-85.

29) Nagaoka S, Katayama K, Kasama T, et al. Weekly split-dose regimen for oral methotrexate reduced polyglutamation in red blood cells in patients with rheumatoid arthritis compared with single-dose regimen: Results from a multicentered randomized control trial. Int J Rheum Dis. 2020; 23: 1328-36.

〈鍋田 健　吉田常恭〉

Chapter 17　心不全治療薬の投与量と薬物動態

	薬剤	開始用量	最大用量
ACE 阻害薬	エナラプリル	2.5 mg 分 1	10 mg
	リシノプリル	5 mg 分 1	10 mg
ARB	カンデサルタン	4 mg（重症・腎障害例では 2 mg）分 1	8 mg（最大 12 mg）
ARNI	ザクビトリルバルサルタン	100 mg 分 2	400 mg
MRA	スピロノラクトン	12.5 mg〜25 mg 分 1	50 mg
	エプレレノン	25 mg 分 1	50 mg
SGLT2 阻害薬	ダパグリフロジン	10 mg 分 1	開始用量と同じ
	エンパグリフロジン	10 mg 分 1	開始用量と同じ
β 遮断薬	カルベジロール	2.5 mg 分 2	20 mg
	ビソプロロール	0.625 mg 分 1	5 mg

忍容性を見ながら可能な限り最大容量まで増量することが望ましい

	薬剤	開始用量	最大用量
If チャネル阻害薬	イバブラジン	5 mg 分 2	15 mg
sGC 刺激薬	ベルイシグアト	2.5 mg 分 1	10 mg

忍容性を見ながら可能な限り最大容量まで増量することが望ましい

	薬剤	開始用量	最大用量
利尿薬	フロセミド	40〜80 mg	—
	アゾセミド	60 mg	60 mg
	トラセミド	4〜8 mg	8 mg
	トルバプタン	15 mg	15 mg
	トリクロメチアジド	2〜8 mg	8 mg
経口強心薬	ピモベンダン	5 mg 分 2	—

うっ血解除，状態維持に必要な最小量を用いるのが望ましい．開始用量は実臨床では提示用量よりも少量で使用することもある．

	薬剤	開始用量	最大用量
ジギタリス	ジゴキシン	0.125 mg〜0.25 mg	—

血中濃度に注意しながら増減する（詳細はジゴキシンの章を参照）

Tmax（h）	T1/2（h）	薬物動態条件	代謝経路
4	14	5/10 mg 錠 単剤健常者	腎臓
6〜8	—	—	腎臓
4〜6	—	—	—
2.0h（ザクビトリル）/ 1.5h（バルサルタン）	13.4h（ザクビトリル）/ 18.9（バルサルタン）	200 mg 単剤健常者	—
2.8	α相 1.8，β相 11.6	—	尿中 32%
1.5	5	100 mg 反復	—
1	8〜12	10 mg 単回	—
1.5	9.9	10 mg 単回	—
0.6	2	5 mg 単回	肝臓
3.1	8.6	5 mg 単回	尿中 90%

Tmax（h）	T1/2（h）	薬物動態条件	代謝経路
0.67	2.6	2.5 mg 単回	—
1	21.1	5 mg 単回	—

Tmax（h）	T1/2（h）	薬物動態条件	代謝経路
1.7	0.35	40 mg 経口単剤	尿中 88%
3.3	2.6	—	尿中 4%，糞中 71%
1	2	2/5/10 mg 単回	—
2	3.3	15 mg 単回	—
3	—	—	—
0.8	1	2.5 mg 単回	—

Tmax（h）	T1/2（h）	薬物動態条件	代謝経路
—	33h	—	腎臓

14. 肺高血圧（2群メイン）

　今回のテーマは2群の肺高血圧症（左心疾患に伴う肺高血圧症）である．2群の肺高血圧症は左室拡張末期圧や左房圧が上昇し，肺静脈圧が上昇することで発症する左心不全の合併症であり，日常診療において最も多く遭遇する肺高血圧症である．2群の肺高血圧症の診断基準は平均肺動脈圧が25 mmHg 以上，かつ肺動脈楔入圧が15 mmHg を超えていることであるが[1]，1群では肺動脈楔入圧15 mmHg 以下であり，疾患病態が大きく異なる．また，肺静脈圧の上昇で受動的に肺動脈圧が上昇することで発症する孤立性（isolated postcapillary pulmonary hypertension: IpcPH）と受動的な肺動脈圧の上昇に肺動脈の反応性収縮や肺動脈のリモデリングなどの肺血管の要素が加わった混合性（combined pre- and post-capillary pulmonary hypertension: CpcPH）の2つの病態が存在する[2]．これまでの報告では，心不全診療において2群の肺高血圧症は予後不良因子である．2群の肺高血圧症に対する治療は，利尿薬や血管拡張薬などの左心不全に対する治療が主であるが，1群の肺高血圧症の治療薬である肺血管拡張薬は2群の肺高血圧症において有効性が示されていない[3-5]．しかしながら，実臨床において肺血管拡張薬が2群の肺高血圧症に効果的である症例は存在しており，その使用については今後も議論を続けていくべきである．

　2022年，欧州心臓病学会/呼吸器病学会のガイドラインで肺高血圧症の診断基準が平均肺動脈圧25 mmHg 以上から20 mmHg を超えるに変更され，肺高血圧症診療に激震が走った．変更に至った経緯としては，これまで境界肺高血圧症とされていた平均肺動脈圧21〜24 mmHg の症例も生命予後が不良であること[6]，健常者の臥位平均肺動脈圧は14.0±3.3 mmHg で年齢，性別，体位，人種による差がないことが報告されており[7]，平均値＋2×標準偏差の20 mmHg を平均肺動脈圧の正常上限とした．また，これまで肺血管抵抗は3 Wood 単位以上が肺動脈性肺高血圧症の診断基準であったが，2022年の欧州の診断基準では2 Wood 単位を超えるに変更された．2群の肺高血圧症において，CpcPH の鑑別のために推奨されていた拡張期圧較差（拡張期肺動脈圧−肺動脈楔入圧）7 mmHg 以上は撤廃され，肺血管抵抗2 Wood 単位を超えるに変更された．今

後，本邦においても肺高血圧症の診療ガイドラインの改訂が予定されているが，大きな議題になると思われる．本邦において，2群の肺高血圧症の診断基準が欧州と同様になることにより2群の肺高血圧症に遭遇する機会が増えることが予想される．しかしながら，2群の肺高血圧症に関するエビデンスは十分なものではなく，今後，様々なエビデンスを構築していくことが我々の世代に課せられた課題である．

肺高血圧症の診断において肺動脈楔入圧の正確な測定が非常に重要であることを強調しておきたい．肺動脈楔入圧の測定については，2018年の肺高血圧症ワールドシンポジウムにおいても議論されている[8]．Stiff left atrial syndromeや僧帽弁閉鎖不全症などを合併すると高いv波が出現することがあり，正確な肺動脈楔入圧の測定には苦慮することが多い．右心カテーテル検査では肺動脈楔入圧の測定に最大限の注意を払うべきであると考えている．

肺循環疾患では1つの診療科だけでは解決しない問題も多く，他職種との協力も必要である．まだまだ未知な点が多く，今後も発展が求められている領域であり，基礎および臨床研究を行っていく上で魅力的な領域である．現在，日本肺高血圧・肺循環学会が主体となり，多くの多施設共同レジストリー研究が行われており，多くのエビデンスが蓄積されることが期待される．今後の肺循環疾患領域の発展に微力ながら貢献していけるように努力していきたい．

■文献

1) Fukuda K, Date H, Doi S, et al. Guidelines for the treatment of pulmonary hypertension (JCS 2017/JPCPHS 2017). Circ J. 2019; 83: 842-945.
2) Humbert M, Kovacs G, Hoeper MM, et al. 2022 ESC/ERS Guidelines for the diagnosis and treatment of pulmonary hypertension: Developed by the task force for the diagnosis and treatment of pulmonary hypertension of the European Society of Cardiology (ESC) and the European Respiratory Society (ERS). Endorsed by the International Society for Heart and Lung Transplantation (ISHLT) and the European Reference Network on rare respiratory diseases (ERN-LUNG). Eur Heart J. 2022; 43: 3618-731.
3) Kalra PR, Moon JC, Coats AJ. Do results of the ENABLE (Endothelin Antagonist Bosentan for Lowering Cardiac Events in Heart Failure) study spell the end for non-selective endothelin antagonism in heart failure? Int J Cardiol. 2002; 85: 195-7.
4) Bonderman D, Ghio S, Felix SB, et al. Riociguat for patients with pulmonary hypertension caused by systolic left ventricular dysfunction: a phase Ⅱb double-blind, randomized, placebo-controlled, dose-ranging hemodynamic study. Circulation.

2013; 128: 502-11.

5) Vachiéry JL, Delcroix M, Al-Hiti H, et al. Macitentan in pulmonary hypertension due to left ventricular dysfunction. Eur Respir J. 2018; 51: 1701886.
6) Douschan P, Kovacs G, Avian A, et al. Mild elevation of pulmonary arterial pressure as a predictor of mortality. Am J Respir Crit Care Med. 2018; 197: 509-16.
7) Kovacs G, Berghold A, Scheidl S, et al. Pulmonary arterial pressure during rest and exercise in healthy subjects: a systematic review. Eur Respir J. 2009; 34: 888-94.
8) Vachiéry JL, Tedford RJ, Rosenkranz S, et al. Pulmonary hypertension due to left heart disease. Eur Respir J. 2019; 53: 1801897.

〈杁山陽一〉

索 引

心不全治療薬の考え方，使い方   ©

発　行	2019 年 10 月 10 日　1 版 1 刷
	2019 年 11 月 15 日　1 版 2 刷
	2023 年 10 月 20 日　2 版 1 刷

編著者　齋藤秀輝
　　　　鍋田　健
　　　　柴田龍宏

発行者　株式会社　中外医学社
　　　　代表取締役　青木　滋
　　　　〒 162-0805　東京都新宿区矢来町 62
　　　　電　話　（03）3268-2701（代）
　　　　振替口座　00190-1-98814 番

印刷・製本/三報社印刷㈱　　　　〈SK・YT〉
ISBN978-4-498-13659-5　　　　Printed in Japan